MOLLY
Mörde

Buch

Dr. Edward Fitzgerald, genannt »Fitz«, ist ein ebenso genialer wie
unorthodoxer Psychologe. Er ist übergewichtig, dominant, Ketten-
raucher, standfester Trinker, und er wird von einer ruinösen Spielleidenschaft getrieben. Doch der Faszination seines messerscharfen
Verstands kann sich niemand entziehen. Die Polizei von Manchester
weiß seine Fähigkeiten ebenfalls zu schätzen und für sich zu nutzen.
Auch im Fall des aggressiven, sprachbehinderten Sean, der wegen
einer Busentführung kurzzeitig hinter Gittern sitzt. Was die Polizei
allerdings nicht ahnt: Sean und seine Freundin Tina haben sich zu
einem Killerpärchen im Stile von Bonnie & Clyde zusammenge-
schlossen. Und das erste Opfer ist bereits tot . . .

Autorin

Molly Brown schreibt seit 1990 und hat seither mehr als zwanzig
Kurzgeschichten veröffentlicht. 1991 gewann sie den British Scien-
ce Fiction Award für die beste Short story. Bei Goldmann ist von ihr
bereits der historische Kriminalroman *Einladung zu einer Beerdigung* (43520) erschienen. Molly Brown lebt in London.

Weitere »FITZ«-Krimis bei Goldmann
Jim Mortimore: Mord ohne Erinnerung (43827)
Liz Holliday: Tod eines Knaben (43869)

MOLLY BROWN

Mörderische Liebe

»Für alle Fälle Fitz«

Roman

Aus dem Englischen
von Ursula Walther

GOLDMANN

Die Originalausgabe erschien 1994 unter dem Titel
»To Say I Love You« bei Virgin Books, London

Der Goldmann Verlag
ist ein Unternehmen der Verlagsgruppe Bertelsmann

Deutsche Erstausgabe 12/1997
Copyright © der Originalausgabe 1994 by Molly Brown
nach einem Drehbuch von Jimmy McGovern
Gracker © Granada Television and Jimmy McGovern
Published by Arrangement with Virgin Publishing Ltd.
Copyright © der deutschsprachigen Ausgabe 1997
by Wilhelm Goldmann Verlag, München
Umschlaggestaltung: Design Team München
Umschlagmotiv: © Robbie Coltrane
Satz: DTP-Service Apel, Hannover
Druck: Elsnerdruck, Berlin
Verlagsnummer: 43868
AB · Herstellung: Heidrun Nawrot
Made in Germany
ISBN 3-442-43868-3

1 3 5 7 9 10 8 6 4 2

*Für Brandon mit Dank für den vielen Tee.
Dank auch an Shirley Dennis für
ihre wertvolle Hilfe.*

Prolog

Sie lag auf einer Matratze in einer Ecke, trug nichts als einen Kimono und sah Richard und Judy zu, wie sie mit einer fetten, spießigen Hausfrau verhandelten, als jemand an die Tür klopfte. Sie schaltete den Fernseher aus, blieb stocksteif liegen und lauschte.

»Mach auf, Schätzchen. Ich weiß, daß du da drin bist.«

Die sanfte, tiefe Stimme jagte ihr einen Schauer über den Rücken, und sie kauerte sich unter der Decke zusammen. Er war ein gutaussehender Mistkerl mit knallbunten, protzigen Klamotten und goldenen Ringen. Er nannte sich selbst Geschäftsmann. »Mach dir keine Sorgen, Schätzchen«, hatte er sie an dem Abend im Pub getröstet. »Ich helf' dir, ist gar kein Problem.« Er drückte ihr ohne Umschweife das Geld in die Hand. Sie hielt ihn für einen gutgläubigen Trottel – einer von der Sorte, die zuviel tranken und versuchten, Eindruck bei ihr zu schinden. Sie war gerade erst von Sheffield nach Manchester gezogen, hatte keine Ahnung, wo sie war und in was sie da gerade hineinschlitterte.

»Du bist dumm, Schätzchen«, sagte die Stimme. »Du bist verdammt dumm.«

Sie holte tief Luft, nahm all ihren Mut zusammen und ging durch den Flur zur Tür. Sie fuhr sich mit den Fingern durch ihr langes, schwarzes Haar, wischte sich ein paar strähnige Locken aus der Stirn und zwang sich, eine coole Miene aufzusetzen. »Ja?« sagte sie, während sie die Tür nur einen Spalt öffnete.

Eine Hand schob die Tür ganz auf; sie trat zur Seite.

»Du hast dir viel Zeit gelassen.«

»Ich hab' geschlafen«, sagte sie.

Er kam in die Wohnung und machte die Tür zu. Gut über Dreißig, dichtes braunes Haar, gebaut wie ein Boxer. Hautenges schwarzes T-Shirt zu weißem Leinenanzug. »Dann wird's Zeit, daß du aufstehst.« Er deutete auf einen Umschlag, der auf dem Boden lag. Sie bückte sich, um ihn aufzuheben. Er nahm ihn ihr aus der Hand und riß ihn auf. Das Kuvert enthielt einen Scheck. Er nahm ihn an sich und steckte ihn vorsichtig in die Innentasche seines Jacketts. Den zerfetzten Umschlag ließ er auf den Boden fallen.

»Zieh dich an«, forderte er sie auf.

Sie ging durch den Flur zurück, nahm ein paar Kleider von der Stange und verschwand hinter dem Vorhang, der ihr Bett vom Rest des Zimmers abtrennte.

»Vielleicht brauchst du auch gar nichts anzuziehen«, sagte er und zerrte den Vorhang zur Seite.

»Laß mir nur eine Minute Zeit«, sagte sie. »Du bekommst dein verdammtes Geld. Okay?«

Er zog eine Augenbraue hoch, lachte und machte den Vorhang wieder zu.

Er hielt ihren Arm fest, als er sie über den langen Balkon und die Treppe hinunter begleitete. Auf der anderen Seite des Hofs führte ein Durchgang zur Straße und zu ein paar Geschäften. Er öffnete die Tür zum Zeitungsladen und schob sie hinein. Im hinteren Teil des Geschäftsraums befand sich eine Poststelle; er stellte sich hinter ihr in die Schlange und schubste sie zum Schalter, als sie dran war.

Er gab ihr den Scheck zurück und drängte sich dicht neben sie, während der Mann das Geld durch den Schlitz unter der Scheibe schob. Sie streckte die Hand danach aus, aber er riß es ihr sofort wieder weg und zählte es sorgsam, ehe er es in seine Brieftasche steckte. »Verdammte Peanuts, mehr krieg' ich nicht von dir«, sagte er und wandte sich von dem Schalter ab. »Das ist ja kaum wert, daß ich meine Zeit dafür verschwende. Du mußt dich ein bißchen mehr anstrengen, Schätzchen. Bis jetzt war ich nachsichtig mit dir, aber ich warne dich, allmählich reißt mir der Geduldsfaden. Was du mir gibst, reicht nicht mal für die verdammten Zinsen.«

»Hey, komm«, sagte sie, als sie ihm nach draußen folgte. »Gib mir wenigstens ein paar Pfund.«

»Vergiß es.«

»Aber ich hab' nichts mehr. Wie soll ich was zu essen bezahlen?«

»Such dir einen verdammten Job«, riet er ihr und machte sich davon.

Sie lief ihm nach. »Leih mir wenigstens ein paar Zigaretten«, flehte sie.

»Ich rühr' das Zeug nicht an«, schnaubte er. »Scheiß Angewohnheit.«

Sie blieb abrupt stehen und ballte die Hände zu Fäusten. Herzloser Wichser.

Er ging weiter, ohne sie noch eines einzigen Blickes zu würdigen.

Ein Wagen fuhr langsam durch eine Seitenstraße und blieb neben dem Bürgersteig stehen. Das Beifahrerfenster wurde heruntergekurbelt. »Arbeitest du, Süße?« rief eine Stimme.

Sie beugte sich vor, um sich den Fahrer anzuschauen – was sie sah, gefiel ihr ganz und gar nicht. Sie schüttelte den Kopf.

»Sicher nicht?« beharrte der Mann. Er langte hinüber,

um die Beifahrertür aufzustoßen. »Ich bin ein netter Kerl, ehrlich, du mußt mich nur erst richtig kennenlernen.«

Schieß den Mistkerl in den Wind, sagte sie sich. Es gibt nur eine Möglichkeit, ihn loszuwerden: Häng dich an irgend jemanden, der vorbeigeht, und laß den Typ sausen.

Sie ging lächelnd auf den Wagen zu.

Es war dunkel, als sie zu ihrer Wohnung zurücklief. Es hatte den ganzen Tag in Strömen geregnet, und sie zitterte in der nassen Kälte. Sie stieg die fünf schlecht beleuchteten Treppen hinauf, die mit leeren Dosen, Flaschen, Einwegspritzen und Kondomen übersät waren, dann ging sie über den Balkon an einer endlosen Reihe von Fenstern und Türen vorbei. In den meisten Wohnungen brannte Licht; die Menschen hinter den Türen machten das, was sie immer taten, sie lebten ihr langweiliges kleines Leben. Sie konnte die Musik und die Fernsehprogramme hören, die Kochdünste riechen und ihre Schatten hinter den Vorhängen sehen. Sie kannte keinen ihrer Nachbarn. Hatte nie mit einem von ihnen gesprochen. Das wollte sie auch gar nicht.

Als sie die Wohnungstür hinter sich zumachte, glaubte sie, jemanden schreien zu hören. Sie ging ins Wohnzimmer zum Fenster. Erst dachte sie, jemand würde auf dem Gehsteig liegen, aber sicher war sie nicht. Ihre Wohnung lag ziemlich hoch über der Straße, und draußen war es stockfinster. Sie öffnete das Fenster einen Spalt und hörte irgendwo Glas klirren.

Achselzuckend schloß sie das Fenster wieder.

Sie zog den Reißverschluß ihres kurzen Lederrocks auf und ließ ihn auf den Boden gleiten, streifte den Pullover über den Kopf und warf ihn auf einen Stuhl. Nachdem sie die Stiefel von den Füßen geschüttelt hatte, ging sie ins Bad und hakte dabei ihren BH auf.

Sie setzte sich auf den Rand der Badewanne, während das Wasser einlief, und dachte darüber nach, wie sie das Wasser beschreiben sollte. Heiß, dachte sie, naß.

Das waren einfache Worte, zu naheliegend. Sie wollte etwas Tiefsinnigeres. Flüssig, überlegte sie, beruhigend, nachgiebig, plätschernd.

Sie strich mit der Hand über die Wasseroberfläche. Plätschernd, dachte sie wieder – der Klang dieses Wortes gefiel ihr. Ein Bild entstand in ihrem Kopf: ein Hund, der seinen Kopf in die Toilettenschüssel steckt, seine schleimige rosa Zunge schlabbert das plätschernde Wasser. Ihr wurde schlecht. Sie preßte die Augenlider zu und rieb das Bild mit den Fingerknöcheln fort; sie löschte es aus. Sie entschied, daß *plätschernd* doch nicht so gut klang, und beschloß, das Wort nie mehr zu benutzen.

Sie stieg in die Wanne und sah zu, wie der Dampf aufstieg und sich in bebenden Tropfen an der Wand und der Decke absetzte. Sie glitt ganz ins Wasser und tauchte ihr langes schwarzes Haar unter, dabei stellte sie sich vor, wie sie ihrer Schwester den Mann im Auto schildern würde. »Große Nase«, würde sie sagen, »pockennarbig, schwammig. Schiefe Zähne. Hatte den Nerv, über den Preis zu meckern.«

Sie malte sich aus, wie sie ihrer Schwester jede kleinste Einzelheit haarklein berichtete. In ihrer Phantasie trug ihre Schwester ein weißes Baumwollkleid und saß auf einem harten Holzstuhl mit gerader Lehne, die Knie fest zusammengepreßt, die Hände im Schoß gefaltet und pflichtbewußt lauschend. Das dunkelbraune Haar mit einer großen roten Schleife zurückgebunden, ein ordentlicher Pony über der Stirn, ein leicht gelangweilter Ausdruck auf dem Gesicht.

Sie würde ihr auch von allen anderen erzählen, die Techniken beschreiben, die sie gelernt hatte, um es schnell hinter sich zu bringen. Sie stellte sich die mißbilligende

Miene ihrer Schwester vor und sah sich selbst, wie sie in dieses perfekte Gesicht spuckte.

Die späte Morgensonne strömte schon durch das Fenster, das grelle Licht beleuchtete schonungslos die Risse in den Wänden, den Staub und die Fusseln auf dem Boden und ließ alles in der Wohnung billig und häßlich erscheinen. Sie wiegte sich auf der Matratze vor und zurück. Sie schloß die Augen ganz fest und versuchte sich zu erinnern, weshalb sie weinend und schluchzend aufgewacht war, aber es war weg. Der Traum war weg. Sie erinnerte sich nur noch, daß da eine Stimme war, die ihr befahl, *irgend etwas* zu tun, aber sie wußte nicht mehr, was das war. Sie tastete nach ihren Zigaretten und zündete sich eine an, dann lehnte sie sich an die Wand und zwang sich, ruhiger zu werden und sich zu entspannen.

Schließlich stand sie auf und machte sich eine Tasse Kaffee. Die Tasse nahm sie mit ins Wohnzimmer und setzte sich aufs Sofa, um ihre Einnahmen vom Vortag zu zählen. Sie legte zwanzig Pfund für sich zur Seite, den Rest steckte sie in einen Umschlag und zog sich an.

Im Schaufenster waren etwa ein Dutzend gebrauchte Video-geräte und Fernseher ausgestellt, und über allem lag eine feine Staubschicht. Die Tür war offen; sie trat vorsichtig ein.

In dem düsteren Laden herrschte ein heilloses Durchein-ander, er wirkte schummrig und abschreckend. In den Metallregalen standen alle möglichen Elektrogeräte, alle gebraucht. Eine Reihe Ledermäntel und -jacken hingen an einer Kleiderstange. In einer Glasvitrine befanden sich Schmuckstücke, hauptsächlich Eheringe. Sie hatte gehört, daß er einem immer die Wahl ließ: Entweder man nahm den Ring selbst ab, oder er bediente sich einfach. Und er machte jedesmal deutlich, daß es klüger wäre, sich für die erste Möglichkeit zu entscheiden, wenn man nicht wollte, daß man den Finger auch verlor.

»Ja? Wer ist da?« rief eine barsche Männerstimme.

Sie ging noch einen Schritt weiter und sah ihn in der hinteren Ecke an einem Schreibtisch sitzen.

»Ach, du bist's«, sagte er und lehnte sich in seinem Sessel zurück. »Was willst du?«

Sie ging zu ihm und warf den Umschlag vor ihn auf den Schreibtisch.

Lächelnd musterte er sie von oben bis unten – ihre Beine in den schwarzen Strümpfen, ihren kurzen, engen Rock, ihr enganliegendes, tiefausgeschnittenes Top. Er zog sie mit den Augen aus und grinste ironisch.

Sie ballte die Hände zu Fäusten; sie wußte genau, was sich in seinem Kopf abspielte. »Ich bringe dir dein verdammtes Geld«, sagte sie.

»Ach ja? Woher hast du es?«

Er verspottete sie und genoß den Gedanken daran, wie tief er sie in die Gosse gezogen hatte und was sie für ihn machte. Und jetzt wollte er alles hören; jedes Detail. Er wollte eine genaue Schilderung. Den Gefallen würde sie ihm nicht tun.

»Von meinen Eltern geliehen«, sagte sie.

»Hättest du daran nicht schon viel früher denken sollen?« Er lenkte seine Aufmerksamkeit auf den Umschlag. Er nahm ihn in die Hand, riß ihn auf und zählte die Geldscheine. Dann holte er ein Notizbuch aus der Schreibtischschublade, suchte die Seite mit ihrem Namen und trug die Summe ein.

»Das wär's dann«, sagte sie. »Wir sind quitt.«

Er sah sie an, als hätte sie einen schlechten Scherz gemacht. »Wie kommst du denn auf die Idee?«

»Ich habe dir alles zurückgegeben«, beharrte sie. »Jeden einzelnen Penny.«

»Du hast gerade mal einen Teil der ausstehenden Zinsen bezahlt, Schätzchen. Und dir dafür verdammt viel Zeit gelassen.«

Die Luft in dem Laden war warm und stickig; das Atmen fiel ihr schwer. »Was soll das heißen – ausstehende Zinsen?« wollte sie wissen. »Ich hab' dir jede Woche deine verdammten Zinsen gegeben.«

Er schüttelte den Kopf. »Ich hab' dir schon mal gesagt, daß es nicht gereicht hat. Ich hab' dir gesagt, daß es nicht mal genug für die Zinsen ist. Die Zinsen für die Gesamtschuld sind täglich fällig, Schätzchen«, erklärte er mit übertrieben zur Schau gestellter Geduld. »Das heißt, daß auf die nicht bezahlten Zinsen vom Vortag wieder Zinsen berechnet werden, verstanden? Ich war nachsichtig mit dir, wenn man bedenkt, wieviel du mir schuldest.« Er schob ihr das Notizbuch über den Schreibtisch und ließ sie selbst sehen, welchen Betrag er hinter ihrem Namen notiert hatte. Es waren Tausende. Tausende! Wie konnte das sein? Das war ganz und gar unmöglich.

Sie fühlte sich elend und benommen; so viel Geld konnte sie nie aufbringen. Niemals. Sie faßte nach der Kante des Schreibtisches, um sich festzuhalten, und spürte, wie er ihre Hand berührte. Sie schaute von seiner Hand zu seinem Gesicht und sah, daß er sie auslachte.

»Ich an deiner Stelle würde rausgehen und anfangen, die Kohle zu verdienen«, empfahl er.

1

Doktor Edward Fitzgerald saß hinter seinem mit Papieren übersäten Schreibtisch in einem vollgestopften, unordentlichen Zimmer im zweiten Stock eines alten, heruntergekommenen Gebäudes in der Nähe der Universität. Die hohen Regale an der einen Wand bogen sich unter dem Gewicht der staubigen Doppel- und Dreifachreihen der Bücher. Auf dem langen Tisch unter dem Fenster stapelten sich noch mehr Bücher- und Aktenordner; ein Modellschiff, das er als Zwölfjähriger gebaut hatte, prangte in dem Chaos.

Er sah auf seine Notizen, bevor er die ausgezehrte Frau ansprach, die ihm gegenübersaß. Dunkle Ringe lagen unter ihren blaßblauen Augen; ihr schulterlanges, blondes Haar war in der Mitte gescheitelt und verdeckte fast ihr ganzes hohlwangiges Gesicht. Sie trug eine schwarze Lederhose, eine passende Weste mit weißer Seidenbluse und Schuhe mit Plateausohlen. Doktor Fitzgerald entnahm seinen Unterlagen, daß sie Sarah Heller hieß, siebenundzwanzig Jahre alt war und sich von der Werbetexterin bis zur Vizepräsidentin einer der größten Werbeagenturen im Nordwesten hochgearbeitet hatte. Kaum der typische Werdegang einer Magersüchtigen. »Wie groß sind Sie, Sarah?«

»Einszweiundsiebzig.«

»Und wieviel wiegen Sie?«

»Heute morgen um Viertel nach acht waren es achtunddreißig Kilo und hundert Gramm.«

Er schaute auf seine Uhr. »Das war vor fast fünfundvierzig Minuten. Wieviel wiegen Sie jetzt?«

»Ich weiß es nicht. Haben Sie eine Waage?«

Er schüttelte verneinend den Kopf. »Wie oft wiegen Sie sich am Tag?«

»Bei jeder Gelegenheit, die sich mir bietet.«

»Sie essen eine winzige Traube und wiegen sich. Sie trinken ein Glas Wasser und steigen auf die Waage, Sie gehen zur Toilette und wiegen sich vorher und nachher, ist das so?«

Die Frau seufzte. »Ganz recht.«

Er griff nach dem Zigarettenpäckchen auf seinem Schreibtisch. »Möchten Sie eine Zigarette? Ich bin kein Mediziner, wissen Sie. Ich würde kein Tamtam wegen Krebs machen und so.«

»Nein, danke.«

Er steckte eine Zigarette in den Mund und zündete sie an. »Muß Ihnen eigenartig vorkommen – daß eine Magersüchtige an jemanden wie mich überwiesen wurde.«

»An einen Psychologen?«

»Nicht nur magersüchtig«, korrigierte er sich, »sondern auch noch sarkastisch. Nein, ich habe mich damit auf meine . . . allgemeine körperliche Erscheinung bezogen. Man kann mich wohl kaum als gertenschlank bezeichnen. Aber . . .«, er trank einen Schluck Kaffee aus einem Plastikbecher, »Doktor Peterson ist ein Freund von mir; ich kenne ihn schon lange. Und falls Sie das tröstet, er liegt mir immer in den Ohren, daß ich abnehmen soll. Erstaunlich, finden Sie nicht?« Er lehnte sich zurück und kreuzte die Arme vor seinem mächtigen Bauch. »Wissen Sie, ich stehe morgens auf und stolpere ins Bad . . . und können Sie sich vorstellen, was ich sehe, wenn ich in den Spiegel schaue?«

Sie schüttelte den Kopf und musterte ihn argwöhnisch.

»Mel Gibson.«

»Tatsächlich?« fragte sie ungerührt.

»Sarah, erzählen Sie mir, was *Sie* sehen, wenn Sie in den Spiegel schauen.« Er trommelte leise mit den Fingern auf den Schreibtisch und wartete auf ihre Antwort. »Hmm?«

Sie schwieg.

»Vielleicht wollen Sie es mir nicht sagen, weil Sie Angst haben, meine Gefühle zu verletzen.«

Sie sah ihn verwirrt an. »Was will ich nicht sagen?«

»Sie wollen nicht sagen, daß Sie eine fette Person wie mich sehen, wenn Sie in den Spiegel schauen.«

»Das will ich nicht sagen, weil es nicht wahr ist.«

Jetzt war er verblüfft.

»Ich weiß, worauf Sie hinauswollen, Doktor Fitzgerald.«

»Fitz«, unterbrach er sie.

»Wie bitte?«

»Alle Welt nennt mich Fitz. Nur Fitz. Was wollten Sie sagen?«

»Ich sagte: Ich weiß, was Sie denken. Ich habe alle Artikel zu dem Thema gelesen und im Fernsehen den Bericht gesehen. Sie glauben, ich hätte eine gestörte Wahrnehmung meines Körpers, wonach ein dünner Mensch in den Spiegel sieht und ihm ein fetter entgegenstarrt. Sie irren sich. Ich schaue in den Spiegel und sehe mich so, wie ich bin.«

Fitz beugte sich vor. »Dann sehen Sie sicher auch, daß Sie sterben«, sagte er mit ernster Stimme.

Sie zuckte mit den Schultern.

»Zucken Sie nicht so gleichgültig mit den Schultern«, rief Fitz ärgerlich. »Sie bringen sich um! Das ist keine bloße Vermutung, kein pseudowissenschaftlicher Hokuspokus, das ist eine Tatsache. Man braucht Sie ja nur ansehen und weiß, daß Sie mit einem Bein im Grab stehen! Herr im Himmel, Sie machen mich wütend, wissen Sie das? Sie machen mich verdammt wütend!«

Sie zog überrascht die Augenbrauen hoch. »Ich dachte, man erwartet von Ihnen, daß Sie sich Notizen machen und beruhigende, angenehme Laute von sich geben. Ist es nicht

17

das, was Psychologen gewöhnlich tun? Ich hätte nie geglaubt, daß Psychologen ihre Patienten anbrüllen.«

»Dieser hier brüllt seine Patienten an, Sarah.« Fitz stand auf und ging auf sie zu. »Dieser Psychologe brüllt, wenn er eine intelligente, attraktive Frau sieht, die sich freiwillig selbst zerstört! Sarah, wenn nicht jemand zu Ihnen durchdringt – und ich meine, bald –, dann werden Sie sterben.« Er baute sich vor ihr auf, seine massive Gestalt zitterte vor Zorn. »Ich rede vom Tod, Sarah! Ich rede vom absoluten Ende! Vom Ende aller Hoffnungen. Und Sie spielen diesem Tod in die Hände. Und genau das regt mich auf, Sarah. Das macht mich wirklich fertig. Ich werde nicht dastehen und zusehen, wie sich jemand wissentlich selbst zerstört. Wissentlich! Das ist das, was ich nicht akzeptieren kann. Sie wissen ganz genau, was Sie tun, Sarah. Sie sind nicht dumm. Sie wissen es.«

»Sie haben recht«, sagte sie. »Ich weiß, was mit mir geschieht, was ich mir antue. Aber das heißt nicht, daß ich damit aufhören kann oder daß ich es überhaupt will. Seit beinahe einem Jahr habe ich beobachtet, wie ich immer mehr verschwinde. Ich sehe, wie mein Fleisch schrumpft, meine Knochen immer mehr vorstehen und meine Augen im Verhältnis zum Gesicht größer werden. Aber ich stehe nach wie vor jeden Tag auf und gehe zur Arbeit. Ich funktioniere noch. Ich atme noch. Mein Herz schlägt noch. Es ist wie ein faszinierendes Experiment; ich bin dabei herauszufinden, wie weit ich gehen kann, wieviel mein Körper aushält.«

»Ein faszinierendes Experiment?« wiederholte Fitz ungläubig. »Es ist ein verdammter Selbstmord!«

»Wissen Sie, was die Chinesen sagen?«

Fitz schüttelte den Kopf. »Nein, was sagen die Chinesen?«

»Man kann die Schönheit eines Tigers würdigen, selbst noch in dem Moment, in dem er sich auf einen stürzt, um einen zu verschlingen.«

Er lehnte sich an seinen Schreibtisch und verschränkte die Arme. »In meinem ganzen Leben habe ich noch nie eine solche Scheiße gehört«, sagte er angewidert.

Detective Sergeant James Beck ging am Piccadilly Garden vorbei in Richtung Arndale Centre und beobachtete prüfend die Gesichter der Menschen, die ihm entgegenkamen. Mitte Dreißig, mittelgroß, schütteres braunes Haar, buschiger Schnauzbart, Anzug. Die meisten Leute, die an ihm vorbeigingen, gönnten ihm keinen zweiten Blick. Die meisten Leute – Zivilisten – hielten den Kopf gesenkt, weil es sie verlegen machte, mit einem Fremden Augenkontakt zu haben. Das waren nicht die Menschen, die ihn interessierten.

Er hatte schon vor langer Zeit gelernt, woran man einen Gauner erkannte: Halt nach einem Burschen Ausschau, der dich ansieht. Wenn du Zivil trägst, nehmen dich normale Menschen, die normalen Geschäften nachgehen, nicht wahr, du bist nur ein gesichtsloser Typ in der Masse. Aber für die Gauner ragst du aus der Menge heraus, sie erkennen dich aus meilenweiter Entfernung, weil du das *Gesetz* bist, und das riechen sie. Es spielt keine Rolle, was ein Cop anhat, die Augen verraten ihn. Die Augen des Cops. Immer wachsam, immer unstet und forschend. Laß sie deine Augen sehen, sagte sich Beck immer. Das macht gar nichts. Laß sie wissen, daß du das Gesetz bist, dann werden sie sich irgendwie verraten.

Eine belebte Straße hat ihre eigenen Zyklen, ihren eigenen natürlichen Rhythmus; die Menschen, die in die eine Richtung gehen, bleiben auf der einen Seite des Bürger-

19

steigs, die entgegenkommenden auf der anderen. Das geschieht ganz automatisch. Er betrachtete die Bewegung der Leute auf der Straße als Strömung in einem Fluß; seine Aufgabe war es, nach etwas Ausschau zu halten, was diesen Fluß störte. Unordnung geriet in die Bewegungen, ein Muster begann sich zu formen. Und dann sah er es: Ein schmales Dreieck drängte sich gegen den Strom. Er nickte dem Mann an seiner Seite zu und deutete mit einem Blick auf die näher kommende Unruhe.

Detective Sergeant George Giggs nickte zurück, er hatte die drei Männer bemerkt, die sich durch die Menge der Einkäufer und Pendler mit Aktentaschen drängten und schoben. Zwei weitere Männer folgten dicht hinter ihnen, und eine Frau mit großer Umhängetasche bildete die Nachhut.

Ein junger Mann in unauffälligem Sweatshirt, Jeans und Turnschuhen stand vor der Tür einer Pommes-Bude auf der anderen Straßenseite und beobachtete die Menge mit demselben wachsamen Blick wie Beck und Giggs. Er stand Schmiere. Noch waren ihm Giggs und Beck nicht aufgefallen. Giggs war für ihn nur einer der vielen Männer in Anzug, dunkelhaarig, mit rundem Gesicht, Mitte bis Ende Dreißig – er hätte ein Vertreter sein können. Giggs faßte in seine Tasche und funkte die beiden Zivilautos an, die um die Ecke warteten.

Der Beobachter sah die Straße hinauf und hinunter, entdeckte einen Mann, der etwas in der Hand hielt, was ein Handy, genausogut aber auch ein Funkgerät sein konnte. Er hob einen Arm, um Alarm zu geben, ehe er von der Tür verschwand und sich unter die Menschenmassen mischte.

Die Bande zerstreute sich, machte eine abrupte Kehrtwendung und reihte sich in den Strom ein.

»Los geht's!« rief Beck.

Er bahnte sich einen Weg durch die Menschen und behielt dabei die fünf Köpfe, die im Strom der Fußgänger auf und ab hüpften, im Auge. Es war zum Verrücktwerden, aber sie blieben immer gerade außerhalb seiner Reichweite. Zwei unmarkierte Polizeiautos kamen mit quietschenden Reifen am Ende der Straße zum Halten; einige Uniformierte sprangen aus den Wagen, blockierten die Passanten und schnitten der Bande den Fluchtweg ab. Einer der hüpfenden Köpfe brach plötzlich aus der Masse aus und stieß bei der Flucht eine Frau mit Baby um. Der Kopf der Frau schlug auf dem Asphalt auf. Das Baby schien unverletzt zu sein, schrie aber wie am Spieß. Der Mann – jung, in Militärjacke und Turnschuhen – rannte auf die Straße.

Beck machte einen Satz vom Bordsteinrand und sprang ihn an. Verdrehte ihm die Arme nach hinten und drückte ein Knie in seinen Rücken, um ihn auf dem Boden festzunageln.

»Da kommt ein Bus!« schrie der Mann unter ihm.

Beck hob den Kopf und sah den Doppeldecker auf sie zurollen. »Sieh mal an«, knurrte er.

»Laß mich los, du wahnsinnig gewordenes Stück Scheiße!« tobte der Gauner.

»Nein!«

Detective Sergeant Jane Penhaligon hörte über Funk in ihrem Auto den Bericht von dem Einsatz am Rand des Arndale Centre. Sie nahm das Mikro ab. »Hier Penhaligon. Ich fahre in Richtung Osten auf der Chapel Street. Geschätzte Ankunft Arndale Centre: drei Minuten. *Over*«, gab sie an die Zentrale durch.

Eine Stimme antwortete ihr über Funk: »Zentrale an Penhaligon.«

Sie erkannte die Stimme sofort. David Bilborough, Detective Chief Inspector. Ihr Boss. Jung, ehrgeizig, nervtötend. »Ja, Sir.«

»Streichen Sie Ihr ursprüngliches Ziel. Wir haben Meldung über einen Raub in der Vale Road dreiunddreißig – wiederhole: dreiunddreißig, Vale Road. Sieht so aus, als wäre das Opfer eine alte Dame, vielleicht ein wenig verwirrt. Ein Officer befindet sich bereits am Tatort, aber es scheint, daß in dem Fall das Feingefühl einer Frau gebraucht wird. *Over.*«

Penhaligon knirschte mit den Zähnen. Drei Minuten von einem laufenden Einsatz entfernt, und Bilborough schickte sie auf die andere Seite der Stadt, weil er der Ansicht war, in dem Fall würde *das Feingefühl einer Frau* gebraucht.

»DS Penhaligon, haben Sie verstanden? Bitte um Bestätigung. *Over.*«

»Ja, Sir. Mach' mich auf den Weg zu dreiunddreißig . . . drreiunddrreißig«, wiederholte sie sarkastisch und übertrieben deutlich, »Vale Road. Geschätzte Ankunft . . . Wann immer ich dort bin!« Plötzlich kam ihr eine erschreckende Erkenntnis. Ihr Antrag auf Beförderung wurde von niemand anderem als Bilborough bewilligt. Um Himmels willen, halt dich sauber, schalt sie sich selbst, was immer du auch tust, schnauz den Kerl nicht an. »Geschätzte Ankunft zehn Minuten«, korrigierte sie sich schnell. »*Over.*«

Fitz zündete sich eine frische Zigarette an, bevor er den Telefonhörer abhob und die Büronummer seiner Frau wählte. »Salford Project«, meldete sich eine Frauenstimme. Das war Lise, die Telefonistin.

»Hi, Lise. Fitz hier. Kann ich bitte mit Judith sprechen?«

»Sie ist in einer Besprechung«, antwortete Lise schnell – zu schnell.

»Ach ja?« sagte Fitz und rieb sich die Stirn. Sie log.

»Könnten Sie sie bitten, nur für eine Minute ans Telefon zu kommen? Es ist sehr wichtig.«

»Tut mir leid, Fitz. Sie ist nicht im Büro.«

»Sie sagten doch gerade, daß sie in einer Besprechung ist.«

»Die Besprechung findet außer Haus statt«, behauptete Lise. »Sie ist bei einer Konferenz des . . .« Ein kleiner Moment der Verzögerung. Er sah sie vor sich, wie sie an die Decke starrte und nach irgendeiner Ausrede suchte. ». . . einer Kommission des Stadtbauamts. Im Rathaus.«

»Um wieviel Uhr erwarten Sie sie zurück?«

»Ich weiß nicht, Fitz. Sie kommt vielleicht gar nicht mehr ins Büro zurück.«

»Dann richten Sie ihr aus, daß ich angerufen habe.«

»Mach' ich.« Klick.

Er drückte auf die Taste für die Wahlwiederholung.

»Salford Project«, sagte Lise fröhlich.

»Hi«, sagte Fitz mit übertrieben amerikanischem Akzent direkt aus einem Hollywood-B-Movie. »Kann ich bitte Judith Fitzgerald sprechen?«

»Ich versuche, Sie zu verbinden. Wen darf ich bitte melden?«

»Jason Buckhurst von Buckhurst Enterprises«, erwiderte er. »Ich rufe aus Ohio, USA, an.«

»Einen Moment, Sir. Ich stelle Sie durch.«

Eine andere Frauenstimme meldete sich. »Judith Fitzgerald. Was kann ich für Sie tun?«

»Judith, häng nicht auf.«

»Fitz!« stieß sie wütend hervor. »Ich hätte wissen müssen, daß du es bist. Jason Buckhurst, also wirklich! Was glaubst du eigentlich, was für ein Spielchen du mit mir treiben kannst?«

»Wenn ich gesagt hätte, daß ich es bin, hätten sie mich nicht weiterverbunden.«

»Ist dir je in den Sinn gekommen, Fitz, daß es einen Grund geben könnte, weswegen sie dich nicht weiterverbinden? Vielleicht hat man ihnen gesagt, daß sie das nicht tun sollen.«

»Judith, bitte. Ich möchte dich sehen.«

»Aber ich will dich nicht sehen, Fitz. Wenn du darauf bestehst, dich selbst zu zerstören, dann will ich nicht dasein, um dir dabei zuzusehen.«

»Ich zerstöre mich nicht.«

»O doch, das tust du. Mit dem Trinken . . .«

»Ich hab' seit Wochen keinen Alkohol angerührt, Judith«, fiel er ihr ins Wort. »Seit Wochen.«

». . . und mit dem Spielen. Besonders mit dem Spielen. Genau das tust du: Du machst dich kaputt. Und weißt du, was das Schlimmste dabei ist, Fitz? Das, was ich einfach nicht begreife?«

»Was?«

»Daß du ganz genau weißt, was du tust. Du weißt, was du tust, aber du machst einfach weiter und läßt dich treiben, als würde das alles keine Rolle spielen. Als wäre es nur ein verdammtes akademisches Problem, ein beschissenes Spiel. Damit werde ich nicht fertig.«

Fitz seufzte und kratzte sich am Kopf. »Judith, weißt du, was die Chinesen sagen . . .«

»Fitz, ich hab' keine Zeit für so was. Ich bin mitten in der Arbeit.«

»Dann treffen wir uns«, beharrte er. »Komm nach Hause. Oder ich besuche dich bei deinem Vater.«

»Nein, Fitz. Falls ich mich bereit erkläre, dich überhaupt zu treffen – und ich sage nur *falls* –, dann auf neutralem Boden.«

»Auf neutralem Boden?« wiederholte er. »Was soll das heißen, auf neutralem Boden? Wir sind nicht im Krieg, Judith. *Ich* zumindest führe keinen Krieg.«

»Ich muß jetzt aufhören.«

»Also gut, also gut«, sagte er. »Leg nur noch nicht auf. Bitte nicht jetzt. Wir treffen uns, wo du willst – wie wär's mit einem Restaurant? Einem hübschen überfüllten Restaurant? Ist das neutral genug für dich?«

Vale Road dreiunddreißig war ein Cottage am Hang mit einem kleinen, liebevoll gepflegten Vorgarten. Rundherum standen pinkfarbene Rosen in voller Blüte. Penhaligon gab ihre Ankunft per Funk durch, dann stieg sie aus dem Wagen. Sie verbrachte eine halbe Minute damit, sich die Umgegend genauer anzusehen, das Haus, die ruhige Straße. Sie suchte nach etwas Ungewöhnlichem, etwas, was bedeutsam sein könnte.

Sie war groß, trug ein flottes, graues Jackett und einen dazu passenden Rock, auf ihrem klaren, blassen Gesicht war nur ein Hauch von Make-up zu sehen. Sie faßte ihr langes, rotes Haar zu einem Pferdeschwanz zusammen und befestigte es mit einem Gummiband. Nichts durfte von ihrer kompetenten, sachlichen Professionalität ablenken, auch nicht ihre wilden, präraffelitischen roten Locken. Ihr Haar war unglücklicherweise ebenso schwer zu bändigen wie der verhaßte Detective Chief Inspector Bilborough und seine herablassende Art.

Sie ging auf das Cottage zu und war ganz die zuversichtliche, vertrauenerweckende Beamtin. Ein uniformierter Police Constable öffnete auf ihr Klopfen hin die Tür. Sie kannte ihn. Smith.

»Was gibt's hier für ein Problem?« fragte sie ihn.

»Tag, Miss«, sagte PC Smith, als er in den schmalen Flur trat, der durch die abblätternde schokoladenbraune Tapete noch enger wirkte. »Die Lady, die hier wohnt, heißt Miss Knight. Sie behauptet steif und fest, daß gestern nachmittag zwischen drei und vier Uhr, während sie beim Einkaufen war, ein Raub stattgefunden hat . . .«

»Wieso hat sie so lange gewartet, bis sie ihn gemeldet hat?« unterbrach ihn Penhaligon.

»Sie sagt, sie hätte erst heute morgen bemerkt, daß sie bestohlen wurde.«

Penhaligons Augen verengten sich ein wenig. »Irgendwelche Schäden? Anzeichen von gewaltsamem Eindringen?«

Der PC schüttelte den Kopf. »Nein, Miss. Ich hab' überall nachgesehen.«

»Und was fehlt?«

»Ein Ring, Miss.«

»Ein Ring«, wiederholte sie mit einem Seufzer. »Wo ist diese Miss Knight? Besser, ich spreche erst mit ihr.«

PC Smith öffnete die Tür zu einem kleinen, überladenen Wohnzimmer, das aussah, als wäre es seit den frühen fünfziger Jahren nicht mehr renoviert worden. »Hier entlang, Miss.«

Eine winzige Frau sprang von einem dick gepolsterten Sessel neben dem Kamin auf. Jane Penhaligon schätzte sie auf Ende Siebzig, Anfang Achtzig, aber ihre Augen waren klar und wachsam, und ihre Bewegungen wirkten leicht und behende wie die eines Schmetterlings. Sie war kaum größer als einsfünfzig, ihr silbergraues Haar war im Nacken zu einem kleinen runden Knoten geschlungen. Sie hatte ein Kleid mit Blumenmuster, Schnürschuhe und dicke Strümpfe an und einen weißen Schal um die Schultern gelegt. »Hallo, meine Liebe«, sagte die alte Frau und huschte auf die Polizistin zu, um ihr die Hand zu schütteln. »Ich danke Ihnen sehr, daß Sie gekommen sind.«

»Miss Knight – Detective Sergeant Penhaligon«, stellte PC Smith vor.

»Detective Sergeant?« wiederholte die alte Frau erstaunt

und drückte Penhaligons Hand ein bißchen fester. »Ihre Familie muß sehr stolz auf Sie sein, meine Liebe.«

Penhaligon zog behutsam ihre Hand weg, faßte in ihre Tasche und förderte Notizbuch und Stift zutage. »Also, wie kann ich Ihnen helfen, Miss Knight?«

»Ich bin beraubt worden«, erklärte die alte Frau, während sie ihr Gegenüber genauer musterte. »Sie müssen mich wochenlang, vielleicht monatelang beobachtet haben.«

»Wer hat Sie beobachtet?«

»Na, die Räuber natürlich.«

»Also, die Räuber haben Sie beobachtet«, stellte Penhaligon noch einmal klar und tauschte einen belustigten Blick mit dem uniformierten PC. »Haben Sie eine Ahnung, wer diese Räuber sind?«

»O nein«, wehrte die alte Dame ab. »Aber genau das haben sie getan, das müssen sie doch, oder? Ich glaube, sie nennen das ›ausbaldowern‹.«

Jane Penhaligon verspürte ein leichtes Pochen in den Schläfen. Beförderung oder nicht, sie würde Bilborough umbringen. »Macht es Ihnen etwas aus, wenn ich mich setze?«

»Oh, ich bin schrecklich unaufmerksam«, entschuldigte sich die alte Frau. »Bitte, machen Sie es sich bequem. Darf ich Ihnen eine Tasse Tee anbieten, meine Liebe? Sie sehen aus, als könnten Sie einen brauchen.«

»Nein, danke«, entgegnete Penhaligon und ließ sich auf dem Sofa nieder.

»Und was ist mit Ihnen, junger Mann?« fragte die Lady PC Smith. »Kann ich Sie zu einer Tasse Tee überreden?«

»Ja, bitte«, sagte er. »Zwei Stück Zucker.«

Penhaligon blitzte ihn ärgerlich an.

»Wenn ich's mir recht überlege, vielleicht doch lieber nicht«, sagte er kleinlaut.

»Nein, nein«, insistierte die alte Lady. »Es macht überhaupt keine Mühe, ganz bestimmt. Ich bin gleich wieder da.«

Penhaligon stand auf und folgte ihr in die Küche.

»Es dauert nicht lang«, beteuerte Miss Knight und zündete mit einem Streichholz die uralte Gasplatte unter dem Teekessel an. »Und Sie müssen sich ein wenig Teegebäck nehmen. Ich habe es selbst gebacken.«

»Nein, bitte«, sagte Penhaligon und löschte die Gasflamme. »Ich möchte keinen Tee und kein Teegebäck. Ich will Ihnen lediglich ein paar Fragen stellen.«

»Selbstverständlich, meine Liebe. Fragen Sie mich, was Sie wollen.«

»Wieso glauben Sie, beraubt worden zu sein? Sehen Sie . . .« Sie ging zur Hintertür. »Diese Türe hat niemand aufgebrochen. Und die Fenster haben alle intakte, solide Riegel. Und es fehlt nichts, hab' ich recht?«

»Mein Ring ist weg«, erklärte die alte Lady beharrlich. »Er ist sehr alt; er gehörte meiner Großmutter. Sie schenkte ihn meiner Mutter, und die gab ihn an mich weiter. Ich habe ihn seit meinem neunzehnten Geburtstag.«

»Wann haben Sie den Ring zuletzt gesehen?«

»Gestern morgen. Ich trug ihn, als ich im Bridgeclub im Seniorenzentrum war.«

»Könnten Sie den Ring verloren haben, als Sie außer Haus waren?«

»Nein! Ich hatte ihn ganz sicher noch, als ich nach Hause kam.«

»Und wann war das?«

»Etwa um zwölf.«

»Und am Nachmittag gingen Sie einkaufen, zwischen drei und vier?«

Die alte Dame nickte.

»Könnten Sie den Ring in einem Laden verloren haben?«
erkundigte sich Penhaligon vorsichtig.

»Nein, ich hatte ihn nicht an, als ich einkaufen ging.«

»Dann ist er irgendwo im Haus«, machte Penhaligon ihr
klar.

»Aber das ist er nicht«, behauptete die alte Frau hart-
näckig. »Ich habe überall gesucht. Ich sage Ihnen doch, er
ist gestohlen worden!« Sie fing an zu zittern, ihre Augen
füllten sich mit Tränen. »Der Ring meiner Großmutter«,
jammerte sie.

Penhaligon verdrehte die Augen und verfluchte ihr
Schicksal. Sie legte eine Hand auf die bebenden Schultern
der Lady. Die alte Frau fühlte sich dünn und zerbrechlich
an. »Miss Knight, bitte weinen Sie nicht, okay?«

»Tut mir leid, meine Liebe. Tut mir leid.« Die Stimme war
brüchig, und Tränen rannen über die faltigen Wangen.

»Miss Knight, ich verspreche Ihnen, daß wir den Ring
finden. Okay? Also, bitte, hören Sie auf zu weinen. Wenn
Sie aufhören, dann finden wir Ihren Ring, ich schwöre es
Ihnen. Gut?«

Penhaligon und PC Smith rekonstruierten jede Bewegung der alten Dame von dem Moment an, in dem sie aus
ihrem Bridgeclub heimgekommen war, bis sie um drei Uhr
das Haus wieder verlassen hatte. Die Lady war überall
gewesen: In drei Stunden hatte sie es geschafft, in jedem
noch so kleinen Winkel des Hauses herumzuhantieren.

Sie hoben Teppiche hoch, tasteten unter die Polster von
Sofas und Sesseln, sahen unter dem Bett nach, durchstö-
berten den Abfall und stocherten sogar in den Abflußroh-
ren. Von dem Ring keine Spur.

»Tut mir leid«, entschuldigte sich PC Smith. »Ich weiß,
daß er Ihnen viel bedeutet hat.«

Die alte Lady kauerte in einem Stuhl. »Es ist schon gut.

Sie haben's jedenfalls versucht. Ich bin dankbar, daß Sie es versucht haben.«

Penhaligon lehnte an der gemusterten Wohnzimmerwand und überlegte, was sie übersehen haben könnten – es mußte etwas geben. Etwas Offensichtliches. Sie rief sich ihren ersten Eindruck vom Haus ins Gedächtnis und erinnerte sich an die schönen, gepflegten Rosen. »Miss Knight, haben Sie gestern im Garten gearbeitet?«

Die alte Frau kratzte sich am Kopf. »Möglich. Zu dieser Jahreszeit mache ich meistens irgend etwas im Garten.«

PC Smith lief aus dem Haus, um unter den Rosenbüschen weiterzusuchen.

»Wenn Sie an den vielen Rosen arbeiten«, fuhr Penhaligon fort, »dann tragen Sie doch sicher Handschuhe, um nicht von den Dornen verletzt zu werden. Wo sind die Handschuhe?«

Die Gartenhandschuhe hingen an einem Haken im Schuppen. Der Ring steckte im linken Handschuh.

»Sie sind ein Genie«, rief Miss Knight. »Eine echte Detektivin! Besser als Poirot! Ich werde einen Brief an Ihre Dienststelle schreiben und mich bedanken, daß man Sie zu mir geschickt hat.«

Jane Penhaligon stellte sich vor, wie sie in der Dienststelle an ihrem Schreibtisch saß und den Bericht schrieb: *Ermittlungen in einem gemeldeten Raub: Verbrachte eine Stunde mit der Suche nach vermißtem Eigentum. Besagtes Eigentum fand sich schließlich in einem Gartenhandschuh. Fall geschlossen!*

»Es wäre mir lieber, Sie würden das nicht tun«, sagte sie.

2

Detective Chief Inspector David Bilborough saß hinter seinem Schreibtisch und sah zu Detective Sergeant Beck auf, der mit den Händen an der Hosennaht vor ihm stand. Er und Beck kannten sich schon lange und arbeiteten seit Jahren zusammen. Beck war ein guter, effizienter Cop, aber er konnte ein richtiges Problem sein.

Bilborough war sich schmerzlich bewußt, daß viele seiner Kollegen wütend waren, weil er es in sehr kurzer Zeit geschafft hatte, in der Hierarchie so weit nach oben zu klettern. Viele lauerten nur darauf, daß er Mist baute – kleinen oder großen –, um endlich den Beweis in der Hand zu haben, daß er nicht zum Chief taugte. Und wieder einmal hatte Jimmy Beck ihnen die Munition geliefert, die sie brauchten.

»Jimmy, du mußt zugeben, daß du diesmal zu weit gegangen bist.«

»Der Bus blieb weit vor uns stehen, Chef. Der Fahrer ist auf die Bremse getreten, und es hat noch dicke gereicht.«

»Das ist nicht der Punkt, Jimmy! Der Punkt ist, daß du einen Verdächtigen mitten auf der Straße auf den Boden gedrückt hast, während ein Fahrzeug auf euch beide zukam. Das ist der Punkt! Es gibt Zeugen dafür, Jimmy. Es gibt Unmengen von Leuten, die das bezeugen können.«

»Dieselben Zeugen werden dir, wenn du sie danach fragst, erzählen, daß dieser Abschaum eine unschuldige Frau umgerannt hat, die ein Baby auf dem Arm hielt, und daß die Frau jetzt mit Verdacht auf Gehirnerschütterung im Krankenhaus liegt. Wie durch ein Wunder wurde das Baby nicht schwer verletzt – es hätte, verdammt noch mal, tot sein können! Das werden sie dir erzählen, wenn du sie danach fragst. Und in meinen Augen ist jemand, der ein Baby auf den Boden stößt, schlimmer als Abschaum!«

Bilborough lehnte sich kopfschüttelnd zurück. »Das war als einfache Operation gedacht, bei der einer Bande von Taschendieben das Handwerk gelegt werden sollte. Und jetzt wird alles zu einer verdammten Zirkusveranstaltung, und du stehst mitten in der Manege. Es wird alles haarklein in den Zeitungen stehen: Polizist bringt Verdächtigen unter die Räder eines Busses. Diese schreckliche Person von der PR-Abteilung liegt mir schon in den Ohren und erzählt mir dauernd was von verdammter Schadensbegrenzung.«

»Tut mir leid, Chef, aber ich sehe das Problem nicht. Wir haben die Kerle geschnappt, oder nicht? Wir haben sie alle. Und jeder einzelne von ihnen hat ein Vorstrafenregister so lang wie mein Arm. Und wir haben auch die nötigen Beweise, stimmt's? Scheckbücher, Kreditkarten. Tausende in bar . . .«

»Schon gut, Jimmy«, sagte Bilborough müde. »Ich hab's kapiert. Das genügt.«

»Unten sitzen mindestens ein Dutzend Opfer, die ihre Aussage machen. Sie wußten nicht mal, daß sie Opfer waren, bis Giggsy ihre Brieftaschen gefunden hat . . .«

»Ich hab's kapiert, Jimmy. Es reicht.«

»Ja, Sir.«

Das war das Problem mit Beck: Er brachte Ergebnisse. Er schoß immer über das Ziel hinaus, verdarb es sich mit den Kollegen, und in neun von zehn Fällen hatte er Erfolg. »Halt dich in Zukunft einfach ein wenig zurück, okay? Wenigstens in der Öffentlichkeit.«

»Selbstverständlich, Sir. Ist das alles, Sir? Ich muß die Verdächtigen vernehmen.«

»Giggsy kann die Verhöre durchführen.«

»Bei allem Respekt, Sir . . .«, begann Beck.

32

Bilborough kannte das übliche Ritual – *Bei allem Respekt, Sir* . . . (im Klartext: *Du redest Müll*) –, mit dem ein Streitgespräch mit einem vorgesetzten Beamten eingeleitet wurde. Bilborough fühlte sich einer weiteren Auseinandersetzung mit Jimmy Beck im Augenblick nicht gewachsen, er hatte einfach zu viel anderes im Kopf. »Du hast einen Bericht zu schreiben«, sagte er und schnitt Beck damit das Wort ab. Er deutete auf die Schreibtische im Büro nebenan, die durch die Glaswand zu sehen waren. »Mach dich an die Arbeit.«

Jane Penhaligon stieg die beiden Stockwerke in der Anson Road Station zu ihrem Arbeitsplatz hinauf und ließ sich auf den Stuhl hinter ihrem Schreibtisch fallen. Bilborough war nicht in seinem Büro – ein Glück. Sie war nicht in der richtigen Stimmung, ihm zu begegnen. Abgesehen von ihr und Beck, der an seinem Schreibtisch in der Ecke saß und mit zwei Fingern tippte, hielt sich niemand im Raum auf. Er nahm ihre Anwesenheit nicht zur Kenntnis.

Sie holte ihr Notizbuch aus der Tasche und legte es vor sich auf den Tisch. Papierkram, dachte sie seufzend, jetzt kommt der verdammte Papierkram. Zuerst brauchte sie eine Tasse Kaffee. Sie stand auf und ging zur Kaffeemaschine, fand aber nur eine dickflüssige, schwarze Brühe in der Kanne vor.

»Ich koche Kaffee, ja?« sagte sie laut.

Niemand antwortete ihr.

Sie brachte die Kanne zur nächsten Damentoilette zwei Stockwerke tiefer, wusch sie aus und füllte sie mit Wasser, dann kehrte sie in das große Büro zurück. Bilborough war wieder da – er winkte sie durch die Glastür in sein Zimmer. Jane stellte die Kanne auf den nächststehenden Schreibtisch.

»Ja, Sir?« sagte sie, als sie durch die Tür trat.

Er meinte, daß sie sich ziemlich lange Zeit gelassen hatte; sie erklärte ihm, daß sie nach Anweisung in die Vale Road dreiunddreißig gefahren sei. Bilborough wollte wissen, wie alles abgelaufen war, und sie erstattete ihm Bericht über die Vorgänge.

»Gut«, sagte er. »Das ist alles.«

Sie machte kehrt und nahm die Kaffeekanne wieder an sich. Es kam ihr vor, als hätte sie das verdammte Ding schon Ewigkeiten mit sich herumgeschleppt, und trotzdem war sie einem Kaffee noch keinen Schritt näher gekommen. *Wo sind Sie gewesen, Penhaligon? Was haben Sie gemacht? Wie sind Sie zurechtgekommen? Vergessen Sie die Schreibarbeiten nicht.* Wieso konnte Bilborough sie nicht einfach in Ruhe und ihren Job erledigen lassen? Sie wußte, was sie zu tun hatte, wenn er sie nur ließe.

Ein Telefon auf einem der Schreibtische klingelte. »Ich geh' ran, okay?« fragte sie sarkastisch.

Beck hob nicht einmal den Kopf.

Sie stellte die Kanne wieder ab und ging zu dem klingelnden Telefon. »Penhaligon.«

»Jane«, sagte eine Frauenstimme. »Hier ist Emma. Wie geht's dir? Ich hab' dich seit Ewigkeiten nicht mehr gesehen!«

»Mir geht's gut, Emma.«

»Du mußt bald mal zum Essen zu uns kommen. Ich hab' George schon so oft gesagt, daß er dich einladen soll.«

Penhaligon zuckte mit den Schultern – eine sinnlose Geste, wie sie selbst begriff; Emma konnte sie nicht sehen. »Ich hatte sehr viel zu tun, Emma.«

»Das ist keine Entschuldigung. Wir machen bald etwas aus, ja?«

»Okay.«

»Ist George in der Nähe?«

»Ich weiß nicht«, erwiderte Penhaligon. »Warte mal.« Sie drehte sich um und rief: »Jimmy, weißt du, wo Giggsy ist?«

»Er verhört einen Verdächtigen«, brüllte Beck zurück.

»Er hat unten zu tun, Emma. Gibt's etwas Wichtiges?«

»Nein, sag ihm nur, daß er mich zu Hause anrufen soll, wenn er kann. Und laß mich wissen, wann du mal vorbeischaust, okay? Du bist immer willkommen, Jane, das weißt du.«

Detective Sergeant George Giggs verließ den Verhörraum 2 und steuerte den Ausgang an. Er lockerte seine Krawatte. Es war heiß gewesen in dem fensterlosen Kabuff, und er brauchte frische Luft.

Der Sergeant am Empfang beugte sich vertraulich vor, als Giggs vorbeikam. »Hey, Giggsy.«

Giggs schwenkte um und marschierte auf den Tisch zu. »Ja, Tom?«

Der Sergeant deutete mit dem Kopf auf eine blonde Polizistin, die am Fuß der Treppe stand und sich mit ein paar Uniformierten unterhielt. »Was denkst du? Ist das ihre echte Haarfarbe, Giggsy?«

Giggs warf einen Blick auf die Frau und riß voller Bewunderung die Augen auf. »Ich weiß nicht«, sagte er und wandte sich wieder dem Sergeant zu, »aber ich hätte nichts dagegen, das herauszufinden, wenn du verstehst, was ich meine.«

3

Sie betrachtete sich lange im Spiegel, fand ihr Gesicht abstoßend. Häßlich. Sie fühlte sich so häßlich.

Sie strich ihr langes schwarzes Haar aus dem Gesicht, drehte es zu Zöpfen und befestigte sie mit einem schwarzen Band. Dann nahm sie einen Kajalstift, umrahmte sorgfältig ihre Augen, trug drei Schichten Mascara auf, bis ihre Wimpern ganz lang und spinnenartig aussahen, und malte sich die Lippen und die Fingernägel dunkelrot an.

Allmählich fühlte sie sich besser.

Sie zog einen schwarzen Lcyra-Minirock an, ein ärmelloses schwarzes Top und eine passende Weste. Schwarze Netzstrümpfe, schwarze Stiefeletten, silberne Ohrringe und Armreifen. Den Schlußpunkt bildete ein Satinband, das sie wie einen engen Kragen um den Hals legte.

Sie warf einen wadenlangen Ledermantel um ihre Schultern – auch schwarz – und ließ die Tür hinter sich ins Schloß fallen, ehe sie sich auf den Weg über den Balkon und die schlecht beleuchtete Treppe nach unten machte.

Die Kids hatten die Birnen der meisten Straßenlampen mit Steinen kaputtgeschmissen; die Nacht über Manchester war so schwarz wie ihre Kleider. Sie verschmolz mit den Schatten, als in der Ferne Sirenen aufheulten.

Es war aufregend, unsichtbar und eins mit der Dunkelheit zu sein. So konnte sie vergessen, wer sie war und woher sie kam; sie konnte jede Person werden, die sie sein wollte. Sie marschierte selbstbewußt, mit hocherhobenem Haupt und klappernden Absätzen die Straße entlang. Sie war eine unheilvolle, gefährliche Frau; eine *femme fatale,* die ihren eigenen privaten *film noir* auf den mit Abfall übersäten Bürgersteigen der Moss Side erlebte.

Heute nacht geschah etwas, das fühlte sie. Etwas Wichtiges. Etwas Gutes.

Sie hörte Musik in einem Pub in der Nähe, nur Streicher und Hörner, laut und dramatisch. Solche Musik würde ihre Mutter hören. Es war ein alter Song von Tom Jones, der Jahre vor ihrer Geburt ein Hit gewesen war. Und sie hörte eine Stimme: »*I, I who have nothing. I, I who have no-one, adore you, and want you so . . .*«

Sie ging in den Pub und folgte der Stimme, drängte sich an den plaudernden Menschen, die sich an der Bar versammelt hatten, den klirrenden und leuchtenden Spielautomaten und einem Mann vorbei, der tief und fest zu schlafen schien. Die Stimme zog sie magisch an und führte sie in ein kleines Hinterzimmer, das durch einen Türbogen vom Schankraum getrennt war. Dort standen etwa ein Dutzend Menschen und sahen dem Sänger zu.

Er war jung, trug billige, ausgebeulte Jeans, ein gelbes T-Shirt und eine grüne Jacke mit Kapuze. Seine hellbraune lockige Haarmähne sah aus, als hätte er sich einen Topf auf den Kopf gesetzt und mit der Schere die hervorstehenden Enden abgeschnitten. Er hatte eng beieinanderstehende, schräge Augen und eine Nase, die offensichtlich öfter als einmal gebrochen gewesen war. Doch in diesem Augenblick – während er sich im Licht des einzigen Scheinwerfers auf der kleinen Bühne zur Musik bewegte, weit ausladende Gesten machte und laut, als würde ihm das Herz dabei brechen, zu der Karaoke-Maschine sang: »*I'm just a no-one, with nothing to give you, but . . . . Oh, I love you . . .*« – war er ein Star. Und er wußte es; sie sah ihm an, daß er es wußte.

Sie warf einen Blick in die Runde; in den wenigen Sekunden, die sie hier stand, hatte sich sein Publikum beinahe verdreifacht.

»He, he buys you diamonds. Bright, sparkling diamonds. But believe me, dear, when I say that he can give you the world but he'll never love you the way I love you . . .«

Er sang die Worte, als würde er sie wirklich ernst meinen, als könnte kein Mensch auf Erden so lieben wie er.

»He can take you any place that he wants. To fancy clubs and restaurants.«

Immer mehr Leute kamen ins Hinterzimmer. Er hatte die Zuhörer auf seiner Seite. Sie liebten ihn. Selbst die Gruppe an der Bar hatte aufgehört zu reden. Und er genoß die Aufmerksamkeit; seine Augen blitzten, und seine Lippen waren zu einem Lächeln gekräuselt.

»But I can only watch you with«, er tippte sich mit einem Finger an die Nase. *»my nose pressed up against the windowpa-a-a-ane . . .«* Er klopfte sich an die Brust, warf das Mikrophon spielerisch von einer Hand in die andere, und das Publikum pfiff und grölte. *»I, I who have nothing . . .«*

Jemand verschandelte einen Song aus den Sechzigern im Hinterzimmer. Sie fand ihn an der Bar, die Ellbogen auf die Theke gestützt, die Arme gekreuzt und den Blick starr geradeaus gerichtet. Neben dem halbleeren Bierglas vor ihm stand ein kleiner »Silberpokal« aus Zinn. Er war allein.

Sie zog ausgiebig an ihrer Zigarette, blies den Rauch langsam aus und stellte sich neben ihn. Zuerst achtete er gar nicht auf sie; sie rückte ein Stückchen näher – nur so weit, daß er auf sie aufmerksam wurde.

Er drehte kurz den Kopf, sah sie und wandte sich wieder ab. Erschrocken. Er war schüchtern; das gefiel ihr. Sie beugte sich noch ein wenig näher zu ihm, so daß er ihr Gesicht ansehen mußte. Sie deutete mit dem Kopf auf den kleinen Pokal. »Hast du gewonnen?«

Er schüttelte den Kopf und hob den Pokal, um ihr die Schrift auf dem marmorgemaserten Plastiksockel zu zeigen. »Zweiter?«

Er zuckte mit den Achseln und nickte, versuchte, ihr in die Augen zu sehen, und probierte sogar ein Lächeln. Aber er hielt nicht durch; schon einen Wimpernschlag später starrte er wieder auf die Theke.

Er fühlte sich augenscheinlich nicht wohl in seiner Haut; er hatte wohl nicht viel Erfahrung mit Frauen. Das gefiel ihr auch. So behielt sie die Oberhand und konnte die Kontrolle wahren. Was für eine tolle Abwechslung das wäre – sie diejenige, die alles in der Hand hatte!

Sie lehnte sich an ihn; ihr Gesicht wirkte aufrichtig und freundlich. Ihre weit aufgerissenen Augen funkelten, und der lächelnde Mund war leicht geöffnet. Nichts, was ihn aus dem Konzept bringen oder abschrecken konnte. »Ich bin Tina.« Sie wartete – noch immer lächelnd – auf eine Reaktion.

Er biß sich auf die Lippe und sah sich hilflos um.

Irgend etwas stimmte nicht. Er müßte ihr jetzt eigentlich seinen Namen nennen und sie fragen, ob sie öfter herkam, und dürfte nicht wegschauen, als würde sie ihm eine Heidenangst einjagen. Sie hob die Schultern und lachte nervös, behielt aber ihre freundliche Miene bei. »Du bist nicht sehr gesprächig, wie?«

Er drehte sich mit einem verzweifelten Blick zu ihr. Dann schien er einen Entschluß zu fassen. Er holte tief Luft und straffte den Rücken, als wollte er sich selbst Mut machen. Schließlich spitzte er die Lippen und gab einen Laut von sich, als würde Luft aus ihm entweichen.

Tinas Lächeln verblaßte; sie bemühte sich, möglichst unbeteiligt zu erscheinen. Was trieb er da?

Er verzog gequält das Gesicht, schloß die Augen und

warf bei jedem neuen Versuch den Kopf nach vorn: »Sh . . . Sh . . . Sh . . .«

Sie begriff, daß er seinen Namen aussprechen wollte.

»Sh . . .« Wütend gab er seine Anstrengungen auf.

Sie versuchte zu raten. »Sean?«

Er atmete erleichtert auf, dann warf er ihr einen kurzen, verlegenen Blick zu. »Ja«, sagte er.

»Hi, Sean.«

»Hi.«

»Es gefällt mir, wie du singst.«

»D-d . . .«

»Danke«, sagte sie für ihn und kramte in ihrer Tasche nach Zigaretten, um ihm eine anzubieten. »Nicht nötig, daß du dich bei mir bedankst«, fuhr sie fort. »Du brauchst dich bei gar niemandem zu bedanken.«

Er deutete mit dem Kopf auf die Flaschenreihe und die Gläser hinter der Bar. »W-w . . .« Er warf hoffnungslos die Hände in die Höhe.

»Ob ich einen Drink will?«

Er nickte und lächelte scheu.

»Einen trockenen Cidre«, sagte sie.

Er faßte in die Tasche und nahm eine Handvoll Münzen heraus – fast nur Zehnpencestücke. Er war so pleite wie sie. Sie sah zu, wie er die Münzen in kleinen Häufchen auf der Theke anordnete und versuchte, das Barmädchen auf sich aufmerksam zu machen. In diesem Moment faßte sie ihrerseits einen Entschluß. »Ich habe eine bessere Idee«, sagte sie. »Komm auf einen Kaffee mit zu mir.«

Er schien kaum glauben zu können, was er da gehört hatte.

»Ich wohne nicht weit weg«, setzte sie hinzu. Sie ging auf die Tür zu; er zögerte. Sie drehte sich lächelnd zu ihm um, und er folgte ihr auf die Straße.

»Machst du oft Karaoke?« fragte sie und wich ein paar Glasscherben auf dem Gehsteig aus.

»J-j-j . . .« Er zuckte seufzend mit den Schultern.

»Ich mag Karaoke«, sagte Tina. Sie bog um eine Ecke und führte Sean an ein paar baufälligen Gebäuden mit zugenagelten Fenstern vorbei. In einem Abfalleimer brannte ein Feuer, an dem sich ein Mann mit Wollmütze wärmte. Er rief ihnen etwas zu. Tina ignorierte den Mann und fuhr fort: »Man kann es so machen, wie man will . . . vielleicht so tun, als wäre man einer der Sänger. Oder einen von ihnen nachahmen.«

Sean grunzte zur Antwort.

»Gleich da drüben.« Sie zeigte auf einen Durchgang zwischen zwei Säulen.

Sean blieb ein wenig zurück, als er ihr die Treppe hinauf und über den langen Balkon zu ihrer Wohnungstür folgte, als wollte er die Distanz zwischen ihnen wahren. Tina spürte, daß er nervös war. Dagegen würde sie rasch etwas unternehmen. »Komm rein«, sagte sie und schloß die Tür auf.

Sie ging ihm durch den kurzen Flur voran, am Bad und der Küche vorbei ins Wohnzimmer. Selbstbewußt bewegte sie sich durchs Zimmer und knipste die Lampen an – kleine Tischlampen mit Plastikschirmen, die sie mit Tüchern abgedeckt hatte, um das Licht zu dämpfen. Sie schlüpfte aus ihrem Mantel, warf ihn über einen Stuhl und wandte sich Sean zu. Sie sah, wie er die Umgebung eingehend betrachtete – pinkfarbene Wände mit Postern von Film- und Rockstars und ein Yin-Yang-Zeichen, ein Sofa, ein paar Stühle, etliche halb abgebrannte Kerzen auf einem niederen Tisch, ein Vorhang, der die Ecke abteilte, in der sie schlief. Zum Schluß schaute er sie an.

Sie durchquerte das Zimmer, stellte sich vor ihn und

musterte forschend sein Gesicht. Irgendwie war etwas an der Art, wie er sie ansah, anders – er war nicht wie andere Männer, ganz und gar nicht. Er wirkte so verletzlich. Als hätte man ihm zu oft wehgetan.

Seine Lippen bewegten sich; er versuchte, etwas zu sagen, aber dann hielt er ihr wortlos den Pokal, den er beim Karaoke gewonnen hatte, hin.

»Für mich?«

Er nickte und wurde rot.

»Danke«, sagte Tina aufrichtig gerührt. Diese schlichte Geste sagte mehr als tausend Worte.

Sie nahm Sean den Pokal aus der Hand und stellte ihn auf ein Bord neben ihr *Badlands*-Poster: das einzige, was einem Ehrenplatz einigermaßen gleichkam.

»Kaffee?« Das mußte sie ihn fragen, schließlich war das der Grund für die Einladung in ihre Wohnung gewesen.

Er nickte und formte ohne einen Laut das Wort »ja« mit den Lippen.

Sie nahm zwei Becher von einem Tisch und brachte sie in die Küche.

Sean entdeckte ein Fotoalbum auf dem Tisch vor dem Sofa. Er nahm es, ließ sich auf der Armlehne eines Sessels nieder und blätterte Seite für Seite durch – Familienfotos. Auf den meisten war ein dunkelhaariges kleines Mädchen zu sehen. Das Mädchen mußte Tina sein. Aber sie war nie allein, immer war jemand bei ihr: jemand, der ein wenig größer war als sie, aber das Gesicht und der Rest waren vollkommen zerkratzt, so daß nur noch eine schemenhafte Gestalt zu sehen war.

Er schaute hoch und sah Tina, die in der Küchentür stand und ihn beobachtete. Er war starr vor Schreck, sie hatte ihn auf frischer Tat ertappt. Es gefiel ihr bestimmt nicht, wenn er in ihren Sachen kramte, und sie würde ihn gleich bitten, die Wohnung zu verlassen. Er klappte das Album zu und wapp-nete sich für den Rausschmiß.

»Zucker?« fragte sie. Das war alles. Sie wollte nur wissen, ob er Zucker in seinem Kaffee mochte.

»J-j-j . . . ja«, sagte er erleichtert.

Einen Moment später kam sie zurück und stellte die dampfenden Becher auf den Tisch. Sie setzte sich ihm gegenüber und studierte ihn. Er nippte unsicher an seiner Tasse und wünschte, sie würde etwas sagen.

»Lebst du in der Gegend, Sean?«

Er nickte. »J-j . . . ja.« Er wiederholte das Wort noch einmal und war froh, daß er es herausbrachte: »Ja.«

»Wo?«

Ihm wäre lieber gewesen, sie hätte die Frage nicht gestellt. Er holte tief Luft. »H . . .« Er verstummte und nahm von neuem Anlauf. »H . . .«

»Hostel«, sagte sie. »Du wohnst im Hostel?«

Er schloß die Augen. »Ja.«

Er spürte eine kühle Hand an seiner Wange; er machte die Augen auf und sah sie über sich stehen, die Augen auf sein Gesicht gerichtet. »Eine gewundene Eisentreppe«, sagte sie, als sie sich neben ihn setzte. »Wie eine Schlange, die sich zusammenrollt, um gleich zuzubeißen. Ein langer Korridor mit numerierten Türen. Jede führt in einen kleinen Raum mit papierdünnen Trennwänden; sie reichen nicht bis zur Decke. Wenn man sich auf einen Stuhl stellt, kann man in die nächste Kabine schauen. Immer hustet jemand oder schreit, und ständig lauert jemand draußen auf dem Flur.« Ihre Lippen verzogen sich zu einem ironischen Lächeln. »Und ein idiotischer Sozialarbeiter erzählt einem, daß man Glück hat, dort gelandet zu sein.«

Er starrte sie mit offenem Mund an; es war, als könnte sie direkt in seinen Kopf sehen.

»Dinge beschreiben«, sagte sie. »Das habe ich früher immer getan, als ich klein war. Heute mache ich es kaum noch, ich mag es nicht mehr. Ich habe manchmal diesen Traum . . . eigentlich ist es eher ein Alptraum. Jemand sperrt mich in einen Raum mit lauter bizarren, unförmigen Gegenständen, und sie wollen mich nicht wieder rauslassen, bis ich jeden einzelnen von ihnen genau beschrieben habe.« Sie lachte verlegen nach diesem Bekenntnis. »Dumm, nicht wahr?«

»A-a-aber . . . w-w-w . . .«

»Woher ich den Flur und die Kabinen mit den Trennwänden kenne?«

Er nickte.

»Ich hab' einmal ein paar Nächte in solch einem Haus verbracht«, erklärte sie. »Sie dachten, sie tun mir einen Gefallen; holen mich von der Straße. Nach zwei Tagen bin ich gegangen, weil ich den Gestank nicht ausgehalten habe.« Sie tauschten einen verständigen Blick. »Geh heute abend nicht dorthin zurück.«

Sie stand auf und ging herum, um die Lampen zu löschen und Kerzen anzuzünden. Sie holte noch weitere aus einer Schublade; bald schimmerten überall Kerzen – sie standen auf dem Boden, auf den Tischen, auf den Regalen und verbreiteten einen Duft nach Jasmin. Sie steckte eine Kassette in den Recorder: The Cocteau Twins.

Sean folgte ihr zu der Matratze hinter dem Vorhang, um sich zaghaft auf den Rand zu setzen. Sie kniete sich vor ihn und nahm seinen Kopf zwischen die Hände. Er atmete tief durch, dann schloß er die Augen. Sie beugte sich vor und drückte die geöffneten Lippen auf seinen Mund – erst sanft, dann fester. Ihre Hände glitten über seinen Rücken, ehe sie ihn näher an sich zog.

Er fühlte ihren Herzschlag, sein Atem wurde rauher. Er

schlang die Arme um sie und klammerte sich an sie wie ein verzweifeltes Kind.

Sie rollte leise stöhnend auf den Rücken.

4

Fitz rutschte unbehaglich ein wenig vor, als sich eine Gruppe von sechs Leuten hinter ihm vorbeidrängte. Er versuchte, seinen Stuhl in die ursprüngliche Position zurückzuschieben, als plötzlich ein livrierter Kellner neben ihm auftauchte. »Einen Drink, Sir?«

»Äh . . . Cola. Wenn ich genauer darüber nachdenke – eine Diät-Cola. Sie kennen das Zeug doch, oder? Braun, sprudelnd, voller deklarationspflichtiger Leckereien. Das Lieblingsgetränk der süßen Jungs.«

»Ja, Sir.«

Der Kellner machte sich davon, und die Sechsergruppe ging. Fitz rückte seinen Stuhl zurück und gleichzeitig den Tisch ein wenig vor, bis er wieder freier atmen konnte. Lieber Himmel! Wie konnte man erwarten, daß ein Mann in einer Kneipe etwas aß, in der sein Bauch bei jedem Atemzug an den verdammten Tisch stieß? Und wo, zum Teufel, sollte er seine Beine unterbringen? Er rutschte zur Seite und plazierte ein Bein in dem Gang zwischen den Tischen, gerade als der Kellner zurückkam und das Glas mit der Diät-Cola auf einem Silbertablett balancierte. Der Kellner stieg über das Bein, ohne aus dem Rhythmus zu kommen.

»Das haben Sie schon öfter gemacht.«

Der Kellner stellte das Glas auf den Tisch. »Wie bitte, Sir?«

»Nichts.« Fitz steckte sich eine Zigarette in den Mund und zündete sie an. Dagegen konnte Judith doch nichts haben, oder? Sie hatte das Spielen erwähnt, sie hatte den Alkohol erwähnt, aber er erinnerte sich nicht daran, daß sie gesagt hätte: »Hör auf zu rauchen, oder ich verlasse dich.« Deshalb glaubte er, daß er mit einer Zigarette nichts falsch machen konnte. An Lungenkrebs zu sterben war offenbar ganz in Ordnung; sie erhob nur Einwände, wenn er Spaß hatte.

Er holte tief Luft und sah sich um. Guter Gott, was hatte er im *Cianno's* zu suchen? Es war eines dieser trendy Bistros mit beigefarbenen Wänden, ein paar strategisch günstig positionierten Topfpflanzen und einer Speisekarte, die auf wohlhabende Magersüchtige zugeschnitten war. Er mußte seiner neuen Patientin, Sarah Heller, von diesem Bistro erzählen – es würde ihr gefallen. Hier konnte sie ein Vermögen ausgeben, trotzdem hungrig nach Hause gehen und zusehen, wie ihr faszinierend schöner chinesischer Tiger immer näher kam. Aber ein vierundvierzig Jahre alter Mann sollte keinen Abend in der Gesellschaft von klapperdürren Mitgliedern der Schickeria verbringen müssen, nur um mit seiner eigenen Frau sprechen zu können. Wo blieb sie überhaupt? Er schaute auf seine Uhr. Typisch Judith. Immer ein bißchen zu spät kommen. Laß ihn eine Viertelstunde oder so schmoren – das zeigt ihm, wer der Boß ist. Eine hübsch verpackte Form von Aggression, dieses Zuspätkommen.

Er sah sich nach einem Aschenbecher um, fand aber keinen. Auf dem Tisch stand eine kleine Blumenvase; die tat es auch. Er hob die Vase hoch und schnippte die Asche ins Wasser. Der Kellner eilte mit einem Aschenbecher herbei, noch ehe Fitz die Vase wieder abstellen konnte. Der Aschenbecher landete mit einem metallischen Klirren auf dem

46

Tisch, und der Kellner verschwand so schnell, wie er gekommen war. Der Trick mit der Asche in der Blumenvase hatte wieder einmal funktioniert – er brachte die Kellner immer auf Trab.

Fitz vergnügte sich damit, die Gesichter der anderen Gäste zu beobachten. Alle plauderten freundlich, lachten und lächelten, aber es war alles nur Theater. Ich durchschaue euch, dachte er, ich durchschaue jeden einzelnen von euch und sehe bis in eure schwarzen Seelen.

Er konzentrierte sich auf eine Frau, blond, Ende Zwanzig. Sie beugte sich vor, um ihrem Begleiter zuzuhören. Der Mann im Anzug erzählte langweilige Geschichten und redete wahrscheinlich in der Hauptsache über seine Arbeit.

Woher er wußte, daß die Geschichten langweilig waren? Er sah es an dem Blick der Frau. Warum beugte sie sich dann so eifrig vor, lächelte breit und sog offenbar jedes Wort von ihm begierig in sich auf? Weil der Mann, mit dem sie zusammen war, besser war als gar keiner. Weil sie Angst davor hatte, allein zu sein.

Interessant, daß Sie sich gerade diese Person ausgesucht haben, Doktor Fitzgerald, sagte er sich, wenn man bedenkt, daß Ihre Frau *Sie* vor gar nicht langer Zeit alleingelassen hat.

Und dann sah er, wie sie auf ihn zukam; sie hatte schon immer einen unheimlichen Sinn fürs richtige Timing gehabt.

Sie sah gut aus. Aber Judith sah immer gut aus. Sie trug bedruckte Leggins und eine weite, lange Jacke – und sie hatte die Figur einer Frau, die halb so alt war wie sie. Er stand auf und lächelte, erst dann sah er, daß sie nicht allein war.

»Hallo, Fitz«, grüßte sie.

»Hallo«, sagte er und musterte den Mann an ihrer Seite.

»Graham – Fitz«, machte Judith die beiden miteinander bekannt.

Graham schüttelte enthusiastisch Fitz' Hand. Er war in den Vierzigern. Schütter werdendes Haar über der Stirn, eine Brille mit großen, runden Gläsern und ein buschiger Schnurrbart, der die ganze Oberlippe bedeckte. Sein Anzug hatte denselben beigen Farbton wie die Wände. »Ich habe schon eine Menge von Ihnen gehört.«

Fitz wandte sich seiner Frau zu und bemühte sich sehr, seine Verärgerung nicht zu zeigen. »Ich habe nur für zwei reserviert.«

»Wir bleiben nicht lange«, sagte Judith und setzte sich. Zu Fitz' Bestürzung machte es sich Graham neben ihr bequem.

Fitz ließ sich auf seinen Stuhl fallen und wartete ab, was als nächstes passierte.

Judith bedachte ihn mit einem kalten Blick. »Du willst, daß ich nach Hause komme?«

Fitz sah erst sie an – sie wirkte steif und geschäftsmäßig –, dann Graham, der sie beide aufmerksam im Auge behielt. Jetzt begriff er, daß sie dieses Frettchengesicht als eine Art Schiedsrichter mitgebracht hatte. Was, zur Hölle, dachte sie sich dabei?

»Moment mal . . .«, sagte er.

»Du willst, daß ich nach Hause komme?« wiederholte Judith mit ausdrucksloser Stimme und versteinertem Gesicht.

Fitz deutete auf den Eindringling. »Wer ist das?«

Ihre Miene änderte sich nicht, sie wirkte nach wie vor kalt und abweisend. »Graham ist mein Therapeut.«

Ihr Therapeut? Seit wann hatte Judith einen Therapeuten? »Judith, du brauchst so einen Scheiß nicht.«

Sie lachte bitter. »Nach zwanzig Jahren Ehe mit dir

brauche ich mehr als eine Therapie. Ich brauche eine Wallfahrt nach Lourdes!«

Graham neigte sich über den Tisch und faltete die Hände wie zum Gebet. »Ich verstehe Ihre Feindseligkeit«, flötete er beschwichtigend.

Das war mehr, als Fitz ertragen konnte – von einer halben Portion belehrt zu werden. Er biß die Zähne zusammen und beherrschte sich eisern. »Ach, können Sie das?«

Graham fuhr in seinem sanften, säuselnden Ton fort: »Judith hat mir viel erzählt, intime Dinge. Deshalb fühlen Sie sich verletzbar . . .«

»Lieber Himmel!«

Graham nickte mitleidig. »Natürlich fühlen Sie sich bedroht. Und Sie sollten diese Empfindungen nicht verdrängen . . .«

Guter Gott, dachte Fitz. Ich wette, er leitet Therapiegruppen: beschissene Rollenspiele mit psychodramatischem Hintergrund, Wochenendseminare, bei denen die Verklemmten lernten, sich auszudrücken. »Ich diskutiere nicht mit dir in Gegenwart dieses Musterknaben.« Fitz war mit seiner Geduld unverkennbar am Ende.

»Prima«, sagte Judith und stand auf. »Wiedersehen, Fitz.« Sie drehte sich um und ging.

Graham zögerte einen Moment, dann erhob er sich ebenfalls und folgte ihr.

Fitz schüttelte hoffnungslos den Kopf. Warum mußte es so enden? »Nein, nein. Warte! Streich die letzte Bemerkung, Judith.«

Sie blieb stehen und wandte sich langsam zu ihm um. Fitz merkte, daß sie erst zurück zum Tisch kam, nachdem Graham ihr zugenickt und auf den Stuhl gedeutet hatte. Dann rückte Graham ihr den Stuhl zurecht, ganz der edle Ritter.

»Du willst, daß ich nach Hause komme?« fragte Judith zum drittenmal.

Natürlich wollte er, daß sie nach Hause kam. Was glaubte sie, warum er diesen Zauber hier überhaupt veranstaltete? Dieses ganze verdammte romantische Dinner, das jetzt vollkommen ruiniert war. Er tat das alles nur, weil er wollte, daß sie nach Hause kam. Er wollte sie.

»Ja«, sagte er und sah ihr direkt in die Augen.

Graham ergriff als nächster das Wort. »Warum?« erkundigte er sich.

Fitz konnte es nicht fassen. Dieser Scheißkerl hatte tatsächlich den Nerv, sich einzumischen, wenn er versuchte, ein vernünftiges Gespräch mit seiner Frau zu führen!

»Ich denke, Judith möchte das gerne hören«, setzte Graham hinzu und nickte ernst.

Fitz gab dem Kellner ein Zeichen. »Ober«, rief er laut, »einen Teller Humblepie für unseren Herbert Lom hier, bitte.«

»Wir möchten nichts essen«, erklärte Judith dem Kellner und entließ ihn mit einem Kopfschütteln und einem ihrer berühmten Blicke, die ihrem Gegenüber klarmachten, daß er ihren Mann gar nicht beachten sollte. Sie wartete, bis der Ober weg war, dann fragte sie ruhig: »Warum willst du, daß ich nach Hause komme?«

Er senkte den Blick. Ihm war Grahams aufdringliche Gegenwart nur allzu bewußt, und er wußte auch, daß der ihn eingehend studierte, als wäre er eine seltene Spezies in einem Glas. »Weil ich dich liebe – darum«, murmelte er und faßte nach seinem Glas. Er registrierte, wie Graham seine häßlichen Augenbrauen hochzog und ihn ansah, als hätte er ihn mit den Fingern in der Keksdose erwischt. Fitz hielt ihm das Glas unter die Nase. »Diät-Cola.«

Judith starrte ihn nach wie vor ungerührt an. Gott, wo

war die Frau, die er geheiratet hatte? Die Frau, die vor Leidenschaft glühte, die sich Seite an Seite mit ihm der Welt entgegenstellte, die sich totlachte über einen windigen, affektierten Volltrottel wie diesen sogenannten Therapeuten, der sich jetzt selbstgefällig an sie drängte? Wo, zum Teufel, war diese Frau geblieben?

»Ich komme zurück, aber unter drei Bedingungen«, sagte sie. »Erstens: Du gehst zu den Anonymen Spielern.«

Fitz gab sich keine Mühe, seinen Abscheu zu verbergen. »Das wird von Wichsern für Wichser geleitet.«

»*Ich* arbeite in der örtlichen Gruppe mit«, schaltete sich Graham ein, als wäre das eine blendende Empfehlung.

Fitz verdrehte die Augen. »Ich schließe meinen Beweisvortrag hiermit ab.«

»Es ist die beste im ganzen Land«, fügte Graham mit milder Nachsicht hinzu.

»Ich wette mit Ihnen, daß sie das nicht ist.«

»Zweitens«, sagte Judith, »das Haus wird auf meinen Namen überschrieben.« Sie klang, als würde sie von einem Teleprompter ablesen. Sie hatte das vorher geübt, wahrscheinlich hatte sie alles Wort für Wort mit Graham besprochen und einstudiert. »Und drittens: Wir ändern unser Girokonto und vereinbaren mit der Bank, daß jeder ausgestellte Scheck die Unterschrift von uns beiden haben muß.«

Es entstand ein langes Schweigen, während sie sich über den Tisch hinweg anstarrten. Judith blinzelte nicht ein einziges Mal.

Schließlich wandte Fitz den Blick ab und drückte seinen Zigarettenstummel im Aschenbecher aus.

»Also?«

»Ober!« rief Fitz. »Könnten wir bitte ein sehr scharfes Messer haben? Meine Frau würde mir gern die Eier abschneiden.«

»Früher habe ich mich über solche Dinge amüsiert, Fitz«, begann Judith gelassen. »Die Art, wie du eine Handgranate in eine Unterhaltung wirfst, dich zurücklehnst und zusiehst, wie sie in die Luft geht.« Ihre Augen wurden ein wenig schmaler, und ihre Stimme klang heiser vor Wut. »Aber jetzt langweilt mich so was. Die Art, wie du in Problemen herumstocherst, ist langweilig. Daß du alles analysierst, ist langweilig. Deine Suche nach dem verdammten ›unverfälschten Motiv‹ ist langweilig. Es ist so langweilig wie ein Leben mit dem verdammten Papst!« Sie atmete tief durch und rang um Selbstbeherrschung. Sie wandte sich an Graham. »Würden Sie mir bitte einen Gin mit Tonic bestellen?«

»Einen großen Gin mit Tonic für die Lady bitte«, rief Fitz einem vorbeigehenden Kellner zu; Judith war seine Frau, und wenn hier jemand etwas zu trinken für sie bestellte, dann er.

»Also?« fragte Judith.

Fitz lehnte sich zurück und betrachtete ihr Gesicht, ihr kontrolliertes, emotionsloses Gesicht. Gerade genug Make-up, um ihre Glanzpunkte hervorzuheben, das schimmernde dunkle Haar war kurzgeschnitten, weil es so leichter zu pflegen war – das war Judith. Alles perfekt, alles ordentlich. »Mein Glücksspiel«, sagte er. »Ist das auch langweilig?«

»Mir würden eine Menge Worte einfallen, um das zu beschreiben, Fitz. Aber nein . . .« Sie schüttelte den Kopf, und für einen Augenblick erlaubte sie sich ein klägliches Lächeln. »Langweilig gehört nicht dazu.«

»Nein«, bekräftigte Fitz erregt. Dieser kurze Blick auf die alte Judith hatte ihm Mut gemacht. »Das Leben braucht ein bißchen Risiko. Ein bißchen von Bogart und Hepburn auf der *African Queen*.«

52

»Ich bevorzuge Judith und Fitz auf dem geraden, schmalen Weg.« Die alte Judith versteckte sich wieder hinter dieser kontrollierten, emotionslosen Maske.

Es funktionierte nicht; nichts lief nach Plan. Ihm blieb nur die Hoffnung, sie aus diesem beigefarbenen Raum mit den schwätzenden Medientypen, dem Jazzpiano und den Kellnern, die wie Fliegen herumschwirrten, herauszubringen. »Komm«, sagte er und erhob sich. »Gib mir zehn Minuten. Ich möchte dir etwas zeigen.«

Judith blieb sitzen. »Sag mir nur, ob die Abmachung gilt oder nicht.«

Im Grunde wußte er genau, daß ihre Forderungen nur vernünftig waren, nach allem, was er getan hatte, um seine Spielsucht zu finanzieren: Zuletzt hatte er sogar das Girokonto überzogen und ihre Unterschrift gefälscht, um eine zweite Hypothek auf das Haus aufzunehmen.

Und er wußte auch, daß es ganz einfach wäre zu sagen: Ja, Judith, ich liebe dich und tue, was du willst. Ja, die Abmachung gilt.

Danach wäre alles leicht. Sie würden aufstehen und dieses verdammte Restaurant verlassen, zusammen nach Hause gehen und die Nacht in enger Umarmung verbringen. Wünschte er sich nicht genau das? Sag ja, drängte ihn eine Stimme in seinem Kopf. Sag ja.

Doch ihm war klar, daß er sich nie ändern würde. Selbst wenn er es versuchte, würde er immer innerlich gegen die Heuchelei und die Ungerechtigkeit rebellieren. Es würde in ihm gären, bis er schließlich explodierte. Er liebte Judith, und er wollte sie weiterhin lieben. Wenn er zuließ, daß sie ihn zum Gefangenen machte, würde er reizbar werden, und seine Gereiztheit würde sich mit der Zeit in blanken Haß verwandeln.

Es gab so viel Gutes, was sie verband, aber in ihrer Wut

über die kleinen finanziellen Schwierigkeiten hatte sie einfach vergessen, wie gut die guten Zeiten gewesen waren und immer noch sein konnten. Die finanzielle Lage konnte er in kürzester Zeit bereinigen, jetzt da er als freiberuflicher Berater der Polizei tätig war, auch wenn die Burschen sich verdammt lange Zeit ließen, seine Rechnungen zu begleichen. Und noch schneller ginge es, wenn er zur Abwechslung mal ein paar Treffer landen könnte. Er mußte Judith nur erst daran erinnern, wie schön alles einmal gewesen war. »Wir sind seit zwanzig Jahren verheiratet, Judith.« Er streckte ihr die Hände mit den Handflächen nach oben entgegen – eine flehende Geste. »Was sind da schon zehn Minuten?«

Er wartete, während sie sich ihrem frettchengesichtigen Aufpasser zuwandte. Nach kurzer Überlegung nickte Graham zustimmend, und beide standen auf.

»Sehrrr schöön«, sagte Fitz, als sie sich dem Haus näherten. Er näselte und dehnte die Worte übertrieben, wie Lord Grossman in *Through the Keyhole*. »Ich frrraaage mich, welche Perrrsooon in einem Haus wie diesem wohnt. Sollen wirr hineingehen und nachsehen, welche Geeeheimnisse ihre Besitztümer enthüllen?«

Judith verdrehte die Augen, um ihm zu zeigen, daß sie das keineswegs lustig fand.

Fitz öffnete die Tür, schob Graham und Judith hinein und führte sie die Treppe hinauf in sein – und ehemals Judiths – Schlafzimmer.

»Dieser widerliche Gestank«, informierte er Graham und verfiel vorübergehend in seinen normalen Tonfall, »stammt übrigens von den Füßen meines Sohnes. Wir haben alles versucht, abgesehen von einer Amputation. Diese Möglichkeit bleibt uns immer noch.«

Sie folgten ihm ins Schlafzimmer, wo er die Tür von

Judiths Schrank aufriß. »Sehrrr schööön.« Er wurde wieder zu Lord Grossman. »Weer auch immer in diesem Haus lebt, hat offensichtlich einen sehrrr, sehrrr teuren Geschmack, was Kleidung betrrrifft.«

»Komm auf den Punkt, Fitz«, unterbrach ihn Judith ärgerlich.

Er faßte in den Schrank und zog eines von Judiths Kleidern heraus. »Ich habe dir dies hier gekauft«, sagte er mit normaler Stimme, »als Cool Ground den Gold Cup gewann. Dies . . .«, er zeigte ein anderes Kleid und hängte das andere wieder auf die Stange, ». . . als Doktor Devious das Derby gewann.« Er nahm ein drittes Kleid aus dem Schrank. »Und das«, sagte er und hielt es ihr vors Gesicht, »als Party Politics das National gewann.«

»Ich habe von deinen Gewinnen profitiert – willst du das damit sagen?«

Eine sehr schlaue Frau. Sie kapierte schnell. »Ganz genau«, bestätigte er.

»Und warum, meinst du, habe ich das alles hier gelassen?« Sie wirbelte herum und ging. Sie lief die Treppe hinunter und auf die Straße; Graham trottete ergeben hinter ihr her.

5

Tina zündete eine Zigarette an und machte es sich auf dem Sofa bequem. Sie preßte die Finger auf die Blasen einer Plastikpackung und lauschte auf das leise Ploppen, wenn eine davon platzte.

Es war später Nachmittag, und Sean stand unter der Dusche; *plopp.* Sie hörte ihn singen. *Plopp.* Er war schon ziemlich lange da drin. *Plopp.* Wann kam er heraus? Sie würden irgendwohin gehen, etwas unternehmen.

Sie zerquetschte wieder eine Blase zwischen den Fingern; sie platzte nicht. Sie bohrte einen Fingernagel hinein; *plopp;* dann ein Laut, der wie eine Explosion klang.

Sie sprang auf, hörte einen weiteren Knall, sah, wie ein Brecheisen durch die Tür ragte. Holz splitterte, das Schloß und die Kette wurden aus der Verankerung gerissen. Sean war noch immer in der Dusche und sang. Hörte er denn nichts?

Ein Mann kam durch die zerborstene Tür. Mitte Dreißig, gutaussehend wie ein Filmstar, mit dunkler Sonnenbrille und teuren Klamotten.

Cormack.

Er stolzierte ins Wohnzimmer, als würde es ihm gehören. Zwei andere Männer hielten sich hinter ihm – jünger, muskulöser, in Jeans und Bomberjacken.

Tina war wie versteinert; sie hatte von Cormacks Schlägern gehört und auch davon, was sie mit einem taten, machte man auch nur eine falsche Bewegung.

Cormack blieb stehen und nahm die Sonnenbrille ab. Er sah sie mit hochgezogenen Augenbrauen an.

»Was willst du?«

»Du weißt, was ich will. Du schuldest mir noch was.«

»Ich hab' nichts«, sagte sie so ruhig und gelassen, wie es ihr möglich war. Sie hatte nicht mehr gearbeitet, seit sie Sean begegnet war. Manchen Männern machte es nichts aus, wenn ihre Frauen anschaffen gingen, sie waren sogar froh, wenn die Geld nach Hause brachten. Aber Sean war anders. Ihm wäre schon allein der Gedanke daran unerträglich, es würde ihn innerlich zerreißen. »Ich bekomme am Mittwoch einen Scheck, dann gebe ich dir etwas.«

»Fernseher«, befahl er barsch, ohne Tina aus den Augen

zu lassen. Einer der Männer packte den Fernseher und trug ihn aus der Wohnung; der andere nahm ihre Stereoanlage mit.

Seans Stimme drang durch die Tür vom Badezimmer. *»Are you lonesome tonight? Do you miss me tonight? Are you sorry we drifted apart?«*

Cormack ging zur Badezimmertür und drehte an dem Knauf.

Sie hörte, wie der Duschvorhang aufglitt. Sean schrie: »Hey! W-w-was zum . . .?« Die Tür schlug zu, und ein teuflisches Lachen wurde laut. Fäuste schlugen gegen das Holz. »Hey! Mach die Tür auf!«

Dann war Cormack wieder da. Er ging zum Regal mit der Sammlung von Pokalen und stopfte einen nach dem anderen in einen Beutel.

Tina durchquerte das Zimmer, um ihn davon abzuhalten. Diese Pokale waren alles, was Sean besaß; außer seinen Trophäen hatte er nur ein paar Klamotten mitgebracht, als er vor einer Woche zu ihr gezogen war. »Habe ich dich bis jetzt nicht immer regelmäßig bezahlt? Die letzten beiden Wochen gingen die Geschäfte nicht gut, das ist alles. Es sind doch nur zwei Wochen!« Er räumte die Sachen ungerührt in den Beutel und beachtete sie gar nicht. »Du könntest mir ruhig ein bißchen mehr Zeit geben«, sagte sie und streckte die Hand nach dem Beutel aus. Sie wußte, daß die Pokale praktisch wertlos waren, aber sie bedeuteten Sean so viel. »Das ist doch nichts wert.«

Er schob sie beiseite.

Sie hörte Sean an die Tür hämmern und ihren Namen rufen. »Tina! Tina, was ist los?«

Sie lief in die Küche, riß die Schublade mit den Messern auf, griff nach einem, dann zögerte sie. Plötzlich war sie nicht mehr sicher, ob sie die Nerven hatte, es zu benutzen.

Eine Hand tauchte auf, schoß vor und schlug die Schublade zu. Tina fuhr herum. Cormack preßte sich an sie und drängte sie an den Küchenschrank zurück. »Ich kann es dir leicht machen, oder ich kann dir das Leben zur Hölle machen. Du hast die Wahl, Schätzchen.«

Sie spuckte ihm ins Gesicht.

Er hob die Hand, als wollte er ihr eine Ohrfeige versetzen; sie erstarrte und machte sich auf den Schlag gefaßt. Aber er kam nicht; er wischte sich den Speichel vom Gesicht und schmierte ihn quer über ihre Brüste. Langsam.

»TINA!« Das Hämmern und Klopfen im Bad hatte nicht aufgehört. »Tina, was ist passiert?«

Cormacks Hand ruhte einen Moment auf ihrer Brust, dann glitt sie tiefer. Tina wandte angewidert das Gesicht ab. Cormack trat zurück. »Du hast die Wahl.« Er ging zur Küchentür. »Bleib«, befahl er und schloß die Tür hinter sich. *Bleib,* hatte er gesagt, als hätte er einen Hund vor sich.

Ein Poltern. Sie hörte, wie Sean vor Schmerz aufschrie. Was war passiert? Was machten Cormack und seine verdammten Schläger mit Sean? Sie stieß die Küchentür auf und spähte in den Flur. Keine Spur von den drei Kerlen – sie waren weg.

Sie lief zum Bad. Der Schlüssel steckte im Türschloß. Ziemlich weit unten klaffte ein großes Loch in der Tür. Sie öffnete die Tür und fand Sean nackt auf dem Boden vor. Sein Gesicht war schmerzverzerrt; eine kleine Blutlache hatte sich unter seinem verletzten Bein gebildet. Er hatte versucht, mit bloßen Füßen die Tür einzutreten.

Sie fiel neben ihm auf die Knie. »O Sean!«

Er richtete sich mühsam auf. »Was ist passiert? Was, zum Teufel, geht hier vor?« fragte er zornig.

»Es ist alles gut – sie sind weg.«

»Wer? Wer? Wer ist weg, Tina? Wer?«

»Ich mach' die Wunde an deinem Bein mal besser gleich sauber.«

Er setzte sich auf den Badewannenrand. Er schäumte vor Wut, während sie die Wunde mit jodgetränkter Watte abtupfte.

»Sch-sch-scheißkerl . . .«

»Der Scheißkerl heißt Cormack.«

»P-p-p . . .«

»Deine Pokale? Er hat sie mitgenommen.«

Sean schloß die Augen.

»Er kommt wieder, wenn ich meinen Scheck bekomme. Er kommt immer wieder.«

Sean ballte die Hände. »Ich br-br-br . . .«

»Ich werde mit meinen Eltern sprechen«, besänftigte sie ihn. »Ich frage sie, ob sie mir Geld geben, dann zahle ich den Bastard aus und hole deine Pokale zurück. Alles wird gut, du wirst sehen.«

Sie hörte den Hund bellen, als sie auf den Balkon kam. Das Kläffen klang, als wäre es ein großes, bösartiges Tier, und es war ganz in der Nähe. Sie folgte Sean ins Treppenhaus und blieb dann abrupt stehen. »Er ist auf der Treppe«, sagte sie ängstlich.

Sean schüttelte den Kopf. Er nahm ihre Hand und führte sie die Stufen hinunter.

»Er ist da«, beharrte sie und zog ihn zurück. »Ich gehe da nicht hinunter, Sean.«

Sie versuchte, Widerstand zu leisten, aber Sean zerrte sie weiter. Sie kamen nur noch wenige Stufen weit, dann standen sie plötzlich einer wütend knurrenden Bestie mit gefletschten Zähnen gegenüber. Tina erstarrte vor Entsetzen. Sean zeigte auch seine Zähne und knurrte den Hund an.

»Nicht, Sean«, flüsterte Tina.

Er stürmte weiter und zog Tina hinter sich her. »Nein, Sean!« Der Hund drehte sich um und ergriff die Flucht. Sean rannte ihm nach und gab bellende Laute von sich. »Nicht, Sean!« schrie sie wieder, aber diesmal lachte sie dabei.

Sie schlenderten durch die Nachbarschaft und hielten nach einem Beförderungsmittel Ausschau. In einer ruhigen Straße, in der momentan weder ein Auto fuhr noch ein Fußgänger zu sehen war, schlug Sean mit einem kurzen Stahlrohr das Fenster auf der Fahrerseite eines Autos ein. Er faßte durch das Loch und öffnete die Verriegelung, dann wischte er die Scherben weg, stieg ein und machte Tina die Beifahrertür auf. Er zog einen Schraubenzieher aus der Tasche, stocherte damit am Zündschloß herum, bis er die Hülse ausgehebelt hatte, und machte sich an ein paar Drähten zu schaffen. Nach kurzer Zeit erwachte der Motor zum Leben, und sie fuhren davon.

Ein ungeöffnetes Päckchen *Benson and Hedges* lag auf der Ablage. Tina riß es auf, nahm zwei Zigaretten heraus, steckte sie an und gab Sean eine. Erst dann öffnete sie das Handschuhfach und machte einen lohnenden Fund: Hustenbonbons, eine billige Sonnenbrille aus Plastik, einen Wecker, ein Dutzend Kassetten. »Bingo«, sagte sie und warf die Sachen in ihre Tasche.

Eine der Kassetten steckte sie in den Recorder: Country and Western. Sie klatschte in die Hände, lachte und lachte, als sich ein Film in ihrem Kopf abspulte: Sie sah gutaussehende Desperados auf der Flucht. Die enge, von Mietshäusern gesäumte Straße wurde zur Landstraße; die Moss Side verwandelte sich in eine endlose Prärie. Die Dustbowl. Die Badlands. Sie boxte triumphierend mit der Faust in die Luft, als der Wagen auf die Schnellstraße einbog, die nach Süden aus der Stadt führte. »Yee-ha!«

6

Fitz sah auf – Sarah Heller stand auf der Schwelle zu seinem Büro. Heute trug sie ein Kleid – rot, der Saum endete zwei Handbreit über dem Knie – mit schwarzen blickdichten Strümpfen und Stiefeln. Oben rot, unten schwarz – ihre Gestalt erinnerte ihn an ein halb abgebranntes Räucherstäbchen.

»Kommen Sie rein, Sarah, setzen Sie sich.« Er suchte in der Schreibtischschublade nach einer neuen Zigarettenschachtel. »Ich war neulich abend in einem Restaurant – *Cianno's.* Haben Sie schon mal davon gehört?«

Sie nickte. »Ich war mal dort.« Sie nahm auf dem gepolsterten Stuhl vor seinem Schreibtisch Platz, hielt den Rücken sehr gerade und preßte die Beine fest zusammen.

»Das dachte ich mir«, sagte er. »Ich hab' nichts gegessen, als ich dort war.« Er wischte Asche von seinem Jackett, dann beugte er sich über seinen vollen Schreibtisch und stützte die Ellbogen auf unbeantwortete Briefe. »Also, was hat es damit auf sich, Sarah? Hmm?«

»Womit?«

»Mit dem Leben, dem Universum und allem«, sagte Fitz, ». . . wenn wir in allgemeinen Begriffen reden. Obwohl ich zugeben muß, daß ich an etwas Spezielleres dachte. So was wie: Ich traf kürzlich diese Frau, Sarah Heller, und sie hungert sich zu Tode. Ich frage mich, was es damit auf sich hat. Irgendwelche Ideen?«

»Warum sagen *Sie* es mir nicht?« Ihr Kopf neigte sich leicht nach vorn. Sie schwieg erwartungsvoll und sah ihn aus ihren tiefliegenden, hohlen Augen an. Es war nicht schwer, sich dieses ausgezehrte hungrige Gesicht mit krabbelnden Maden sechs Fuß unter der Erde vorzustellen.

»Ich würde sagen, es hat alles mit Beherrschung und Kontrolle zu tun«, sagte Fitz. »Als Kind hat man keine Kontrolle über das, was um einen herum geschieht oder was mit einem passiert. Das trifft auf jeden von uns zu. Wir gewinnen immer mehr Kontrolle, je älter wir werden, und das genügt den meisten Menschen. Aber Sie, Sarah, gehen einen Schritt weiter. Sie sind erwachsen, Sie arbeiten hart, Sie haben Ihren Weg an die Spitze ohne Probleme geschafft. Sie kontrollieren nicht nur Ihr eigenes Leben, Sie kontrollieren auch das Leben einiger Ihrer Mitmenschen. Sie wurden der Boß, diejenige, die heuert und feuert, diejenige, die Macht hat. Das sollte eigentlich genügend Kontrolle sein, um Sie zufriedenzustellen. Aber es genügt Ihnen nicht, was? Sie wollen noch mehr Kontrolle, mehr Macht. Und was bleibt Ihnen da noch? Ihr eigener Körper. Sie ignorieren den knurrenden Magen, weil Sie diejenige sind, die ihn kontrollieren kann. Sie beobachten mit morbider Faszination, wie Ihr Fleisch immer mehr zusammenschrumpft: Ich bin die Person, die das bewirkt. Die Macht liegt bei mir. Ich brauche keine Nahrung, um am Leben zu bleiben; ich schaffe das durch bloße Willenskraft. Und wenn ich sterbe, dann aus eigener Kraft. Niemand kann mich töten, niemand sonst kann mich auf die Art vernichten, auf die ich mich selbst vernichte. Das ist Beherrschung und Kontrolle!« Fitz drückte die Zigarette in einem überquellenden Aschenbecher aus. »Was halten Sie von dieser Theorie?«

»Mir würde davor grausen, Ihre Lunge von innen zu sehen.« Sarah rutschte auf ihrem Stuhl hin und her, schlug die bambusdürren Beine übereinander, besann sich aber anders und setzte die Füße so auf wie vorher. »Ich bin erfolgreich in einer Branche, in der es viel Konkurrenz gibt. Natürlich habe ich gern alles unter Kontrolle. Warum erzählen Sie mir nicht etwas, was ich noch nicht weiß?«

»Setzen Sie Ihr Geld morgen im dreiunddreißigsten Rennen in Epsom auf ›Lonesome Wanderer‹. Ein todsicherer Tip, Sie können gar nicht verlieren.« Er nahm den Plastikbecher in die Hand, trank einen Schluck von dem dunkelbraunen Gebräu und verzog das Gesicht. Der Kaffee hier war scheußlich, er kam aus der Kantine im dritten Stock, und nur das Essen dort war noch schlimmer. Trotzdem erfüllte auch ein schlechter Kaffee seinen Zweck: Man konnte sich darauf konzentrieren. »Auf wen sind Sie so wütend, Sarah?«

Sie verdrehte die Augen und seufzte übertrieben laut. Abwehrhaltung, dachte Fitz. In ihr loderte ein unbändiger Zorn – er überkam sie in Wellen. »Vielleicht ist in Ihrer Kindheit etwas vorgefallen?«

Sie hob abwehrend eine Hand. »Moment mal. Dieses Gesülze können Sie sich gleich sparen. Ich habe Ihnen schon einmal gesagt, daß ich die ganzen Artikel in den Sonntagsbeilagen gelesen habe. Ich wurde als Kind nicht mißbraucht – weder sexuell noch sonstwie. Meine Kindheit war prima. Ich bin nicht hier, um mit Ihnen über meine Kindheit zu sprechen. Haben Sie das verstanden?«

»Warum sind Sie dann hier, Sarah?«

»Ich dachte, ich hätte einen Termin. Bin ich zu früh? Hab' ich mich im Tag geirrt?«

Sie war keine schlechte Spielerin, hatte ein paar gute Tricks drauf. Aber er war besser; er war schon länger in diesem Metier und hatte seine eigenen Regeln aufgestellt. Und er wandte sie an, wann es ihm in den Kram paßte. »Das habe ich nicht gemeint, Sarah. Sie wissen genau, was ich meinte.«

»Okay«, sagte sie. »Ich weiß, was Sie meinten. Aber Sie wissen auch, weshalb ich hier bin.«

»Nein, Sarah, das weiß ich nicht. Warum sagen Sie es mir nicht?«

Sie funkelte ihn wütend an. »Ich bin hier, weil mir Doktor Peterson vorgeschlagen hat, zu Ihnen zu gehen. Ich komme zweimal in der Woche her, da ich ein dringender Fall bin, erinnern Sie sich? Ich bin die dürre Person, die gewöhnlich dienstags und freitags zu Ihnen kommt.«

Fitz spitzte die Lippen. »Das ist es also? Doktor Peterson schlägt Ihnen etwas vor, und Sie machen, was er sagt?«

»Ja.«

»Nur damit ich Sie auch richtig verstehe«, sagte Fitz, ehe er sich die nächste Zigarette anzündete. »Sie kommen her – Sie geben Ihr eigenes Geld aus –, weil Ihnen Doktor Peterson das vorgeschlagen hat? Sie tun das nur, weil es ein Vorschlag von ihm war?«

»Ja.«

»Ich bin sicher, er hat Ihnen öfter als einmal vorgeschlagen, daß Sie anfangen sollen, normal zu essen, aber das tun Sie nicht, oder?«

Sie wedelte abwehrend mit der skelettartigen Hand. »Okay, okay. Ein Punkt für Sie. Ich hab' kapiert.«

Fitz hatte nicht vor, sie so einfach davonkommen zu lassen. »Was für ein Punkt?« beharrte er.

»Wie?«

»Was haben Sie kapiert, Sarah. Warum ging der Punkt an mich?«

Sie preßte die Lippen zusammen, um Konzentration zu demonstrieren. »Sie haben klargestellt«, begann sie langsam und vorsichtig, »daß . . .« Sie hielt inne und kratzte sich am Kopf. »Das ist eine Fangfrage, nicht wahr? Aber ich denke, ich weiß, worauf Sie hinauswollen. Ich tue nicht alles, was Doktor Peterson vorschlägt, aber ich komme hierher. Das beweist, daß ich nur die Vorschläge befolge, die ich befolgen will – ergo: Ich komme her, weil ich es will.«

»Und warum ist das so?« hakte Fitz nach. »Warum wollen Sie herkommen?«

»Möchten Sie die Wahrheit hören?«

»Ich möchte immer die Wahrheit hören, Sarah. Die Wahrheit ist mein Heiliger Gral.«

»Tatsächlich? Okay, der Heilige Gral, die Wahrheit ist: Ich habe mich bereit erklärt, zu einem Psychologen zu gehen, weil ich weiß, daß ich in Ordnung bin. Meine Arbeit leidet nicht; meine Agentur läuft besser als je zuvor. Die Leute sprechen von Rezession, und ich kann nur sagen: Was für eine Rezession? Ich besitze eine Luxuswohnung mit Blick über den Kanal und fahre einen BMW. Ich gehe, wohin ich will und wann ich möchte. Sie hatten recht: Ich habe die absolute Kontrolle. Ich esse nicht, weil ich nicht essen will. Wenn ich essen möchte, dann tuc ich es auch. So einfach ist das. Ich bin nicht dumm, und ich bin auch nicht verrückt. Ich lasse nicht zu, daß mir das aus der Hand gleitet – ich habe alles unter Kontrolle. Ich weiß genau, was ich tue.«

»Also sind Sie hier, weil Sie möchten, daß ich Ihnen das bestätige? Sie wollen, daß ich zu Doktor Peterson sage: Mach dir keine Sorgen, ich hab' mit ihr gesprochen, und sie spielt nur ein kleines Spielchen mit sich selbst. Sie hört auf damit, sobald es sie langweilt, und die Sache wird ihr sehr bald langweilig. Bevor es zu spät ist. Es besteht nicht die geringste Notwendigkeit, sie zu schikanieren; es kommt schon alles wieder in Ordnung?«

»Ganz recht. Sie haben mich verstanden, oder? Ich weiß, daß Sie mich verstehen.«

Er stand auf und schüttelte den Kopf. »Kein bißchen«, sagte er. »Zum Teufel, ich verstehe nicht das geringste. Sie möchten, daß ich Ihnen bestätige, Sie seien ganz normal und es ginge Ihnen gut? Mein Gott, Sarah. Es geht Ihnen alles andere als gut! Was für ein Spielchen Sie auch immer treiben und was Sie auch im Sinn haben, ich weigere mich, dabei mitzumachen. Haben Sie kapiert? Ich weigere mich.«

7

Tina deutete auf ein großes, einzelnstehendes Haus am Ende einer dreispurigen Vorstadtstraße. Brook Road sechsundsiebzig, Hale. Das Haus, in dem sie ihre Kindheit verbracht hatte, das Haus, dem sie so früh wie möglich hatte entfliehen wollen.

Es war schon fast dunkel, und Seans Gesicht war kaum noch zu erkennen, aber sie brauchte ihn nicht zu sehen, um zu wissen, daß ihm äußerst unbehaglich zumute war; sie spürte es. Genau wie sie gewöhnlich erahnte, was er dachte, was er zu sagen versuchte, selbst wenn er nur ein frustriertes Gestammel herausbrachte. Er schaute sie nicht an, als er den Wagen anhielt: Wahrscheinlich hatte er eine vage Ahnung, was auf ihn zukam. Ihre Eltern würden ihn von oben herab beäugen und ihn regelrecht verhören, bedeutungsvolle Blicke austauschen, wenn er Mühe hatte zu antworten. Und dann würde ihn die Wut packen.

Ein Immobilienschild hing am Gartentor: »Verkauft«.

Verkauft? Seit wann?

Ihre erste Reaktion war Schmerz, eine neue Verletzung in einer ganzen Reihe, die weit, weit zurückreichte. Ihre zweite Empfindung war Zorn, und Zorn fühlte sich besser an als Schmerz. Sie stieg aus dem Wagen, begrub den Schmerz und klammerte sich an den Zorn. Sie fühlte, wie er durch ihre Adern strömte, ihr den Rücken stärkte und neue Kraft verlieh.

Sie ging die Einfahrt hinauf zur Haustür. Sean hielt sich neben ihr und fuhr sich nervös mit der Hand durch die Haare. Beinahe hätte sie laut gelacht: Sean glättete sein Haar und gab sich alle Mühe, für ihre Eltern präsentabel auszusehen. Sie redete sich ein, daß alles gut verlaufen würde; sie würde das Reden übernehmen, das Geld in Empfang nehmen und wieder verschwinden.

Sie drückte auf den Klingelknopf und wartete. Sie wußte, daß sie im Haus waren; die Lichter brannten. Sie sah, wie sich ein Schatten hinter den Vorhängen im Obergeschoß bewegte, und wußte, wer das war. Sie biß die Zähne zusammen und wandte sich ab.

Endlich öffnete sich die Haustür. Zuerst nur einen Spalt, dann ein kleines Stückchen weiter. Eine Frau spähte heraus: mittleres Alter, mit verkniffenem Gesicht, hochgeschlossener Bluse, dunkler Strickjacke und festen Schuhen. Sie stand einfach nur da und zog eine Grimasse, als hätte sie gerade einen häßlichen Schimmelpilz an der Kellerwand entdeckt.

»Können wir reinkommen?«

»*Du* kannst reinkommen«, sagte ihre Mutter schließlich. »*Er* nicht.« Sie machte die Tür gerade weit genug auf, um Tina durchzulassen, dann schlug sie sie Sean vor der Nase zu.

Tina marschierte an ihrer Mutter vorbei ins Wohnzimmer. Ihr Vater stand mit den Händen in den Hosentaschen neben einem Sessel. Er trug ein weißes Hemd, eine zu kurze Krawatte und eine blaue Strickjacke wie seine Frau. »Setz dich«, sagte er und deutete auf das Sofa.

Das Sofa war lang und breit und absichtlich so konstruiert, daß sich jeder, der sich dort niederließ, klein und mickrig vorkam. Tina versank in den Polstern und spürte förmlich, wie sie schrumpfte. Ihr Vater blieb stehen, unterstrich seine Autorität, indem er sie zwang, zu ihm aufzuschauen und sich unbedeutend zu fühlen. Er wußte genau, was er tat.

Na, sie würde nicht mitmachen – sie ließ nicht zu, daß er sie unterdrückte. Sie lehnte sich zurück, schlug die Beine übereinander und betrachtete ihre Umgebung mit einem spöttischen Grinsen. Ihr fielen die Holzkisten auf, die sich an der Wand stapelten, und endlich dämmerte ihr, daß ihre Eltern einen Umzug vorbereiteten, ohne ihr vorher Bescheid gesagt zu haben.

Ihre Mutter kam herein und setzte sich in den Sessel, neben dem ihr Vater nach wie vor stand. Niemand sagte ein Wort. Das gehörte zu ihren Maschen: Schweigen und anklagende Blicke. Na, das konnte sie auch. Sie zündete sich eine Zigarette an, starrte zurück und wartete darauf, daß einer von ihnen das Wort ergriff.

Ein Labrador erschien auf der Türschwelle, hechelnd und sabbernd. Tina warf einen verstohlenen Blick auf den Hund, sah aber schnell wieder weg.

Diese schweigende Bedrohung machte sie wahnsinnig; wieder in diesem Haus zu sein, machte sie wahnsinnig; der hechelnde Hund machte sie wahnsinnig. Bring es hinter dich, sagte sie sich. »Hört mal, könnt ihr mir ein bißchen Geld leihen?« Sie schaute von einem vorwurfsvollen Gesicht zum anderen. »Ich zahle es euch zurück.«

Die Mutter neigte sich vor und musterte sie aus schmalen Augen. »Woher hast du das Auto?«

»Sean hat es gekauft«, erwiderte Tina hastig und wandte den Blick ab. »Er hat einen Job; er arbeitet.« Der Hund sabberte auf den Teppich; es war ekelhaft. Sie sah ihre Mutter wieder an. Jetzt war es an Tina, die Augen zusammenzukneifen. »Ihr habt mir nicht gesagt, daß ihr umzieht.«

68

»Wir haben's versucht«, sagte ihre Mutter. »Aber wir wußten nicht, wo du steckst.«

Versucht? dachte Tina. Einen Dreck habt ihr versucht.

»Wo arbeitet er?« wollte ihr Vater wissen. Das war immer schon so gewesen – er bohrte und bohrte, bis er jede Einzelheit in Erfahrung gebracht hatte.

»In einer Transportfirma.« Sie zeigte auf das triefende Tier in der Tür – es verursachte ihr Übelkeit. »Könnt ihr den nicht wegbringen?«

Oben öffnete und schloß sich eine Tür. Der Hund schoß auf den Flur und stürmte die Treppe hinauf.

Ihr Vater war noch nicht zufrieden mit ihren Auskünften. »In welcher Transportfirma.«

»Ich weiß nicht genau, aber er arbeitet«, behauptete Tina. »Alles klar?« Ihre Stimme klang zu schrill, zu hoch – sie würden merken, daß sie log. Sie lächelte und strengte sich an, ruhiger zu sprechen. »Aber ich weiß nicht genau, wo.«

Sie hob den Kopf, um ihren Vater anzusehen. Er überragte selbstgerecht und abweisend die Szene und bildete sich ein, alles zu wissen, obwohl er in Wirklichkeit weniger als nichts wußte. Sie hatte größte Mühe, sich zurückzuhalten und ihn nicht anzuschreien. »Leiht ihr mir das Geld?« Ihre Kehle war eng geworden, und die Augen brannten. *Nein*, schalt sie sich vehement, *du wirst nicht zulassen, daß sie dich wieder zum Heulen bringen, nie wieder.* »Oder nicht?«

Ihre Mutter schaltete sich ein, ehe er etwas sagen konnte. »Sammy ist oben«, sagte sie und bedachte Tina mit einem bedeutsamen Blick.

Tina zuckte mit den Achseln und atmete eine dicke Rauchwolke aus. »Ja?«

Die Augen ihrer Mutter blitzten auf. »Geh rauf und begrüße sie.«

69

Tina drückte ihre Zigarette aus, erhob sich bedächtig und ging widerstrebend zur Treppe. Sie hatte die Hälfte der Stufen zurückgelegt, als Sammy oben auf dem Flur auftauchte. Sie sah aus wie die jüngere Version ihrer Mutter, mit altmodischer, bis zum Hals zugeknöpfter Bluse und knöchellangem Rock.

Der Hund saß neben ihr und schaute verehrungsvoll zu ihr auf, die tropfende Zunge hing ihm aus dem Maul. Genau das sollte *ich* tun, wenn es nach ihnen ginge, überlegte Tina, zu Sammys Füßen niedersinken und sie bewundern. Das erwarten alle von mir.

»Hallo, Tina«, sagte Sammy.

Die unverhohlene Verachtung in ihrem Ton jagte Tina einen Schauer über den Rücken. Sie machte auf dem Absatz kehrt und sah ihre Eltern an, die am Fuß der Treppe standen. »Werdet ihr mir das Geld leihen?« fragte sie ärgerlich.

Ihr Vater schüttelte den Kopf. »Nein.«

Tina schlug mit der Hand auf das Geländer, ihre Augen schwammen in Tränen. Ihre Gesichts- und Nackenmuskeln spannten sich an, während sie bewußt den Schmerz in Wut zu verwandeln suchte. Nie wieder, kreischte eine Stimme in ihrem Kopf, nie wieder!

»Gib dem Kerl den Laufpaß und komm zu uns zurück«, fuhr ihr Vater fort. »Dann können wir über dieses Darlehen reden.«

Zu ihnen zurückkommen? Zurück zu »Hol mal, bring mal«, zum Dienen und Bedienen, wieder der artige kleine Hund sein, der alles tut, was man ihm sagt? Sie schlug mit der Faust gegen die Wand. Am liebsten hätte sie das ganze Haus eingerissen und die blöden, blasierten Gesichter zu Brei geschlagen. Sie hätte es besser wissen müssen und nie herkommen dürfen. Sie hätte wissen müssen, daß es sie keinen Deut scherte, was mit ihr passierte. Sie hatten nicht

70

einmal gefragt, wieviel sie brauchte und wofür: Es war ihnen vollkommen gleichgültig, was aus ihr wurde. Es hatte sie noch nie gekümmert. Sie verachteten sie.

Sie stürmte aus dem Haus und schlug die Tür hinter sich zu.

Sean wartete im Wagen. »W-w-w . . .?«

Sie hatte Sean einiges aus ihrer Kindheit erzählt, aber nicht alles. Es gab keinen Grund, ihm oder irgend jemandem sonst alles zu offenbaren. Genausowenig mußte er erfahren, wie sie ihr Geld verdient hatte, um Cormack zu bezahlen. Das würde nur seine Gefühle für sie beeinflussen. Das alles gehörte jetzt ohnehin der Vergangenheit an, und es war besser, wenn er nichts davon wußte.

Sie stellte eine gleichmütige Miene zur Schau, weil sie ihm nicht zeigen wollte, wie aufgewühlt sie war. »Du willst wissen, was sie gesagt haben?«

Er nickte.

Sie stieg zu ihm in den Wagen. »Sie haben nein gesagt.«

»Sch-sch-scheiße!« Sein Gesicht war wutverzerrt. Er schloß den Motor kurz und startete mit quietschenden Reifen.

Tina ließ sich gegen das Polster fallen und hielt sich fest, als Sean beinahe auf zwei Reifen eine Kurve nahm. Das Auto wurde langsamer, als sie die Hauptstraße erreichten. Zuerst glaubte Tina, Sean habe sich ein wenig beruhigt und sich vorgenommen, vernünftiger zu fahren, aber dann sah sie sein Gesicht. Er kochte vor Wut.

»W-w . . . Was . . . w-w . . .«

»Was Cormack jetzt tun wird?«

Er nickte.

Sie wechselte das Thema und erklärte leichthin: »Sie sagten, sie würden mir das Geld geben, aber sie sind selbst ein bißchen knapp. Sie ziehen bald in ein anderes Haus.«

Der Wagen wurde noch langsamer, bis er nur noch im Schrittempo vorwärts kam; Sean schimpfte leise vor sich hin.

Sie wußte nicht, wie sie ihn besänftigen konnte, also plapperte sie einfach weiter: »Und so was ist nicht billig, weißt du. Die Makler ziehen einem das Fell über die Ohren. Die Anwälte ziehen einem das Fell über die Ohren. Neue Teppiche, Vorhänge . . .«

Sean schaffte es gerade noch, das Auto an den Straßenrand zu lenken, dann rollte es aus. Er drückte den Fuß aufs Gas, aber der Motor gab nur noch ein Spucken und Keuchen von sich.

»Benzin?«

Er drehte sich zu ihr und sah sie genauso argwöhnisch an, wie sie vor kurzem ihre Eltern angesehen hatten. »Du lügst«, sagte er schnell und flüssig. Er sprach fehlerfrei, wenn er wütend und aufgebracht war. »Sie halten mich für einen Scheißkerl und Versager! Sie haben dir gesagt, daß du mich in den Wind schießen sollst, dann geben sie dir das Geld.«

Tina versuchte, ihm ins Wort zu fallen und ihm zu versichern, daß er sich irrte, aber er ließ sich nicht aufhalten.

»Du und alle anderen. Ihr denkt, ich bin ein Versager. Du schämst dich mit mir!«

»Das tue ich nicht!«

Er stieg aus und versetzte dem Auto einen Tritt.

»Sean! Wohin willst du? Sean!«

Er rannte die Straße entlang, ohne sie zu beachten.

Zum erstenmal wurde ihr bewußt, wie sehr sie ihn brauchte. Sie hatte keine Familie mehr – sie existierte nicht mehr für sie. Und Freunde? Keine echten. Die Frauen sahen sie als Konkurrentin, und die Männer wollten nur das eine von ihr. Aber Sean war anders als die anderen Männer. Ihm ging es nicht nur um Sex. Manchmal kam es ihr vor, als wären sie eins, wie das Yin-und-Yang-Symbol an ihrer Wand – zwei Hälften eines Ganzen, von denen jede ohne die andere unvollständig war. Er brauchte sie genausosehr wie sie ihn, vielleicht sogar noch mehr; dessen war sie ganz sicher. Sie sprang aus dem Wagen. »Sean! Ich liebe dich!«

Er blieb nicht stehen. Sie durfte ihn jetzt nicht verlieren – sie konnte sich ein Leben ohne ihn nicht mehr vorstellen. Ohne ihn wäre sie nur noch ein halber Mensch. Sie lief ihm nach und schrie: »Ich liebe dich, Sean!«

Er machte immer noch nicht halt; sie brüllte noch lauter: »Hey, Sean!«

Er verlangsamte seine Schritte, drehte den Kopf und sah sie an.

Tina breitete die Arme weit aus. »Sean, ich liebe dich, okay?«

Er blieb stehen und wartete mit gesenktem Blick, bis sie ihn eingeholt hatte. Er hatte sich so weit beruhigt, daß sich Verlegenheit Bahn brach.

»Ich liebe dich«, sagte sie noch einmal. »Okay?«

Er hob den Kopf. »Ich l-l-l . . .«

Sie legte den Zeigefinger auf seine Lippen. »Ich weiß.« Dann nahm sie seine Hand, und sie gingen zusammen weiter. Es war ein langer Weg bis nach Hause.

8

Fitz hatte seit dem Treffen im Restaurant etliche Male versucht, Judith anzurufen, aber in ihrem Büro hatte man ihm immer gesagt, sie sei »in einer Besprechung«, und ihr Vater, bei dem sie derzeit wohnte, behauptete bei jedem Anruf, sie wäre heute »ausgegangen«. Kein Mensch hatte so viele Besprechungen, und niemand war so·selten zu Hause.

Im Haus ihres Vaters brannte Licht, und Judiths Wagen stand auf der anderen Straßenseite. Sie waren da, er wußte, daß beide im Haus waren. Er sah die Schatten, die sich hinter den Wohnzimmervorhängen bewegten. Fitz ging durch den Vorgarten zur Haustür – ruhig, aber entschlossen. Er wollte Judith sehen und mit ihr sprechen. Er würde ihr all die Dinge sagen, die er ihr schon im Restaurant hatte sagen wollen.

Er preßte den Finger auf den Klingelknopf; er hörte die Glocke und das Hundegebell. Er spähte zum Wohnzimmerfenster und sah, daß die Schatten erstarrten.

Nach einer Weile wurde ein Schatten größer; der Vorhang wurde ein winziges Stück zur Seite geschoben, dann zog sich der Schatten zurück. Fitz klingelte noch einmal, und wieder rührte sich nichts.

Er streckte den Finger aus, um ein drittes Mal auf den Knopf zu drücken – diesmal ließ er nicht wieder los. Er wußte, daß sie da waren. Er klingelte und klingelte, nur um ihnen klarzumachen, daß er das wußte.

Sie waren fast eine halbe Stunde gegangen, als Sean auf ein paar Lichter vor ihnen deutete: eine Bushaltestelle. Tina zuckte mit den Achseln. Sie wußte nicht, was er ihr damit sagen wollte: Sie konnten nicht den Bus nach Manchester nehmen, sie hatten kein Geld. Cormack hatte ihnen den letzten Penny weggenommen.

Sean ging schneller und zog sie hinter sich her. Sie kamen an einem Stand vorbei, an dem ein paar Männer in Fahreruniformen herumlungerten, aßen, Tee tranken und sich unterhielten, und marschierten direkt auf die Station zu, in der einige orangefarbene Busse mit laufenden Motoren standen. Sean steuerte den ersten Bus in der Schlange an.

»Aber wir haben das Fahrgeld nicht«, protestierte Tina und entzog ihm ihre Hand. Sie sprach sehr leise – die Fahrer standen nicht weit weg.

Sie beobachtete erstaunt, wie Sean in den ersten Bus stieg und sich auf dem Fahrersitz niederließ. Es saßen bereits ein paar Fahrgäste in dem Bus: zwei übergewichtige Frauen mittleren Alters in Mänteln und Kopftüchern und ein alter Mann mit einem kleinen Hund. Die Frauen waren in ein Gespräch vertieft, und der alte Mann döste. Tina warf einen Blick zurück zu den Fahrern. Sie hatten nichts bemerkt. Sean drängte sie zur Eile.

Und plötzlich erschien ihr alles unheimlich komisch, sie konnte kaum aufhören zu lachen. Sie sprang in den Bus und setzte sich hinter die beiden Frauen in die letzte Reihe. Die Türen glitten zu, und der Bus rollte an.

Tina hörte Schreie. Sie drehte sich um und sah, daß die Fahrer ihre Teebecher fallengelassen hatten und hinter ihnen herliefen, als glaubten sie tatsächlich, einen fahrenden Bus zu Fuß einholen zu können. Sie winkte ihnen zu.

Die beiden Frauen waren zu sehr mit Klatsch und Tratsch beschäftigt, um zu merken, daß der Bus, in dem sie saßen, gerade gestohlen worden war.

»Er fährt ein bißchen zu schnell, nicht?« fragte eine die andere, als der Bus in einer Kurve schlingerte.

Der alte Mann schreckte auf, sah sich um, blinzelte und schlief wieder ein.

Eine der Frauen hob die Hand, um an der Schnur zu ziehen, die anzeigte, daß einer der Fahrgäste aussteigen wollte. »Hey«, beschwerte sie sich einen Moment später. »Er ist an der Haltestelle vorbeigefahren!«

»He, mein Bester«, rief die andere Frau. »Sie haben meine Haltestelle verpaßt!« Sie wandte sich an ihre Freundin. »Zieh an der Glocke – er hat es nicht gehört.«

Die erste Frau zog wieder an der Schnur. »Sie sind vorbeigefahren! Halten Sie den Bus an! Sie haben die Haltestelle übersehen!«

Sirenen heulten auf. Der Bus bog auf die Schnellstraße ab, ein halbes Dutzend Polizeiautos mit Blaulicht verfolgten ihn – das grelle, blitzende Licht machte alles so unwirklich. Sean wechselte immer wieder die Spuren, bremste die Verfolger aus, drängte sie von der Fahrbahn und hängte sie schließlich weit ab.

Tina lachte schallend.

Die Frauen drehten sich zu ihr um und sahen sie erstaunt und verängstigt an.

»Genau wie *Bonnie und Clyde*«, sagte sie zu ihnen – ihre Augen funkelten vor Erregung.

Der Hund hatte nicht aufgehört zu kläffen, die Schatten hinter den Vorhängen schlichen vorsichtig herum, und Fitz drückte noch immer auf den Klingelknopf.

»Entschuldigen Sie, Sir«, sagte eine Stimme hinter ihm.

Er drehte sich um, und ein Licht schien ihm direkt in die Augen. Als er sich einigermaßen an die Helligkeit gewöhnt hatte, machte er zwei Gestalten im Vorgarten seines Schwiegervaters aus – zwei Polizisten. Hinter ihnen parkte ein Streifenwagen mit eingeschaltetem Blaulicht am Straßenrand, aus dem Funkgerät war Stimmengewirr und Rauschen zu hören. Er konnte nicht fassen, daß er sie weder gehört noch gesehen hatte, aber dann fiel ihm wieder ein, daß die Türglocke seines Schwiegervaters immer eine Zen-artige Versunkenheit in ihm auslöste. »Ja?« fragte er, ohne den Finger von dem Knopf zu nehmen.

»Ich möchte Sie bitten, damit aufzuhören«, sagte der Polizist und leuchtete ihm in die Augen.

»Womit?«

»Damit«, sagte der Polizist und deutete auf den ziemlich großen Finger, der auf die Klingel drückte.

»Ach, *das*«, sagte Fitz und nahm den Finger weg.

Sie hatten also die Polizei gerufen. War das zu glauben? Judith würde wegen ihres Mannes nie die Polizei rufen. Es mußte die Idee ihres Vaters, dieses verbitterten alten Mannes, gewesen sein. Aber sie hätte ihn zurückhalten können. Sie hätte ihm den Hörer aus den knochigen Händen reißen können – müssen! Warum hat sie es nicht getan? Das war sicherlich etwas, worüber sie ausführlich diskutieren mußten; ein Punkt von vielen . . .

»Hören Sie«, erklärte er dem Polizisten achselzuckend – er benahm sich vernünftig und gelassen und wirkte wie ein vollkommen harmloser Mann. »Ich möchte nur mit meiner Frau sprechen, okay?«

»Das ist nicht strafbar«, stimmte der Polizist zu.

»Ganz genau.« Fitz war erfreut, einem einsichtigen Polizisten gegenüberzustehen.

»Aber uns liegt eine Beschwerde vor«, fuhr der Officer ohne Umschweife fort, »und in dem Fall muß die Polizei eingreifen.«

Vielleicht war er doch nicht so einsichtig – Streß im Job und so, sagte sich Fitz. »Ist bestimmt hart, Polizist zu sein«, sagte er. »All die schrecklichen Dinge, die man da zu sehen bekommt.«

»Wenn Sie die Leute nicht in Ruhe lassen, muß ich Sie in Arrest nehmen.«

Nein, dachte Fitz – dieser Kerl ist kein bißchen einsichtig; er ist ein Irrer. So was dürfte gar nicht frei herumlaufen. »Sie machen wohl Witze?« sagte er.

Der Polizist schüttelte den Kopf.

»Lassen Sie mir eine Minute Zeit«, bat Fitz und hob einen Finger hoch. »Nur eine winzige Minute. Ich möchte mit meiner Frau über diese Frage reden, wenn es Ihnen nichts ausmacht.«

Er drehte sich mit immer noch erhobenem Finger um und drückte auf die Klingel.

Der Bus verließ die Schnellstraße und fuhr auf eine Stadt zu. Er schlitterte mit quietschenden Reifen von der Fahrbahn und holperte über eine Rampe. Das Fahrgestell schrammte über den Asphalt, und Funken sprühten, als er über die Bodenwellen rumpelte, die die Fahrzeuge zum Abbremsen zwingen sollten. Weiter vorn befand sich eine Schranke, in dem Glashäuschen daneben saß ein uniformierter Wächter. Die Frauen mit den Kopftüchern schnappten erschrocken nach Luft, als der Bus die Barriere durchbrach: Hinter ihnen war eine ganze Armee von Polizisten.

Sie fuhren in eine Tiefgarage mit Betonpfeilern. Tina hielt sich fest, als Sean den Bus in einem engen Kreis steuerte und die Ausfahrt suchte. Am anderen Ende war noch eine Rampe. Sean raste darauf zu und ließ die Polizisten wieder weit hinter sich.

Tina hielt den Atem an. Sie wollte, daß Sean weiterfuhr, immer schneller wurde. Sie hatten die Rampe fast erreicht, sie waren beinahe am Ziel.

Ein Polizeiauto tauchte aus dem Nichts auf. Es war auf der Rampe und fuhr auf sie zu. Plötzlich scherte es seitlich aus, schlingerte und kam quer vor dem Bus zum Stehen – es schnitt ihnen den Weg ab. Sean trat mit aller Macht auf die Bremse, und der Bus hielt kreischend an.

Innerhalb von Sekunden waren sie umzingelt. Tina sank

auf ihrem Sitz zusammen, als die Cops den Bus stürmten. Sie zerrten Sean hinaus.

Ein Polizist blieb im Bus und fragte alle, ob ihnen etwas passiert sei. Tina schluckte schwer und versuchte die Panik zu unterdrücken. Der Cop wußte, daß sie zu Sean gehörte, und gleich würde er sie auch festnehmen. »Sind Sie in Ordnung, Süße?« fragte er und musterte sie von oben bis unten. Sie atmete erleichtert auf. Cops waren auch nur Männer.

Sie nickte. Endlich machte sich der Polizist davon und ließ sie mit den anderen Fahrgästen allein. Die beiden Frauen waren immer noch starr vor Angst, der alte Mann blinzelte verwirrt, und der kleine Hund winselte leise.

Tina schaute aus dem Fenster und sah, wie Sean sich nach ihr umdrehte. Sie schubsten ihn zu einem Minibus und drehten ihm die Arme auf den Rücken, ehe sie ihm Handschellen anlegten. Er zeigte die Zähne und verzog vor Schmerz das Gesicht. Dann stießen sie ihn in den Wagen und fuhren weg.

9

Detective Sergeant James Beck grinste dem uniformierten Polizisten zu, der an der weißen Wand im fensterlosen Verhörraum der Polizeistation an der Anson Road stand. Ein interessanter Fall: Man hatte ihm erzählt, daß der Verhaftete seit seiner Festnahme kein einziges Wort von sich gegeben hatte. Kein Ausweis. Keine Adresse. Kein Name. Äußerst interessant.

Er steckte sich in aller Ruhe eine Zigarette an, dann inhalierte er den Rauch, während ihn der junge Mann, der auf der anderen Seite des Tisches saß, störrisch anstarrte.

Eher ein Junge als ein Mann, dachte Beck. Er sah nicht älter aus als neunzehn oder zwanzig, und außerdem schien er schwachsinnig zu sein. Beck bezweifelte, daß überhaupt Intelligenz vorhanden war. Was für ein Idiot stahl einen Bus samt Fahrgästen? Er war sicher kein richtiger Ganove, nur ein Junge, der ein bißchen Spaß haben wollte. Möglicherweise war der Fall doch nicht so interessant.

»Verhörbeginn zweiundzwanzig Uhr. Anwesend: DS Beck, PC Withers, ein Verdächtiger, männlich, noch unidentifiziert, der über seine Rechte belehrt wurde.«

Okay, dachte Beck, fangen wir mit etwas Einfachem an. Er legte seine Zigarette weg, nahm einen Stift in die Hand und hielt ihn über seinem Notizblock bereit. »Name?«

Der Junge zuckte ein wenig, verzog das Gesicht und gab eine Art Grunzen von sich. Dann verkrampfte er sich noch mal und schnitt eine andere Grimasse.

Vielleicht wurde es doch noch spannend. »Name?« wiederholte Beck.

Zuckungen verzerrten das Gesicht des Jungen. Schließlich stieß er mühsam hervor: »Ich sch-sch-schreib's auf.«

Beck tippte auf den Recorder, der neben ihm auf dem Tisch stand. »Ich muß es hören.«

Der Kopf des Jungen machte einen Ruck nach vorn, als er eine ganze Reihe von erstickten gutturalen Lauten von sich gab. Dann holte er Luft und versuchte es noch einmal. Wieder brachte er nicht mehr als ein Grunzen heraus. Dann atmete er tief durch – und noch einmal; er war kurz davor zu hyperventilieren.

Beck riß fasziniert die Augen auf.

Der Junge sah ihn direkt an, schlug mit der Faust auf den Tisch und schrie: »Kerrigan!«

Beck ließ einen langen Moment verstreichen. Er nahm seine Zigarette aus dem Aschenbecher, nahm einen tiefen

Zug und blies den Rauch langsam aus – dem Jungen ins Gesicht. »Was?«

Die ärgerliche Miene des Jungen war urkomisch. »S-sie haben's g-g-gehört«, murmelte er.

Beck spielte den Unschuldigen und bedachte den Jungen mit einem treuherzigen Blick. »Nein, habe ich nicht.«

Die Luft wich aus dem Jungen wie aus einem angestochenen Ballon, dann fingen die Gesichtszuckungen von neuem an. »K-k-k . . .«

Beck konnte sich kaum mehr beherrschen – gleich würde er in schallendes Gelächter ausbrechen. Er ließ den Stift auf den Tisch fallen und drehte sich zu dem Polizisten um. »Bloß gut, daß wir die ganze Nacht Zeit haben, stimmt's?«

Der Junge sprang auf, seine Augen blitzten vor Wut. »Kerrigan!«

Beck forderte ihn ruhig auf, sich wieder hinzusetzen.

»Mein Name ist Sean Kerrigan!«

Beck stand auf und umrundete den Tisch. Das war kein Spaß mehr; die Sache geriet allmählich aus dem Ruder. Er deutete auf den Stuhl: »Setz dich hin.«

Der Junge ging vor der weißen Wand auf und ab und fuchtelte mit den Armen durch die Luft. »Sean Kerrigan!«

»Ich hab' gesagt, daß du dich setzen sollst.«

»Und ich will Tina sehen. Ich will Tina sehen, okay?« brüllte Sean.

Beck änderte seine Taktik und gab sich versöhnlicher. »Du kannst nachher telefonieren. Aber jetzt setz dich erst mal hin.«

Der Junge lief weiter hin und her und gestikulierte mit den Armen. »Wir haben kein Telefon! Ich hab' nichts Schlimmes gemacht, nur ein Fahrzeug gestohlen. Ich muß sie sehen. Wir haben kein Telefon!«

Beck hatte endgültig genug von dem Schmierentheater;

es wurde Zeit, daß der Junge begriff, wer hier der Boß war und das Gesetz vertrat. »Verdammt, jetzt setz dich endlich!«

Der Junge lief auf ihn zu und kreischte: »Ich will Tina sehen! Ich will Tina sehen!«

Fünf Männer waren nötig, um ihn nach Becks Verhör hinunter zu den Zellen zu bringen. Sie mußten ihn hochheben und durch den Flur tragen. Sean wehrte sich verbissen und zappelte, bis jeder Polizist eins seiner Glieder zu fassen bekam, während Beck den wild zuckenden Kopf festhielt und rückwärts gehend die anderen anführte. Gelegentlich konnte Beck der Verlockung nicht widerstehen, dem Jungen in die Ohren zu zwicken oder sich eine Haarsträhne um den Finger zu wickeln und heftig daran zu ziehen. Der Junge brüllte sowieso wie am Spieß, also konnte er ihm auch genausogut einen richtigen Grund dafür liefern.

Sean krümmte sich, trat, schlug und stieß wüste Drohungen aus, aber schließlich gelang es den Beamten, sich durch die schmale Tür in eine Zelle zu zwängen. Dort ließen sie ihn fallen und drückten ihn zu Boden. Einer zählte bis drei, dann liefen sie alle los. Sean sprang auf und rannte ihnen nach. Beck war der letzte, der aus der Zelle kam; er schlug die Tür gerade noch rechtzeitig hinter sich zu.

Sean brüllte verzweifelt und trat mit aller Macht gegen die Tür. »Ich will Tina sehen!« Er ging ein paar Schritte zurück, nahm Anlauf und versuchte, die Zellentür mit der Schulter aufzustoßen. Er probierte es noch ein zweites Mal, dann bearbeitete er die Wände, lief von einer Seite zur anderen und trat gegen die weißen Fliesen. »Ich will Tinaaaaah sehen!« heulte er.

Eine dünne, mit Plastik bezogene Matratze lag auf einem langen, an der Wand befestigten Brett. Er nahm die Matratze und trampelte darauf herum. Plötzlich besann er sich anders und schleuderte sie gegen die Wand. »Ich will Tina sehen!«

Er lief in seiner Zelle hin und her, von Wand zu Wand, trat und schlug um sich und rief nach Tina. Wieder hob er die Matratze auf, warf sie über seinen Kopf gegen die Wand und brüllte wie ein Löwe, ehe er die Wände wieder mit Füßen und Fäusten bearbeitete.

Beck stand auf dem Korridor vor der Zelle und kratzte sich seufzend am Kopf. Er beobachtete den tobsüchtigen Jungen, der unaufhörlich gegen die Wände trat. Er hätte ihm die Schuhe wegnehmen sollen, solange er dazu Gelegenheit gehabt hatte.

Er spähte weiter durch die Klappe in der Tür und wartete eine Weile; Sean tobte weiter. Er führte sich auf wie ein Wahnsinniger und zeigte nicht die geringsten Anzeichen von Müdigkeit.

Beck schloß die Klappe und ging widerstrebend den Gang hinunter.

Fitz saß in seiner Zelle, in der »Gewahrsams-Suite«, wie man dieses Loch hier beschönigend nannte, rauchte eine Zigarette und lauschte auf das Hämmern und Brüllen. Und das hier war früher einmal eine anständige Gegend gewesen, dachte er.

Er konnte es immer noch nicht fassen, daß so ein verdammter übereifriger Police Constable ihn tatsächlich festgenommen und ihn, um die Demütigung komplett zu machen, in die Anson Road gebracht hatte: in sein eigenes verdammtes Revier! Und das, obwohl er es ihm gesagt hatte: »Ich arbeite hier, um Himmels willen! Ich bin Berater des Criminal Investigation Department – Sie können mich nicht in diese beschissene Zelle sperren!«

Aber genau das hatten sie getan. Sie hatten den Inhalt seiner Taschen auf einem Tisch im Wachraum ausgebreitet. Ihm die Uhr und sogar den Gürtel weggenommen.

Fitz rieb sich die Schläfen. Der Radau von nebenan bereitete ihm Kopfschmerzen. Genau wie die stickige Luft hier drin. Die Plastikmatratze – nicht einmal einen Zentimeter dick – stank nach Schweißfüßen; der Boden stank nach Desinfektionsmitteln, und die brillenlose Toilette in der Ecke verbreitete einen Fäkaliengeruch, den er nie für möglich gehalten hätte. Der Sergeant, der ihn hier eingesperrt hatte, hatte gemeint, er könne von Glück sagen, daß er ausgerechnet diese Zelle bekommen hätte – es sei die schönste, die sie hätten, und die einzige mit eigenen sanitären Anlagen. Sogar mit Zimmerservice. Fitz war froh, daß er nichts gegessen hatte, ehe er von zu Hause weggegangen war; unter diesen Umständen hätte er das Abendessen wohl kaum bei sich behalten.

Erregung öffentlichen Ärgernisses hatte der Officer sein »Vergehen« genannt. Fitz nannte es einen Scheißdreck. Er hatte nur an einer Haustür geklingelt – seit wann war das ein Verbrechen?

»Ich kann's nicht glauben«, hatte er auf dem Weg ins Präsidium mehrmals protestiert. »Ich kann es einfach nicht glauben!«

»Das ist wirklich gut«, sagte der Police Constable, der den Streifenwagen fuhr.

»Was?« wollte Fitz wissen.

»Sie klingen genau wie dieser eine Typ, wie heißt er doch gleich? Victor Meldrew. Ich finde diese Show klasse; sie ist irrsinnig komisch.«

Fitz wandte sich an den uniformierten Officer, der neben ihm auf dem Rücksitz saß. »Wie heißen Sie? Würde es Ihnen etwas ausmachen, mir Ihren Namen zu verraten?«

»Smith.«

»Smith!« Fitz verdrehte die Augen. »Sehe ich aus wie der Portier aus einem verdammten Hotel?«

»Das hängt von dem Hotel ab, schätze ich mal.« Der Officer zuckte mit den Schultern.

»Okay, PC *Smith*. Lassen Sie mich eine andere Frage stellen. Glauben Sie, diese Sache ist Ihrer Karriere förderlich, PC Smith? Meinen Sie, Sie werden für so etwas befördert? Denken Sie, die Straßen werden für unschuldige Menschen sicherer, wenn Sie einen Mann verhaften, weil er an einer verdammten Haustür geklingelt hat? Können Sie sich vorstellen, was los ist, wenn mich der Richter in dieses große Gebäude flußabwärts in den Todestrakt schickt? All die Massenmörder werden sich um mich scharen und fragen«, er nahm einen amerikanischen Akzent an, um die Massenmörder aus den B-Movies zu karikieren: »›Warum haben sie dich eingelocht, Kumpel?‹ Und ich sage ihnen: ›Ein anständiger Polizist hat mich für Klingeln an einer Haustür drangekriegt!‹«

Fitz rieb sich die Schläfen und seufzte. Das Gebrüll und Hämmern hörte nicht auf.

Plötzlich öffnete jemand die Zellentür. Ein uniformierter Officer erschien, und hinter ihm kam Beck herein. Sein Hemd war zerknittert, das Haar zerzaust, und der Schnurrbart zuckte. Natürlich, dachte Fitz, wenn es irgendwo Ärger gab, dann war Beck nicht weit. Die Zeitungen hatten ihm nach dem Vorfall mit dem Taschendieb und dem Bus den Spitznamen »Dirty Harry von der Anson Road« verpaßt.

Beck deutete mit dem Kopf in die Richtung, aus welcher der Lärm kam. »Was sagt man nun zu solchen Kids, Fitz.« Ein klassisches Beispiel für Becks hochentwickelten Sinn für Humor.

»Ich darf nicht geh'n, wie Sie sehn.«

»Eine Hand wäscht die andere.«

Fitz verzog das Gesicht. Aber er würde alles tun, um aus dieser Zelle zu kommen. Er stand auf.

»Zehn Minuten«, sagte Beck zu dem Mann in Uniform.

Die Schreie wurden lauter: »Ich will Tina sehen!«

Beck öffnete die Klappe in der Tür, und Fitz sah ein qualverzerrtes Gesicht. Der Junge durchmaß rastlos die kleine Zelle, trat und boxte gegen die Wände und schrie verzweifelt: »Ich will Tinaaah sehen!«

»Sein Name ist Sean Kerrigan«, erklärte Beck. »Er hat sich einen Linienbus geschnappt, um ein bißchen spazierenzufahren.« Beck grinste, er hatte erkennbar seinen Spaß an der Sache.

»Machen Sie die Tür auf.« Beck drehte den Schlüssel im Schloß, und Fitz betrat die Zelle. »Hallo, Sean.«

Sean wirbelte herum und sah ihn an. »Wer sind Sie?«

»Mein Name ist Fitz. Ich bin Psychologe.«

»Ich will keinen Psychologen. Ich will einen Rechtsanwalt, okay? Verpissen Sie sich«, sagte Sean hastig und ging weiter auf und ab. Dann wandte er sich an Beck: »Holen Sie einen. Sofort. Holen Sie einen her!«

»Du machst dir keine Freunde, im Gegenteil, du bringst die Leute immer mehr gegen dich auf, Sean«, sagte Beck.

Sean stürzte sich auf ihn; Fitz trat dazwischen und breitete die Arme aus, um Sean abzublocken.

»Schmeißen Sie den Kerl raus!« schrie Sean. »Er soll verschwinden – ich weiß nicht, was ich tue, wenn er bleibt!«

Das Gesicht des Jungen drückte Bitterkeit und Haß aus. Verständlich, wenn man bedachte, wie Beck mit den Inhaftierten umsprang. Fitz hatte seine Methoden schon ein paarmal miterlebt.

»Raus«, sagte Fitz zu Beck.

Sean gestikulierte heftig. »Ich weiß nicht, was ich tue, wenn dieser wandelnde Haufen Scheiße noch länger hierbleibt.«

Beck rührte sich nicht von der Stelle.

Fitz funkelte ihn böse an. »Raus!«

Beck zuckte mit den Schultern und ging.

Sean nahm seinen irrsinnigen Marsch von Zellenwand zu Zellenwand wieder auf, und die Worte sprudelten unaufhaltsam aus ihm heraus. »Er hat mir von Anfang an die Hölle heiß gemacht. Er hat mich die ganze Zeit schikaniert. Klar? Okay?«

Fitz nickte zustimmend. »Alles klar. Okay.« Er ging ein paar Schritte auf den Jungen zu und blieb neben ihm stehen. »Jetzt beruhige dich.«

»Ich will meiner Freundin sagen, wo ich bin, okay? Sie muß wissen, wo ich bin!« Er schlug sich mit der flachen Hand an die Stirn: »Sie dreht durch! Sie wird verrückt! Sie muß wissen, was mit mir passiert ist. Jemand muß es ihr sagen. Wir haben kein Telefon, also kann ich nicht mit ihr sprechen. Verstehen Sie das?«

Fitz nickte wieder. »Natürlich verstehe ich das«, sagte er besänftigend. »Beruhige dich.«

Sean wandte sich verzweifelt ab und schlug beide Hände vors Gesicht. »Ich komme mir vor, als würde ich eine fremde Sprache sprechen. Kein Mensch versteht mich!«

Fitz streckte eine Hand aus und versuchte Seans Arm zu berühren. »Hör mir zu, Sean. Bleib ganz ruhig, ganz ruhig.«

Sean schlug Fitz' Hand weg und tigerte wieder hin und her. »Ich muß mit einer Frau namens Tina sprechen. Klar? Tina Brien. Ich muß einer Frau, die Tina Brien heißt, unbedingt sagen, wo ich bin. Es ist lebenswichtig. Verstehen

Sie? Es ist sehr, sehr wichtig, daß ich Kontakt zu Tina habe.«

Sean hörte kein Wort von dem, was Fitz sagte; es wurde Zeit, ihn zum Zuhören zu zwingen. Fitz packte seine beiden Arme und drückte sie an seine Seite. »Sean, beruhige dich. Ich bin hier, um dir zu helfen.«

Sie standen sich gegenüber. Seans Gesichtsmuskeln waren angespannt; seine Stimme wurde leise und bedrohlich. »Lassen Sie mich los. Lassen Sie mich sofort los, oder ich weiß nicht mehr, was ich tue.«

Tut mir leid, Sean, dachte Fitz, Drohungen wie diese beeindrucken einen Mann meiner Größe nicht besonders. »Wenn du mich schlägst«, sagte er, »schlag' ich zurück, und zwar härter. Okay? Jetzt beruhige dich. Atme tief durch. Ganz tief . . .«

Sean gehorchte und holte ein paarmal tief Luft. »Lassen Sie mich los.«

Fitz zog die Hände zurück. Sean nahm seinen rastlosen Marsch wieder auf, aber er schien ruhiger zu sein; seine Bewegungen wirkten nicht mehr so hektisch.

»Wo wohnt diese Tina?« erkundigte sich Fitz, als er seine Zigaretten aus der Jackentasche holte.

Sean atmete noch immer schwer. »Bei mir.« Seine Stimme klang verschwommen und weniger deutlich.

»Und wo ist das?« Fitz setzte sich auf das lange Brett an der Wand und hielt Sean das Zigarettenpäckchen hin, um ihm eine anzubieten.

Sean nickte und nahm eine. Fitz gab ihm Feuer.

Seans Mund ging einige Male auf und zu. Er holte wieder tief Luft. »I-i-in . . . d-d-d . . . ich schreib's auf«, sagte Sean und deutete mit der Hand an, daß er etwas zum Schreiben brauchte. »Ich schreibe es.«

Fitz kramte in einer Tasche nach einem Kugelschreiber,

in einer anderen nach einem Stück Papier. Er fand einen alten Wettschein und gab ihn Sean. »Eine Niete«, erklärte er.

Sean nahm den Wettschein und den Stift, setzte sich ans andere Ende des Bretts und legte den Zettel auf sein Knie.

»Du stotterst nicht, wenn du wütend bist«, sagte Fitz, während Sean die Adresse aufschrieb.

Sean schüttelte den Kopf. »Nein.«

»Weil du nur die Wut im Kopf hast und an nichts anderes denken kannst. Du denkst nicht an die Worte, also machen sie dir auch keine Angst.«

Sean warf ihm einen Blick aus den Augenwinkeln zu und zuckte mit den Achseln. »Stimmt.«

»Es gibt Sprachtherapien.«

Sean lachte, dann runzelte er die Stirn und riß den Mund ganz weit auf. Er sprach ganz langsam, dehnte jede Silbe in die Länge; seine Stimme klang gepreßt und unnatürlich, aber er stotterte nicht ein einziges Mal. »Iiich haab die Spraachtheeerapie aauusprooobiert: Eees geht guut, wenn iiich sooo reede. Aaaber sooo bin iich nicht; daaas iist eiiin Idioot.«

»Also wirst du lieber wütend?«

»G-g-g . . .« Seans Miene verdüsterte sich, er schüttelte frustriert den Kopf. »Manchmal.«

»Gelegentlich«, drängte Fitz.

»Gelegentlich«, wiederholte Sean. »Gelegentlich, ja. Gelegentlich werde ich wütend. Gelegentlich.«

»Es macht dir doch nichts aus, wenn ich dich verbessere und dir weiterhelfe, oder?« fragte Fitz behutsam. »Einigen Stotterern gefällt das nämlich ganz und gar nicht, weißt du.«

Sean schaute auf den Boden und schüttelte den Kopf. »Nein.«

Dann sah er Fitz an, sein Gesichtsausdruck wirkte hart. »Bringen Sie mich hier raus.«

»Ich werde sehen, was ich tun kann«, sagte Fitz und stand auf. »Aber ich kann dir nichts versprechen.«

10

»Sie müssen seiner Freundin Bescheid geben und ihr sagen, wo er ist«, sagte Fitz zu Beck, als sie zusammen durch den Korridor gingen, der von dem Zellentrakt wegführte. »Und ich möchte, daß er einer psychiatrischen Untersuchung unterzogen wird.«

Beck sah Fitz an, als hätte der einen Witz gemacht. »Eine psychiatrische Untersuchung? Weil er einen Bus geklaut hat und damit durch die Gegend kutschiert ist?« Er winkte verächtlich ab.

»Er braucht Hilfe«, beharrte Fitz.

»Scheiße. Ich hab' ihn ein bißchen auf die Palme gebracht, das ist alles.«

»Ich spreche von Prävention.«

Beck blieb abrupt stehen. »Prävention?« wiederholte er spöttisch. »Ich wünsche mir zwanzig schwere Verbrechen am Tag. Sie vertreiben mir die Zeit.« Er rieb Daumen und Zeigefinger aneinander. »Außerdem kann ich so gut bezahlte Überstunden machen. Scheiß auf die Prävention.« Er drehte sich um und ließ Fitz stehen.

Detective Sergeant Jane Penhaligon stand hinter einem Empfangstisch nur ein paar Meter weit weg und hatte jedes Wort der Unterhaltung mit angehört. »Sie behalten ihn im Auge und sehen nach dem Jungen, okay?« bat Fitz, als er auf sie zuging.

Sie brauchte gar niemanden im Auge zu behalten, sie hatte den Radau und das Schreien gehört und wäre keineswegs überrascht gewesen, wenn der größte Teil von Manchester alles mitbekommen hätte. Und sie brauchte Fitz' Erklärungen nicht, um zu wissen, daß der Junge nicht ganz richtig im Kopf war. Aber das war nicht der springende Punkt. Der springende Punkt war, daß sie nicht vorhatte, gerade jetzt jemandem in die Parade zu fahren, selbst nicht einem Ekel wie Beck. Im Moment hatte sie selbst genug am Hals, und wenn sie vorwärtskommen wollte, mußte sie sich an die Politik im Hause halten. Nur auf diese Weise hatte Bilborough in so kurzer Zeit so viel erreicht, davon war sie überzeugt. Die politischen Spielchen mitmachen und die richtigen Leute kennen. Sich nicht von jemandem einwickeln lassen, der sich nicht um bestehende Regeln scherte.

Sie schob Fitz ein Papier zu, dann reichte sie ihm einen Stift und deutete auf die Zeile, auf die seine Unterschrift gehörte. »Beck ist der verantwortliche Officer.«

»Ich weiß«, sagte Fitz und beugte sich über den Tisch, um seinen Namen zu schreiben. »Aber das muß er nicht unbedingt herausfinden, oder?« Er bedachte sie mit seinem schelmischen, boshaften Blick, der bedeutete: Komm, sorgen wir für ein bißchen Ärger hier. Er hatte sie schon einmal so angesehen, und sie hatte ihm schon einmal geholfen, die Regeln ein wenig gebeugt – nur für ihn. Und für das Vergnügen, die anderen bloßzustellen, ihnen zu beweisen, daß sie sich irrten, obwohl sie ihrer Sache so sicher gewesen waren. Sie konnte die Regeln wieder beugen, wenn sie wollte.

Aber sie wollte nicht. Es war anders als beim vorigen Mal; hier ging es nicht darum, einen Unschuldigen, der des Mordes verdächtigt wurde, reinzuwaschen. Es ging lediglich um einen Irren, der in einem gestohlenen Bus eine Spritztour gemacht hatte. Es war keine große Sache, nichts, wofür man seine Karriere aufs Spiel setzte. »Vergessen Sie's, ich habe nicht die Absicht, einem Kollegen in die Quere zu kommen. Ich warte auf meine Beförderung, Fitz. Ich möchte dies«, sie tippte sich an die Nase, »sauber halten.«

»Beförderung?« hakte Fitz stirnrunzelnd nach. »Oh, ich bin sprachlos.«

Sie runzelte auch die Stirn. »Sieh mal an«, sagte sie. »Sie sind sprachlos? Das ist einen Eintrag in den Tagesbericht wert.«

Er gönnte ihr einen weiteren verschmitzten Blick, einen, dem gewöhnlich eine Aufforderung, gemeinsam etwas zu trinken, folgte. Streng platonisch, würde er behaupten, und daß Sie mir ja Ihre Finger bei sich behalten . . . Wahrscheinlich würde er die Anspielung auf die Beförderung zum Anlaß nehmen. *Kommen Sie, Penthesilea, das müssen wir feiern.* Nein, entschied sie, sie würde sich da nicht hineinziehen lassen. Er war festgenommen worden, weil er seine Frau belästigt hatte. Er war immer noch nicht von ihr losgekommen, und vielleicht gelang ihm das nie. Er öffnete den Mund und begann: »Pen . . .«

»Übrigens, Sie können morgen Ihre Tochter sehen«, unterbrach sie ihn und nahm das unterschriebene Papier an sich. Sie gab ihm den Plastikbeutel, in dem seine persönlichen Dinge aufbewahrt worden waren. »Betrachten Sie sich in der Zwischenzeit als verwarnt.«

Sean stand vor dem Amtsgericht und hörte zu, wie ein Polizist die Anklageschrift gegen ihn verlas. Drei Richter, zwei Frauen und ein Mann, saßen hinter einem langen Tisch und rümpften die Nase, als würde er entsetzlich stinken. Sie fragten ihn, wofür er plädierte. Er holte tief Luft. »Sch . . . sch-sch-sch . . .« Alle sahen ihn an wie ein seltenes Insekt. Er atmete noch einmal durch. »Schuldig«, preßte er mit einem lauten Zischen hervor. Dann fragte ihn eine Richterin – die in der Mitte mit dem weißen Haar und den kleinen Perlenohrringen –, ob er noch etwas sagen wolle.

Eine blöde Frage. Es gab so viel, was er sagen wollte; so viele Worte schwirrten ihm durch den Kopf. Wenn er diese Worte nur über die Lippen bringen könnte, dann würde er ihnen unglaubliche Dinge erzählen. Er könnte ihnen erklären, wie es ist, in einer Welt zu leben, in der sich alles um Worte drehte, in der Worte Macht bedeuteten und bestimmten, wer man war und wer man sein würde, und was es hieß, ausgeschlossen zu sein, weil sich die Worte gegen einen verschworen hatten. Sie sind da, würde er ihnen sagen, all die Worte sind da, aber ich kann sie einfach nicht herausbringen.

Es sei denn, er sang sie.

Er könnte singen. Wenn er sang, war er der Mensch, der er sein wollte, der er sein sollte. Selbstbewußt und ausdrucksstark. Jemand, dem die Leute zuhörten. Jemand, den sie als einen der ihren akzeptierten. Aber sie würden ihn im Gerichtssaal nicht singen lassen.

Oder er könnte schreien.

Wenn genügend Wut in ihm kochte, dann kamen ihm die Worte ganz flüssig über die Lippen. So schnell, daß sein Gehirn sie nicht mehr zurückhalten konnte. Aber er konnte im Gerichtssaal nicht schreien.

Die Wörter geisterten ihm im Kopf herum, aber egal, wie sehr er sich auch anstrengte, er brachte sie nicht heraus. »Mister Kerrigan«, wiederholte die Richterin, »haben Sie noch etwas zu sagen?«

Er schüttelte den Kopf.

Er blieb stehen und wartete, während sich die Richter berieten. Die Anhörung hatte weniger als eine Minute gedauert; die Beratung der Richter dauerte keine dreißig Sekunden. Die ältere Frau in der Mitte erklärte ihm, daß sie ihm eine Bewährungsfrist von zwei Jahren einräumten, daß jedoch erst noch geeignete Arrangements getroffen werden müßten. Bis alles geregelt war, müsse er sich jeden zweiten Tag auf dem Polizeirevier seines Bezirks melden. »Wenn Sie das versäumen«, fuhr die ältere Frau fort, »wird die Strafe in eine Haftzeit umgewandelt. Bedenken Sie Ihre rücksichtslose Handlungsweise, und mäßigen Sie sich.« Dann sagte sie ihm, er könne gehen.

Er schäumte, als er die Anklagebank verließ. Zwei Jahre Bewährung, alle zwei Tage im Polizeirevier erscheinen – und das nur wegen Cormack! Alles war Cormacks Schuld; Sean wäre nie nach Hale gefahren, wenn Cormack nicht gewesen wäre, er hätte nie den Bus gestohlen und wäre nie verhaftet worden.

Tina erwartete ihn im holzgetäfelten Korridor.

»Drecksack«, sagte er, als er bei ihr war. »Der Drecksack Cormack.«

Sie legte eine Hand an seine Wange. »Es ist okay«, beruhigte sie ihn.

»Drecksack.« Sean schüttelte ihre Hand ab. Immer noch zornig. Ein Mann im Anzug beäugte ihn argwöhnisch, als er vorbeiging. »Haben Sie ein Problem?« fragte Sean aufgebracht. »He! Haben Sie irgendein Problem?«

Tina umklammerte Seans Arm und zog ihn mit sich. »Es ist okay, Sean. Es ist okay.«

Er drehte ihr das Gesicht zu, das wütende Funkeln in seinen Augen verblaßte allmählich.

Sie hob seine Hand an ihre Lippen und küßte seine

Finger. Sie küßte die Erniedrigungen und den Zorn weg. »Es wird alles gut«, versicherte sie ihm. »Vertrau mir.«

Wieder einmal marschierte Fitz durch den Vorgarten seines Schwiegervaters. Der boshafte kleine Hund war draußen, kläffte wie verrückt und zerrte an der Leine, die an einem Pfahl festgebunden war. Fitz feixte ihn an. Das machte den Köter völlig verrückt. Das blöde Vieh sprang in die Luft und strangulierte sich beinahe selbst.

Katie riß die Tür auf, ehe Fitz klingeln konnte; sie hatte auf ihn gewartet. Sie raste auf ihn zu und warf sich in seine Arme. »Hey!«

Sie wirkte so klein und zerbrechlich in ihren grünen Leggins und dem großen, schlabbrigen T-Shirt. Ihr braunes Haar war aus dem lächelnden, elfengleichen Gesicht zurückgekämmt. Genau das ist sie, dachte Fitz, sie ist eine kleine Elfe, eine winzige Waldfee. Er hob sie hoch und wirbelte sie herum.

»Daddy!« quietschte sie. »Laß mich runter.«

Er stellte sie vorsichtig auf den Boden. »Hi. Wie geht's?« »Ganz gut.«

»Wohin möchtest du gehen?«

»In den Park«, sagte sie. Bei Katie gab es nie viele Umschweife oder Ratlosigkeit, keine nervigen Sätze wie: »Ich weiß nicht – sag du, was du machen willst.«

»Okay«, meinte Fitz. »Alles klar.«

Es war ein großartiger Tag, sonnig und mild. Er kaufte ihr einen fettigen Hamburger und Pommes, eine Menge süße und sprudelnde Getränke und einen riesigen Eisbecher mit Schokoladensplittern – all das Zeug, das schlecht für sie war. All das Zeug, gegen das Judith vehemente Einwände erheben würde.

Er verfluchte sich selbst, weil er in die Falle getappt war, weil er Katie in der kurzen Zeit, die er mit ihr verbringen durfte, nach Strich und Faden verwöhnen wollte. Weil er das Bedürfnis verspürte, die Zuneigung seiner eigenen Tochter zu kaufen. Aber so, wie die Dinge zwischen ihm und Judith standen, lief er Gefahr, Katie zu verlieren. Es wäre leicht möglich, daß sie sang- und klanglos aus seinem Leben driftete, sich weiter und weiter von ihm entfernte, bis sie sich vollkommen fremd waren. Er hatte das schon oft erlebt – bei Freunden und Patienten –, aber es wäre ihm nie in den Sinn gekommen, daß so etwas mit ihm und Katie auch einmal passieren könnte. Bis heute.

Katie wollte mit einem Tretboot auf den See fahren, also zückte Fitz seine Brieftasche und mietete eins der Boote. Es war Katies Tag.

Die nächste halbe Stunde traten sie träge in die Pedale und zogen ihre Kreise unter überhängenden Ästen, um kleine Inseln, auf denen Vögel brüteten, und an all den anderen getrennt lebenden oder geschiedenen Vätern vorbei, die sich die Liebe ihrer Kinder für einen Tag erkauften.

»Was würdest du machen«, fragte Katie, »wenn es ganz plötzlich ein riesengroßes Erdbeben gäbe?« Das war immer ihr Lieblingsspiel gewesen – »Was wäre, wenn . . .«

»Tja«, sagte Fitz nachdenklich. »Ich würde schwanken und wabbeln wie ein großer Wackelpudding. Und du . . . du würdest zittern und klappern und rollen wie ein kleiner Sack voller Knochen.«

»Was würdest du machen, wenn ein Hurrikan käme?« fragte sie dann.

»Ich würde die Arme und meine Jacke ausbreiten wie ein Segel, und der Wind würde uns in exotische Länder und fremde Städte tragen.«

»Das geht nicht«, erklärte Katie. »Ich habe noch eine Woche Schule, ehe die Ferien anfangen.«

O Katie, dachte er, erst zehn Jahre alt, aber schon ganz die praktische Frau, die du später einmal sein wirst – du wirst genau wie deine Mutter. »Oh, na, dann würde ich schnaufen und keuchen und den Hurrikan dorthin zurückblasen, woher er gekommen ist.«

»Was würdest du tun, wenn . . .«, begann Katie und spitzte konzentriert die Lippen, während sie nach etwas suchte, was sich mit der Dramatik eines Erdbebens und eines Hurrikans messen konnte. ». . . wenn . . . wenn ein riesengroßer Dinosaurier aus dem See auftauchen würde, um uns zu fressen?«

»Ich würde sagen: ›Friß Katie zuerst. Sie ist jung und zart wie ein Lammkotelett; ich bin nur ein altes, zähes T-Bone-Steak.‹«

Sie schüttelte skeptisch den Kopf. »Das würdest du nicht tun.«

»Nein«, gab Fitz zu. Er zeigte auf einen Metallzaun auf einer der Inseln. »Ich würde mir eine von diesen Stangen holen, sie schärfen und spitzen und dem Dinosaurier damit das Herz durchbohren.«

»Du hättest keine Zeit, die Stange scharf zu machen«, erinnerte Katie ihn – immer praktisch und ganz die Miniaturausgabe von Judith.

»Nein, das stimmt«, räumte Fitz ein. Er dachte nach. »Oh, ich würde machen, was Tarzan macht! Du weißt schon, wenn die Alligatoren versuchen, ihn zu fressen, und er ihnen ein Stück Holz ins Maul steckt, damit sie nicht zubeißen können. Das würde ich machen . . . Nein«, sagte er und winkte mit kindlicher Aufregung mit den Händen. »Jetzt weiß ich, was ich tun würde. Ich würde hochspringen und ihn mit einem Krocketschläger auf den Kopf hauen und immer wieder hochspringen und hauen und hauen, bis die Bestie kleiner und kleiner wird.« Er führte die Hände zusammen, um zu zeigen, wie die Bestie schrumpfen würde. »Und kleiner und kleiner . . . Und weißt du, was das Vieh dann ist?«

»Was?«

»Ein kleiner, saurer Dinosaurier.« Er zwinkerte und stieß sie mit dem Ellbogen an. »Nicht schlecht, was?«

Es war später Nachmittag. Tina war im Bad und wusch sich die Haare. Sean rollte sich auf dem Bett zusammen, stopfte das Kissen unter seinen Kopf und lauschte auf das plätschernde Wasser. Am Fuß der Matratze stand eine kleine Kommode. Sean setzte sich auf, schielte auf den Lichtschlitz unter der Badezimmertür und zog die oberste Schublade auf. Nichts, außer falschem Schmuck. In der zweiten Lade lag nur Spitzenunterwäsche, in der untersten befanden sich hauptsächlich T-Shirts und Pullover – ordentlich zusammengefaltet und gestapelt. Er hob die T-Shirts hoch und fand, wonach er gesucht hatte: Tinas Fotoalbum. Sie hatte es nach der ersten Nacht versteckt.

Er schlug das Album auf und betrachtete aufmerksam jede Seite und die Umrisse der zerkratzten Figuren auf den Fotos. Jetzt fielen ihm Einzelheiten auf, die er vorher nicht gesehen hatte. Sie hatte nicht nur eine Person ausradiert, in manchen Aufnahmen waren auch Gegenstände unkenntlich gemacht.

Plötzlich merkte er, daß das Wasser nicht mehr lief. Er schaute auf und sah sie nackt in der Tür stehen, ein Handtuch war um ihren Kopf gewickelt. »Ich . . . ich . . .«

»Ist schon gut«, sagte sie und ging zu ihm.

»W-w-w . . .«

»Warum?« half sie ihm. »Du willst wissen, warum?«

Er nickte.

»Ich wollte nicht, daß du es erfährst, Sean«, sagte sie.

»Ich wollte nicht, daß du weißt, was ich war, was sie aus mir gemacht hat. Ich hatte Angst, daß du mich nicht mehr liebst, wenn du es weißt.«

Er wollte sie fragen, wovon sie überhaupt redete. Er wollte ihr sagen, daß nichts ihn davon abbringen könnte, sie zu lieben; sie war alles für ihn. Sie war sein Leben. Aber er brachte nur ein Wort heraus: »S-s-sie?«

Der verdammte Köter seines Schwiegervaters bellte ihn wieder an. Daß Katie bei ihm war, änderte nichts, aber Katie wohnte, zumindest für den Moment, im gleichen Haus wie das Vieh! Die blöde Töle schien sich in den Kopf gesetzt zu haben, Fitz auf jeden Fall zu verbellen.

Er entdeckte Judith an einem der oberen Fenster; sie wich zurück, als sie näher kamen; offenbar wollte sie nicht gesehen werden.

Fitz blies Katie unter das T-Shirt, als sie die Hand nach oben streckte, um zu klingeln. »Dad«, maulte Katie mit gespielter Entrüstung.

»Was für eine interessante Glocke«, sagte er.

Sie lachten beide, als Judiths Vater zur Tür kam. Er öffnete sie, und das Lachen erstarb.

»Kann ich Judith sehen – bitte?« fragte Fitz.

»Komm rein, Katie«, sagte der alte Mann; er sah aus, als hätte er gerade an einer Zitrone gelutscht.

Katie ging ein paar Schritte vor; Fitz packte sie bei den Schultern und hielt sie zurück. »Nein, ich würde meine Tochter gern meiner Frau persönlich übergeben, danke.«

Katie wand sich in seinem Griff. »Dad, bitte . . .«

O Gott, dachte Fitz, ich tue es. Ich mache Katie zum Gegenstand des Streits; ich benutze sie als Faustpfand. In dreißig Jahren wird sie einem nachdenklich nickenden Therapeuten wie Graham erzählen, wie ihre vierte Ehe den ersten Knacks bekommen hat, und sagen, daß all ihre Probleme an dem Tag begannen, als ihr Vater sie nicht in das Haus ihres Großvaters gehen ließ. Er ließ sie los, und Katie rannte ohne einen Blick zurück ins Haus.

»Sie will nicht mit dir sprechen«, stellte Judiths Vater klar. »Auf Wiedersehen.«

Ein stechender Schmerz machte sich in Fitz' Schläfen bemerkbar. Der Hund bellte immer noch.

»Du hast deinem bescheuerten Hund beigebracht, mich anzubellen, stimmt's?« sagte Fitz, als die Tür vor seiner Nase zuschlug. »Ganz speziell, hab' ich recht?« Ausgesperrt und im Stich gelassen, erhob Fitz die Stimme und brüllte: »Du hast ihn darauf trainiert, oder? Du bösartiger, alter polnischer Mistkerl!«

Die Stiche in seinem Kopf wichen einem dumpfen Schmerz. Er ging durch den Vorgarten und stellte sich vor, daß er den Staub aus dem Haus seines Schwiegervaters von den Schuhen schüttelte.

Den Staub des alten Mannes, trocken wie spröde Knochen.

Judith saß mit aufgestützten Ellbogen am Küchentisch, ihr Kinn lag auf den gefalteten Händen.

Ihr Vater kam in die Küche und betrachtete sie von der Tür aus. »Ich nehme an, du hast alles mit angehört.«

»Ich denke, man konnte es sogar in Bolton hören, Dad.«

»Ich weiß wirklich nicht, warum du ihn überhaupt erst geheiratet hast«, sagte ihr Vater. »Das habe ich nie verstanden – du hättest jeden haben können. Jeden, den du wolltest.«

Sie seufzte. »Das Elend ist, daß er derjenige war, den ich wollte. Und immer noch will, schätze ich.«

Ihr Vater seufzte entrüstet. »Seit Wochen ruft er jede

100

Stunde – Tag und Nacht – an, trommelt an meine Tür, daß ich denke, er schlägt sie ein, quält meinen Hund und stößt so laute Beschimpfungen aus, daß die ganze Straße es hört. Und du erzählst mir, daß du ihn immer noch willst? Warum, verdammt noch mal, gehst du dann nicht zu ihm zurück und läßt mich in Frieden?«

Sie sah zu ihrem Vater auf – er blitzte sie an, die Arme vor der Brust verschränkt. »Ich kann nicht zurück zu ihm. Es ist nicht so einfach, Dad.« Sie stand auf. »Es tut mir leid. Ich wollte dich da nicht mit hineinziehen. Katie und ich, wir werden für ein paar Tage in ein Hotel gehen, bis wir eine Wohnung gefunden haben.«

»Du wirst Katie nicht in ein verdammtes Hotel bringen«, erwiderte ihr Vater und ließ die Arme sinken. »Ich will mir nicht nachsagen lassen, daß ich meine eigene Enkelin aus dem Haus getrieben habe. Oder meine Tochter, auch wenn sie eine Idiotin ist.«

»Du sagst, ich bin eine Idiotin?«

»Ja«, bestätigte er. »Eine Frau, die zwanzig Jahre mit einem Trunkenbold und Spieler verheiratet ist – die nenne ich eine Idiotin.«

»Vielleicht ist es doch besser, wenn ich in ein Hotel gehe.«

Er ging zum Spülbecken und füllte den Teekessel mit Wasser. »Setz dich. Ich mache uns einen Tee«, sagte er, dann drehte er sich zu ihr um. »Ich sagte, setz dich.«

Sie setzte sich.

Er stellte den Teekessel auf die Platte und ließ sich ihr gegenüber nieder. Er schaute ihr lange ins Gesicht, seine tiefliegenden braunen Augen schienen direkt durch sie hindurchzusehen. »Jetzt wirst du mir gleich erzählen, daß du ihn liebst«, sagte er.

»Ich bin wütend auf ihn, Dad. Ich bin verdammt wütend.

Aber das heißt nicht, daß ich mehr als zwanzig Jahre meines Lebens auslöschen kann.« Sie schnippte mit den Fingern. »Einfach so. Ich kann das nicht. Aber ich kann auch nicht mit ihm reden. Jedesmal, wenn ich es versuche, dreht er mir die Worte im Mund um, bis sie eine vollkommen andere Bedeutung bekommen. Was soll ich tun? Ich kann nicht mit ihm reden.«

Ihr Vater zog ungläubig die Augenbrauen hoch. »Du kannst nicht reden? Du? Du hörst nie auf zu reden! Du redest so viel, daß du sogar jemand bezahlen mußt, damit er dir zuhört.« Wieder ein Seitenhieb auf ihre Therapie. Ihr Vater mißbilligte, daß sie eine Therapie machte. Zu seiner Zeit, sagte er immer, nahm man sich zusammen, zog sich selbst aus dem Dreck und machte einfach weiter.

»Ich bezahle Graham nicht dafür, daß er mir zuhört!«

»Oh, dann ist sie also kostenlos, ja? Diese Therapie?«

»Nein.«

Der Teekessel pfiff; der alte Mann stand auf und drehte die Platte aus. »Und wie sieht so eine Sitzung mit deinem Therapeuten aus? Was genau tut er, um sich sein Honorar zu verdienen?«

Judith schüttelte ärgerlich den Kopf. »Schon gut, du hast recht. Die meiste Zeit rede ich, und er hört zu. Dad, weißt du, warum du nie mit Fitz zurechtgekommen bist? Weil ihr beide immer recht habt. Ihr habt beide immer so verdammt recht!«

Sean holte ein paarmal tief Luft, dann sprach er ganz langsam und dehnte jede Silbe in die Länge. »Iiich haaasse sie. Iiich haaasse jeeeden, der diiir weeeh tuuut.«

Tina sank in seine Arme, Tränen liefen ihr übers Gesicht. »Was ist mit Cormack? Er will uns beiden wehtun, und er wird es auch ganz bestimmt tun, Sean. Er wird es tun!«

All die Demütigungen und die Wut fluteten bei der Erwähnung seines Namens zurück. »Wenn er dich auch nur anfaßt, bringe ich ihn um.«

»Er hat es versucht, Sean. Er hat es mehr als einmal versucht.«

»Ich bringe ihn um!«

Tina hob den Kopf und sah ihm in die Augen. »Er hat Geld, Sean. Viel Geld. Er hat es immer bei sich und gibt damit an.«

Die Verandatür stand offen, und die Stereoanlage war auf volle Lautstärke gedreht. Eine traurige Country-Ballade erfüllte die Nachtluft. Fitz saß allein auf einem Plastikstuhl neben einem Plastiktisch unter einem gelben Sonnenschirm und leerte in dem vergeblichen Versuch, die brennende Unruhe in seinem Inneren zu betäuben, systematisch eine große Flasche Whisky. Er wollte diese rastlosen Gedanken, die immer und immer wieder um die letzten zwanzig Jahre mit Judith kreisten – und um die letzten vier Wochen ohne sie –, endlich anhalten.

Er hatte Judith immer gewollt. Schon im ersten Moment, als er sie gesehen hatte, war ihm klar gewesen, daß er sie haben mußte. Natürlich war er nie naiv genug gewesen, um an die Liebe auf den ersten Blick zu glauben – in der damaligen Zeit hatte er überhaupt nicht an die Liebe geglaubt. Die Liebe kam später, viel später. Nachdem sie so sehr zu einem Teil seines Lebens geworden war, daß es schlichtweg nicht vorstellbar war, jemals wieder ohne sie zu sein.

Und jetzt war sie weg. Das Unvorstellbare war Wirklichkeit geworden, und diese Wirklichkeit war häßlich und leer.

Die Wirklichkeit war ein fetter Mann, der rapide alterte, im Dunkeln draußen hockte und Whisky in sich hineinschüttete, um die Realitäten auszublenden, und während er sie auszublenden versuchte, standen sie ihm immer deutlicher vor Augen.

Es hört nicht auf, dachte er, setzte das volle Glas an die Lippen und leerte es mit einem Schluck.

Irgendwo schrie jemand: »Ich bitte Sie!«

Er schaute auf und entdeckte im Fenster des Nachbarhauses einen aufgebrachten Mann in gestreiftem Schlafanzug.

»Es ist beinahe Mitternacht!«

Fitz wußte, daß es darauf mindestens ein Dutzend schlagfertige Antworten gegeben hätte, scharfe Antworten, die dem Kerl sofort das Maul gestopft hätten, aber er machte sich gar nicht erst die Mühe. Er hatte nicht mehr genügend Energie.

Gerade als das Fenster im Nachbarhaus zugeschlagen wurde, riß jemand ein anderes auf. Diesmal kam die Stimme direkt von oben: Fitz' halbwüchsiger Sohn Mark. »Dad, kommst du jetzt rein, oder was?«

»Oder was«, murmelte er und goß sich noch einen Drink ein.

»Dad!«

Er schaute wieder auf.

»Mach die Musik aus und komm ins Haus.«

Es war finster im Garten, er konnte kaum sehen, was er tat. Er schwang die Arme über dem Kopf hin und her, bis er das Licht im Fenster sah.

»Dad, benimm dich wie ein Erwachsener, nicht wie ein Kleinkind, ja?«

Das Fenster im Nachbarhaus ging wieder auf. »Würden Sie ein wenig Rücksicht nehmen? Das ist alles, nur ein klein wenig Rücksicht!«

»Halt's Maul«, brummte Fitz leise.

»Weißt du, was du bist, Dad? Du bist ein schlechter Witz.

Ein wirklich schlechter Witz. Nicht einmal Jimmy Tarbuck würde dich verwenden!«

»Halt's Maul.« Fitz lehnte sich in seinem Stuhl zurück und legte die Füße auf den Tisch.

Der Stuhl kippte, und Fitz fiel nach hinten ins Gras.

11

Tina stand vor dem Spiegel, nackt. Auf dem Toilettentisch aufgereiht waren Tiegel und Töpfchen. Hinter ihr ging Sean nervös auf und ab, sein Kopf zuckte immer wieder herum, um genau zu beobachten, was sie tat.

Sie nahm den Tiegel mit der duftenden Creme in die Hand – Moschus –, schraubte den Deckel auf und rieb ihren ganzen Körper mit der Creme ein; besondere Aufmerksamkeit widmete sie ihren Brüsten und der Innenseite der Schenkel.

Sie stellte den Tiegel weg und bückte sich, um etwas aus der Kommode zu nehmen: ein knappes, hauchdünnes schwarzes Spitzenhöschen, schwarze Strümpfe, schwarze Strapse, einen schwarzen BH. Sie zog ein Stück nach dem anderen an, zupfte die Strapse zurecht, richtete die Träger und strich die Falten glatt. Dann drehte sie sich nach rechts und links, um sich im Profil zu begutachten. Sie wandte den Blick nicht vom Spiegel ab – sie sah, daß Sean hinter ihr war und sie beobachtete und von Minute zu Minute erregter wurde. Das war gut – das bedeutete, daß er sie nicht im Stich lassen würde.

Sie faßte in den Schrank, nahm einen roten, sehr kurzen Lederrock und eine Jeansweste heraus. Sie probierte den Rock an; wenn sie eine bestimmte Bewegung machte, sah man den oberen Rand ihrer Strümpfe unter dem Saum. Der Rock war bestens geeignet.

Sie streifte die Weste über und knöpfte sie bis oben zu, besann sich aber anders und machte den obersten Knopf wieder auf.

Als nächstes kamen Schuhe und die falschen Klunker, dann kümmerte sie sich um das Make-up und die Haare, die ihr in langen Locken über den Rücken fielen.

»Also?« fragte sie. »Wie sehe ich aus?«

Seans Gesichtsmuskeln zuckten; er ballte einige Male die Hände und öffnete sie wieder, ehe er antwortete: »D-d-du b-bist . . .«, er machte eine Pause und schnaufte, »sch-schön.« Er schlug gegen die Wand, auf seinem Gesicht zeichneten sich die Qualen ab, als das Wort wie eine Gewehrkugel in seinem Kopf herumschwirrte und von den Schädelwänden abprallte: schön – Tina sah *schön* aus. Schön für Cormack. Schön für diesen Scheißkerl; das war mehr, als er ertragen konnte. Mehr, als irgendein Mann ertragen konnte.

»Denk an das Geld, Sean«, sagte Tina.

Tina hatte behauptet, daß Cormack sein Geld immer mit sich herumtrug. Genug Geld für sie zum Abhauen – sie konnten irgendwohin gehen, wo Cormack und seine Schläger sie nie finden würden.

»Denk dran, was er dir angetan hat.«

Sean verzog die Lippen und knurrte, als er sich daran erinnerte, wie der Bastard ins Bad gestürmt war, als er unter der Dusche stand, und den Vorhang zurückgezogen hatte. Wie er sich mit seinen tollen Klamotten und den vielen Goldringen vor ihm aufgebaut und spöttisch seinen Körper betrachtet hatte. Wie er gelacht hatte, als Sean – triefnaß, splitterfasernackt und starr vor Schreck – an die Wand geprallt war und die Hand schützend vor die Genitalien gehalten hatte. Wie er mit dem Türschlüssel vor seinen Augen herumgefuchtelt und ihn eingesperrt hatte.

»Denk dran, was er mir antun will.«

Ein grauenvolles Bild blitzte vor seinen Augen auf: Tinas weit gespreizte Beine, Cormacks nackter Hintern, der sich hob und senkte, während er sie vögelte.

Das Blut schoß ihm in den Kopf – sein Gesicht wurde knallrot und glühendheiß. »Gehen wir«, sagte er.

Es war nicht weit bis zu Cormacks Laden; dort verkaufte er all die Dinge, die er den armen Teufeln weggenommen hatte, die ihm Geld schuldeten. Sie gingen langsam und nahmen sich Zeit, all ihren Mut zu sammeln.

Seans Pokale standen in einem Regal im Schaufenster. Die Lichter brannten nicht, und der Vorhang hinter dem Regal war zugezogen, aber oben in Cormacks Wohnung war es noch hell.

Tina klopfte an die Tür und wartete. Die Lampen im Laden flammten auf. Ein Angstschauer lief ihr über den Rücken. Sie fühlte sich elend und fror, am liebsten wäre sie weggelaufen.

Die Tür schwang auf, und Cormack stand vor ihr – in einem teuren Jackett und greller Hose. Er war für einen Besuch in einem Nachtklub angezogen, nicht für eine nachmitternächtliche Stunde in seiner Wohnung.

Sie verdrängte die Angst und setzte ihr gewinnendstes Lächeln auf. »Hi.«

Cormack musterte sie von Kopf bis Fuß und zog eine Augenbraue hoch. »Ja?«

Tina warf den Kopf zur Seite und schleuderte eine Haarsträhne nach hinten. »Kann ich die Pokale wiederhaben – bitte?« fragte sie schrill und atemlos. Cormack sah sie nur an. Sie deutete auf das Regal im Fenster. »Die kleinen Silberpokale?«

»Keine Chance.« Cormack lachte.

Tina schaute ihm direkt in die Augen und senkte die Stimme zu einem heiseren, verführerischen Flüstern. »Ich wäre dir sehr dankbar.«

Cormack hörte auf zu lachen. Er nahm einen der Pokale aus dem Regal und hielt ihn abschätzend in der Hand. Dann warf er Tina denselben Blick zu wie damals in ihrer Küche. Er vergewaltigte sie mit den Augen.

Eine grelle Frauenstimme schrie von oben aus der Wohnung. »Wer ist das?«

»Was Geschäftliches«, rief Cormack zurück.

»Um diese Zeit?«

Tina straffte die Schultern. Jetzt nur nicht die Nerven verlieren! Sie durfte Cormack nicht im Zweifel lassen und mußte ihm deutlich zeigen, was sie ihm anbot. Sie bog den Rücken durch – sie wußte, daß ihre Brüste dabei voller wirkten – und ließ die Zunge über die Lippen gleiten.

»Ja, um diese Zeit!« schrie Cormack über die Schulter. »Ich gehe weg.«

»Wohin?«

»Ich hab' doch gesagt, es ist was Geschäftliches! Bin gleich wieder da.«

»Hier entlang«, sagte Tina und führte ihn in die Gasse, in der Sean lauerte. In der Sekunde, in der sie von der Straße aus nicht mehr zu sehen waren, fuhr ihr Cormack mit der Hand unter den Rock.

Sie lehnte sich gegen eine Wand. Die Gasse war vom trüben, gelben Licht einer einzigen Laterne beleuchtet. Cormack schob einen Finger unter ihr dünnes Spitzenhöschen und ließ ihn in sie gleiten.

»O ja, o ja, das ist gut«, hauchte Tina und hielt seinen Kopf umklammert, so daß er nicht zur Seite schauen konnte. Er preßte den Mund auf ihren. Cormack hatte die Augen

108

geschlossen; Tinas Blicke huschten hin und her – wo blieb Sean?

Cormacks Finger bewegte sich sanft. Geschickt. Tina schnappte nach Luft, als er mit der Zunge über ihren Hals und in den Spalt zwischen ihren Brüsten fuhr. Die Sache ging zu weit, viel zu weit. Wo steckte Sean? Wo war er?

Sie schloß die Augen, als Cormack grunzte, sie gegen die Wand preßte und seinen Schwanz in sie rammte. »O Baby, Baby«, flüsterte er ihr ins Ohr.

Sean kauerte hinter den Mülltonnen, die im Halbkreis aufgestellt waren, und fragte sich, wie er in diese Situation geraten war. Er hatte noch nie zuvor so etwas getan. Niemals. Er hatte Sachen gestohlen, das ja. Er hatte sich geprügelt, ja, und manchmal hatte er die Beherrschung verloren und jemanden schlimmer verletzt, als er beabsichtigt hatte. Aber es war nie so wie jetzt gewesen – kaltblütig, vorsätzlich. Er hatte sich nur dazu bereit erklärt, weil er den Gedanken, Tina zu verlieren, nicht ertragen konnte. Und weil er nicht wollte, daß sie ihn für einen Feigling hielt. Er hatte gesagt, er würde alles für sie tun. Alles. Aber jetzt bezweifelte er, daß er es konnte. Er wußte, daß er es nicht fertigbringen würde.

Er sah sie in dem gelben Schein der Straßenlaterne. Cormack küßte sie, berührte sie. Und Tina küßte ihn auch! Ihm wurde übel; am liebsten hätte er gekotzt. Das einzige, was er auf der Welt hatte, wurde ihm genommen. Und dann sah er, wie Cormack ihren Rock hobschob, sie gegen die Wand drückte und vögelte. Er fühlte sich, als hätte der Blitz in seinen Kopf eingeschlagen. Alle Zweifel und Bedenken lösten sich in nichts auf, und unkontrollierbare Wut ergriff ihn.

Tina machte die Augen auf und sah Sean direkt hinter

Cormack stehen. Er hielt einen Backstein in der Hand, sein Gesicht sah aus wie das eines tobsüchtigen Verrückten. Sie erstarrte, ihre Augen waren weit aufgerissen vor Entsetzen.

Cormack spürte, daß etwas nicht stimmte, und öffnete die Lider. Sean hob den Backstein hoch über seinen Kopf und schlug zu und zerschmetterte Cormacks Hinterkopf. Blut spritzte nach allen Seiten, als Cormack mit ungläubigem Gesichtsausdruck zu Boden glitt.

Cormack war tot – getötet durch einen einzigen Schlag. Aber Sean konnte nicht aufhören, auf ihn einzudreschen. Cormack wurde plötzlich zu seinem betrunkenen Vater, der ihn im Stich ließ, zu seiner Mutter, die ihn verprügelte, zu den Schulkindern, die ihn auslachten, zu den Lehrern, die seine Antwort nie abwarteten. Zu den Sozialarbeitern und Pflegeeltern. Zu Tinas Mutter, die ihm die Tür vorm Gesicht zuschlug. Zu dem schleimigen Polizisten mit dem Schnurrbart, der ihn schikanierte. Zu der Richterin, die ihn fragte, ob er etwas sagen wollte. Zu allen, die ihn je verletzt und erniedrigt hatten. Zu allen, die ihn daran erinnerten, daß er nicht wie sie, daß er anders war, obwohl er sich doch nichts mehr wünschte – immer gewünscht hatte –, als dazuzugehören, wie alle anderen zu sein. Und jetzt zeigte er es ihnen – er zahlte es allen heim.

Tina wandte sich würgend ab, als Sean gnadenlos auf die Leiche einprügelte, Cormacks einstmals hübsches Gesicht zu Brei schlug, die schicken Klamotten mit Blut besudelte. Er trat ihm in die Rippen, bis er hörte, wie sie brachen, und bohrte den Stiefelabsatz in seine Eier.

Schließlich hatte sich Tina so weit erholt, daß sie sich erinnerte, warum sie eigentlich hier waren: wegen des Geldes. Sie bückte sich und suchte in Cormacks Taschen. »Ich hab's, Sean. Ich hab' die Brieftasche.«

Er hörte sie nicht. Er kniete neben der Leiche, gab unzusammenhängende, tierische Laute von sich und bearbeitete den toten Mann mit den Fäusten.

»Sean!« schrie sie und hielt seinen Arm fest. Er wußte nicht einmal mehr, daß sie da war. Er schlug immer weiter. »Sean, bitte«, flehte Tina und versuchte, ihn mit all ihrer Kraft von der Leiche wegzuziehen.

Er schüttelte ihre Hände ab, und sie verlor das Gleichgewicht und fiel über eine überquellende Mülltonne.

Sean machte einen Satz über die Leiche, versetzte ihr einen letzten Tritt und zerrte Tina auf die Füße. In dem schwachen gelben Licht sah sein Gesicht ganz fremd und grausam aus. Er roch nach Blut und Schweiß. Der Geruch war so stark, daß sie ihn schmecken konnte.

Er drängte sie nur wenige Meter von dem ermordeten Cormack entfernt gegen die Wand. Sie gehörte *ihm. Ihm.* Er mußte beweisen, daß sie immer noch ihm gehörte.

Sie küßten sich leidenschaftlich und umschlangen sich. Sie kämpften mit ihren Kleidern, rissen Knöpfe auf und zerrten an dem Stoff. Und dann drang er schaudernd in sie ein. Beschmierte ihr Gesicht und ihren Körper mit Cormacks warmem, feuchtem Blut. Er schmeckte Salz und Kupfer. Sie zerkratzte sich die Haut an der rauhen Ziegelwand.

Es fing an zu regnen. Erst nieselte es, aber bald prasselten dicke Regentropfen auf sie herunter. Warmer Regen – so warm wie Blut.

Tina warf den Kopf zurück und ließ den blutwarmen Regen über ihr Gesicht strömen. »O Gott, Sean«, ächzte sie, als sie ein krampfartiges Zucken erfaßte. »O Gott! O Gott, ich liebe dich!« Ihre Stimme wurde zu einem Wimmern. »Ich liebe dich.«

Sean trat zurück und starrte sie mit einem kalten Blick

an, als er sich die Jeans zuknöpfte. Er konnte sie nicht anschauen, ohne Cormack vor sich zu sehen – Cormack, getaucht in gelbes Licht, seine Zunge an ihrem Hals. Erst jetzt realisierte er, was er getan hatte. Wozu sie ihn gebracht hatte. Er wirbelte herum und rannte los.

»Warte!« schrie Tina erschrocken und lief ihm nach. »Sean, warte!«

Als sie vor Tinas Wohnung ankamen, war der Regen zu einem Wolkenbruch geworden. Ihre Haare und Kleider waren tropfnaß, als sie den Durchgang erreichten. Beide hielten sich an einer Säule fest und rangen nach Atem. Tina verstand nicht, warum Sean so wütend auf sie war, warum er sich von ihr fernhielt.

»Du!« schrie Sean und deutete anklagend mit dem Finger auf sie.

Tina preßte die Hand auf die Brust – es fühlte sich an, als würde ihre Lunge jeden Moment platzen. »Ich?« keuchte sie mühsam.

»Du, du hast zugelassen, daß er diese Sachen mit dir macht.«

Sie schüttelte verwirrt den Kopf. »Hab' ich nicht.«

Er zitterte vor Wut und schlug gegen die Säule. »Hast du doch. Verdammt, das hast du! Ich hab's gesehen, ich hab' dich gesehen!«

Sie schluckte schwer. Ihr Herz hämmerte wie wild, und ihre Kehle war trocken und rauh – jeder Atemzug tat weh. »Ich wollte, daß du ihn aufhältst«, rief sie heiser und lehnte sich matt an die Säule. Verstand er das denn nicht? Erinnerte er sich nicht daran, was sie geplant hatten? Sean zitterte in seinen nassen Kleidern – sie ging zu ihm. »Ich wollte, daß du ihn zurückhältst und verhinderst, daß er diese Sachen mit mir macht.« Sie nahm sein Gesicht zwischen die Hände und beugte sich vor, um ihn zu küssen.

Er stieß sie weg und stürmte die Treppe hinauf, ohne sie noch eines Blickes zu würdigen.

Die Tür zum Bad war auf. Sean stand mit all seinen Kleidern unter der Dusche. Tina beobachtete, wie er den Kopf zurückneigte und mit geschlossenen Augen Wasser über sein Gesicht laufen ließ. Sein Mund war offen. Das Wasser färbte sich rot. Sean sank erschöpft gegen die Wand.

Langsam ging sie zu ihm hin und ließ ihre blutverschmierten Kleider auf den nassen Boden fallen.

12

Fitz machte die Augen auf – er lag im Bett, noch immer angezogen, eine Decke war über seinen mächtigen Bauch ausgebreitet. Er konnte sich vage erinnern, daß ihn jemand an den Füßen aus dem Regen gezerrt hatte; das mußte Mark gewesen sein. Vielleicht hatte er das auch nur geträumt.

Draußen wurde es gerade hell. Die Uhr an der Wand zeigte auf halb sechs. Und das Telefon auf dem Nachttisch klingelte laut und durchdringend genug, um ihm den schmerzenden Schädel zu zerfetzen.

Auf der anderen Seite des Flurs schimpfte Mark in seinem Zimmer. Das Klingeln störte seinen kostbaren Schlaf.

Fitz nahm den Hörer ab und ächzte: »Ein bißchen früh, oder nicht?«

»Ich bin in fünfzehn Minuten da«, sagte eine Stimme, die er augenblicklich als die von Detective Sergeant Jane Penhaligon erkannte.

»Penthesilea, ich weiß, daß Sie mich verzweifelt begehren, aber sicherlich können Sie Ihren jungfräulichen Zustand noch ein paar Stunden ertragen. Es ist das Warten wert, das verspreche ich Ihnen«, sagte er und schloß mit einem Rülpser. Beschissenes Timing, dachte er und rollte mit den Augen.

»Es geht um Mord, um einen ziemlich schmutzigen. Halten Sie sich bereit, Fitz, ich hol' Sie in einer Viertelstunde ab.«

»Schon gut, Sie verrückte, leidenschaftliche Verführerin.« Er legte auf, erhob sich vom Bett, durchquerte den Flur und klopfte an Marks Tür.

»Was?« krächzte Mark, als Fitz die Tür aufmachte.

»Ich gehe in einer Minute weg«, sagte Fitz.

Mark wälzte sich auf die Seite und zog die Decke über den Kopf. »Gut.«

»Ich will dich nur fragen, ob du mich heute nacht die Treppe hinaufgebracht hast?«

Mark schleuderte die Decke von sich und hob den Kopf, sein langes, dunkles Haar war zerzaust, sein Mund stand offen vor Staunen. »Was? Ich soll dich die Treppe heraufgeschleppt haben?« Er ließ sich auf das Kissen zurückfallen, zog die Decke hoch und drehte sich auf die andere Seite. »Du spinnst.«

Es war ein feuchter, kalter Morgen, und Jane Penhaligon hatte sich für den Aufenthalt in einer Gasse voller Pfützen gerüstet – sie trug eine wasserfeste Jacke mit Kapuze, eine dicke graue Hose und Stiefel. Das alles hatte sie in aller Eile aus dem Schrank gezerrt und angezogen. Sie hatte noch tief und fest geschlafen, als der Anruf kam. »Komm sofort her, und bring Fitz mit.«

Sie blieb am Straßenrand stehen und sah, daß Fitz ihr von einem der oberen Fenster aus zuwinkte.

Sie hatte keine Zeit für Make-up, ein Frühstück oder

114

auch nur eine Tasse Tee gehabt. Nicht einmal ihr Haar hatte sie richtig gekämmt; sie flocht es zu einem Zopf, während sie auf Fitz wartete. Sie betrachtete sich kurz im Rückspiegel und schüttelte unzufrieden den Kopf. Sie sah genauso müde aus, wie sie sich fühlte.

Fitz schlurfte auf den Wagen zu; seine Augen waren blutunterlaufen, und sein Bulldoggengesicht war ebenso zerknittert wie sein Anzug. Er sah sehr viel schlimmer aus als sie – das war ein kleiner Trost.

»Lieber Gott, Fitz«, sagte sie, als er einstieg, »Sie sehen schrecklich aus.«

»Das könnte mit dem Dutzend Preßlufthämmern zu tun haben, die in meinem Kopf toben, und ich glaube, jemand hat meinen Mund als Aschenbecher benützt. Ich sage Ihnen, Penthesilea, wenn ich ein Haus wäre, würde man mich wegen Baufälligkeit abreißen.«

»Eine gute Nacht, was?«

»Scheußlich«, sagte er und rülpste wieder. Er verdrehte die Augen – beschämt und angeekelt zugleich. »Sie werden mir verzeihen, wenn meine Speiseröhre sich entscheidet zu explodieren.«

Sie schüttelte den Kopf. »Den Teufel werd' ich tun. Wenn Ihre Speiseröhre explodieren will, dann draußen. Nicht in meinem Auto – vielen Dank.«

»Ich war noch im Bett, als Sie angerufen haben – das wissen Sie natürlich, und der Gedanke daran hat Sie erregt, geben Sie's zu –, aber ich will verdammt sein, wenn ich weiß, wie ich da hineingekommen bin. Und das war bis jetzt immer eins der Dinge, mit denen ich mich brüsten konnte – ich wußte jedesmal noch ganz genau, wie ich ins Bett gekommen war.«

»Und ich dachte eigentlich, die Männer brüsten sich lieber mit Vergessen.«

»Oh, Sie sind eine ganz Scharfsinnige, was, Penthesilea?«
»Das hat man mir gesagt«, erwiderte sie ungerührt.

Sie fuhren an einem Polizeiposten vorbei und eine schmale Wohnstraße entlang. Trotz der frühen Stunde drängten sich die Schaulustigen auf der Straße. Die Bewohner der Gegend schienen vollzählig versammelt zu sein, viele von ihnen noch in Bademänteln, mit Kindern auf den Armen, damit die Kleinen besser sehen konnten, während die Eltern um die Polizisten herumschlichen, die die Seitengasse absperrten.

Und dann waren da noch die Pressefritzen. Notizblöcke und Nikons, Mikrophone und Camcorder – überall, wohin Fitz auch sah. Leichenfledderer, dachte er, wir sind alle Leichenfledderer, der Tod zieht uns an wie Scheiße die Fliegen. Er riß eine Dose Diät-Cola auf, die er unterwegs, nachdem er Jane Penhaligon zum Anhalten genötigt hatte, gekauft hatte, und nahm einen großen Schluck.

Penhaligon zeigte ihre Marke, als sie ausstieg. »Die Leiche liegt da drüben, Miss«, sagte ein Polizist und deutete in die Seitengasse.

Sie duckten sich unter dem gelben Absperrband durch, bogen um eine Ecke und stießen auf eine kleine Gruppe Menschen, die Kaffee oder Tee aus Plastikbechern tranken und sich angeregt unterhielten. Vor der fröhlichen Runde war ein weiteres gelbes Band gespannt, nicht weit entfernt von ihnen lagen etliche umgekippte Mülltonnen und etwas, was mit einem Leintuch bedeckt war. Das Leintuch war weiß und rot. Weiß war die ursprüngliche Farbe, das Rot war erst kürzlich dazugekommen.

Das Zentrum der Aufmerksamkeit schien nicht das verschmierte Leintuch zu sein – oder das, was darunter lag –, sondern eine Blondine mit Notizbuch. Beck, Giggs, Bilborough: sie alle scharten sich wie Hündchen mit wedelnden Schwänzen um sie.

Detective Chief Inspector Bilborough war noch mit der allgemeinen Vorstellung beschäftigt, als Fitz und Penaligon ankamen, also mußte die Blondine erst vor kurzem aufgetaucht sein. »Detective Sergeant Beck«, hörte Fitz Bilborough sagen, und Beck streckte die Hand aus.

»Beck«, wiederholte die Frau nachdenklich. »Sind Sie derselbe Beck, von dem letzte Woche in allen Zeitungen die Rede war? Da war doch irgendwas mit einem Taschendieb und einem Bus?«

»Wenn Sie dort . . .«, begann Beck.

»Und dies ist Detective Sergeant Giggs«, setzte Bilborough hastig hinzu und schnitt damit Beck das Wort ab.

»Hallo, wie geht's?« begrüßte Giggs die Frau und grinste von einem Ohr zum anderen – sein rundes, jungenhaftes Gesicht strahlte wie ein Kaufhausschaufenster an Weihnachten. Nichts machte Giggs glücklicher, als einer attraktiven Frau zu begegnen. Er schüttelte ihr ausgiebig die Hand, als wollte er sie nie mehr loslassen.

»Sie arbeiten also alle in diesem Fall zusammen?« fragte die Frau, als es ihr endlich glückte, Giggs ihre Hand zu entziehen.

»Ganz recht«, bestätigte Bilborough. »Jeder von uns ist Teil des Teams.«

Die Leute schienen immer zu erwarten, daß ein Detective Chief Inspector gesetzt und grauhaarig war – aber Bilborough sah, zu seinem eigenen Mißfallen, sogar noch jünger aus, als er war. Menschen, die so ehrgeizig und erpicht darauf waren, ernst genommen zu werden, wie er, neigten zu Übertreibungen, das hatte Fitz schon oft beobachtet. Im Augenblick spielte er mit aufopfernder Hingabe den großzügigen Vorgesetzten, der immer bereit war, seiner

117

kleinen Bande von Untergebenen Wohlwollen entgegenzubringen.

»Wie lange?« erkundigte sich die Blondine und suchte in ihrer Tasche nach einem Stift.

»Solange die Ermittlungen dauern«, sagte Bilborough. »Zähigkeit – das ist alles, was einen guten Detective ausmacht. Wie ein Hund mit einem Knochen. Man verbeißt sich in einen Fall und läßt nicht mehr locker, bis er gelöst ist.«

Fitz hatte sich nicht mit einem Riesenkater aus dem Bett gewälzt, um unbeachtet herumzustehen und Bilboroughs blödsinnigem Geschwätz zuzuhören. Er trank noch einen großen Schluck Cola und rülpste laut und vernehmlich – diesmal mit voller Absicht.

Bilborough nahm endlich Fitz' Anwesenheit zur Kenntnis. »Nikki Price«, sagte er, als er die Blondine vorstellte. »Sie stellt Recherchen für die Lenny-Lyon-Fernsehshow an.«

Fernsehen. Deshalb überschlugen sich Bilborough und die anderen vor Freundlichkeit.

»Detective Sergeant Penhaligon«, sagte Bilborough, als Penhaligon der Journalistin die Hand gab und murmelte, wie schön es sei, sie kennenzulernen; ihre Miene sagte hingegen deutlich, daß sie gut darauf hätte verzichten können. Sie hatte nicht viel übrig für Journalistinnen mit tollen Frisuren und langen, perfekten Fingernägeln und fand es äußerst lästig, wenn sie die Männer wegen der aufregenden, schmutzigen und gefährlichen Polizeiarbeit bewunderten und *sie* ansahen, als wäre sie nur zum Teekochen da.

»Und Doktor Edward Fitzgerald«, setzte Bilborough hinzu und wies mit der Hand in Fitz' Richtung. »Wir bezahlen Fitz ein Honorar. Er hilft mir hin und wieder.« Er wartete, während sich Fitz und die Blondine begrüßten, dann rieb er sich die Hände, als wollte er sagen: Na, dann wollen wir mal. Er bückte sich, um unter dem hüfthohen Absperrungsband durchzukommen, das zwischen ihnen und der Leiche gespannt war. »Also gut, an die Arbeit«, sagte er und streifte Gummihandschuhe über, bevor er das blutbefleckte Leintuch hochhob. »Kevin Cormack, Kredithai.«

Nikki Price wandte sich ab und preßte die Hand auf den Mund. Sogar Fitz fand den Anblick schwer erträglich, doch er schrieb es seinem gewaltigen Kater zu, daß sein Magen einen plötzlichen Satz bis in die Kehle machte. Er schluckte mühsam und zwang sich, die Leiche anzusehen, sich jede Einzelheit einzuprägen, sich die Brutalität und Roheit des Angriffs vorzustellen. Zu verstehen, was sich hier abgespielt hatte.

Bilborough wandte sich an Penhaligon. »Würden Sie die Frau übernehmen? Tee und Mitgefühl, wir wollen erfahren, was sie über die Geschäfte ihres Mannes weiß. Sie kennen das Schema.« Dann nickte er Beck zu. »Jimmy, du gehst von Tür zu Tür, auf beiden Straßenseiten. Aussagen von allen.«

»Gut.« Beck trank den Rest Kaffee aus, zerknüllte den Plastikbecher in der Hand und machte sich auf den Weg.

Penhaligon blieb mit den Händen in den Hosentaschen und niedergeschlagenem Gesicht stehen, wo sie war.

»Ist alles in Ordnung?« fragte Bilborough.

»Ja, Sir.«

»Dann los!«

»Ja, Sir.« Sie drehte sich um und machte sich davon.

Bilborough hob den Blick und sah, daß Fitz sich die pochenden Schläfen rieb. »Sie sehen schlimmer aus als der hier, Fitz.«

»Danke.«

»Ungefähr um eins hat es zu regnen angefangen«, fuhr

119

Bilborough fort. »Er wurde um fünf gefunden. Das sind vier Stunden Regen – ohne die wären wir besser dran.«

»Ja.«

»Die Jungs von der Spurensicherung waren schon hier, Sie haben Murphy gerade verpaßt. Sie hat Fotos gemacht, der Film wird im Moment im Labor entwickelt«, berichtete Bilborough.

»Hmmm«, machte Fitz, ohne richtig zugehört zu haben. Bilborough plapperte nur drauflos, um die Fernsehjournalistin zu beeindrucken. *Polizeiroutine, verstehen Sie? Alles schrecklich kompliziert, wir müssen ungeheuer penibel vorgehen, aber ich hab' die Sache im Griff, alles ist unter Kontrolle.*

Fitz schlenderte durch die Gasse, sah sich eingehend um und dachte nach, während Bilborough Nikki Price fragte, ob es ihr gutginge und ob er ihr noch einen Becher Tee anbieten könne.

Etwa zwei Meter von der Leiche entfernt standen etliche große Abfalltonnen im Halbkreis neben einer Wand. Dahinter war genügend Platz für jemanden, der sich verstecken wollte, grübelte Fitz. Ihm fiel auf, daß die Backsteine, mit denen die Gasse gepflastert war, noch naß vom Regen waren und daß sich hinter den Mülltonnen eine Pfütze gebildet hatte – eine rechteckige Pfütze. Fitz rief nach Bilborough. »Welche Tatwaffe hat er benutzt?«

»Einen Stein.«

Fitz nickte. »Der kommt von hier«, sagte er und deutete auf die Pfütze zu seinen Füßen.

Bilborough drehte sich zu Giggs um. »Bringen Sie den Backstein her.«

Zwei Minuten später schob einer der Spurensicherer den in Plastik verpackten Stein in die Lücke – er paßte haargenau.

Jane Penhaligon lehnte mit verschränkten Armen an einem staubigen Metallregal, das bis zur Decke reichte und mit Elektrogeräten aller Art vollgestopft war, und überlegte, was sie zu der Frau sagen sollte, die vor ihr auf einem Klappstuhl saß und am ganzen Leibe zitterte.

Die Frau steckte sich eine selbstgedrehte Zigarette an und inhalierte den Rauch mit einem hektischen Atemzug. Man hatte Penhaligon erzählt, daß Kevin Cormack erst dreißig gewesen war; seine Witwe sah mindestens um zehn Jahre älter aus – mit zuviel Make-up und gebleichtem, strohigem Haar.

Jane Penhaligon ärgerte sich, daß Bilborough immer von ihr verlangte, mit den trauernden Angehörigen zu sprechen. Ein fünfzehnjähriges Mädchen wurde vergewaltigt und anschließend ermordet – *Sie* sagen es den Eltern, Penhaligon. Es ist leichter für sie, wenn *Sie* mit ihnen sprechen. Eine Frau kann so was besser. Ein Zwölfjähriger hat sich bei einem Unfall mit einem gestohlenen Auto den Schädel zertrümmert und liegt im Koma. Penhaligon, sagen *Sie* der Mutter Bescheid. Ich würde einen der Jungs darum bitten, aber sie packen so was immer falsch an, das wissen Sie.

Und jetzt sollte sie eine vollkommen Fremde, deren Mann erst vor einer Stunde mausetot in einer finsteren Gasse aufgefunden worden war, über seine Geschäfte ausfragen! Wie sollte sie das anfangen? Wie konnte überhaupt jemand so etwas fertigbringen?

Sie entschied sich für Direktheit ohne Umschweife. »Mrs. Cormack, was können Sie mir über die Geschäfte Ihres Mannes erzählen?«

»Wir haben zusammen einen Laden, haben Sachen gekauft und verkauft.«

Penhaligon betrachtete den Mischmasch von Gebrauchtwaren, die hier aufgestellt waren. Alles, angefangen von der Satellitenschüssel bis zu einem perlenbestickten Hochzeitskleid, wurde angeboten. Sie fragte sich, wieviel davon gestohlen war. Sie zog ihr Notizbuch aus der Tasche und listete die Gegenstände auf.

»Was tun Sie da?« fragte Mrs. Cormack.

»Ich mache mir ein paar Notizen. Woher haben Sie die Sachen?«

Sie zuckte mit den Achseln. »Von überall her. Flohmärkte, Hinterhofverkäufe, die Leute kommen von der Straße herein und bieten etwas an. Warum fragen Sie?«

»Reine Routine.«

»Oh.« Sie senkte den Kopf, ihre Schultern hoben und senkten sich, als müsse sie gegen ein Schluchzen ankämpfen. »Tut mir leid, Mrs. Cormack, ich weiß, wie schwer das alles für Sie ist. Aber Sie sagten einem meiner Kollegen, daß Ihr Mann wegen einer geschäftlichen Angelegenheit das Haus verlassen hat. Deshalb müssen wir herausfinden, was für ein Geschäft das war.«

Mrs. Cormack schloß die Augen und nickte – eine einzelne Träne glitzerte auf ihrer Wange.

Jane Penhaligon stieß sich von dem staubigen Regal ab und beugte sich zu der Frau. *Tee und Mitgefühl, Penhaligon. Sie kennen das Schema.* »Möchten Sie, daß ich Ihnen eine Tasse Tee koche, Mrs. Cormack?«

»Nein.« Mrs. Cormack schlug die Augen auf und sah, daß ihre Zigarette ausgegangen war. Sie kramte ein Feuerzeug aus der Tasche ihres Morgenrocks.

Jane Penhaligon richtete sich auf und widmete sich wieder ihren Pflichten. »Hat Ihr Mann gestern abend Anrufe entgegengenommen oder geführt?«

»Ich glaub' nicht.« Mrs. Cormack schüttelte den Kopf. »Ich weiß nicht.«

Penhaligon notierte sich, daß sie das bei der Telefongesellschaft überprüfen mußte. »Haben Sie Angestellte, Mrs. Cormack?«

»Kevin hat zwei Jungs, die ab und an aushelfen.«

»Ich brauche ihre Namen und Adressen.«

»In dem Schreibtisch da drüben ist ein Adreßbuch.«

»Und ich werde mir die Geschäftsbücher Ihres Mannes ansehen müssen – auch die Bankauszüge, Kreditkartenabrechnungen, Versicherungspolicen, Rechnungen, Korrespondenz . . .« Jane zuckte mit den Schultern und hob die Hände. »Einfach alles.«

»Ich dachte, Sie wären von der Polizei und nicht von der verdammten Steuerbehörde.«

»Es ist Routine«, versicherte Penhaligon. »Bei einem . . .« Sie hielt inne und verkniff sich gerade noch rechtzeitig, das Wort »Mordfall« auszusprechen. Sie wollte nicht, daß die Frau wieder anfing zu weinen. »Bei Ermittlungen dieser Art ist die Überprüfung der Unterlagen, um die ich Sie gebeten habe, reine Routine.«

»Es müßte alles im Schreibtisch sein«, sagte Mrs. Cormack. »Dort müßten Sie die Sachen finden.«

Jane ging zum Schreibtisch und räumte die Ordner, Briefe und Schnellhefter aus den Schubladen. »Ich nehme das mit aufs Revier«, erklärte sie. »Sie bekommen die Unterlagen zurück, sobald wir sie durchgesehen haben.«

»Mhm«, machte die Frau und zündete die Zigarette zum drittenmal an.

Jane Penhaligon machte einem Beamten, der auf dem Bürgersteig vor dem Laden stand, ein Zeichen. Er nahm den Stapel Papiere an sich und brachte ihn zu Janes Wagen. Sie selbst blieb bei der Witwe. Es wurde Zeit, mehr Einzelheiten über die vergangene Nacht in Erfahrung zu bringen. »Sie sagten, ein Mann hätte kurz vor eins an die Ladentür

123

geklopft«, begann Jane, nachdem sie in ihrem Notizbuch geblättert hatte.

Mrs. Cormack nickte, dabei verstreute sie Zigarettenasche über ihren Morgenrock. »Ungefähr um Viertel vor eins. Ja. Ich war oben.«

»Und Ihr Mann sagte Ihnen, daß er etwas Geschäftliches erledigen wollte?«

»Das sagte er. Ja.«

»Warum konnte er das Geschäft nicht hier abwickeln? Warum mußte er dazu in eine Seitengasse gehen?«

Cormacks Witwe starrte dumpf vor sich hin, dachte eine Weile nach und rauchte. »Verzögern sich dadurch die Zahlungen?«

»Sie meinen von der Versicherung?«

»Ja.«

Penhaligon wünschte, sie könnte sagen: Nein, die Zahlungen werden von den Ermittlungen nicht beeinflußt. Dann wäre die Frau vielleicht zugänglicher und würde nützliche Informationen preisgeben. »Ich weiß nicht«, sagte sie achselzuckend. »Möglich.«

Mrs. Cormack erschrak offensichtlich. »Oh!«

»Haben Sie den Mann gesehen?«

»Nein.«

»Haben Sie ihn gehört?«

Sie überlegte eine Weile, bevor sie sagte: »Ja.«

Ein Gedanke drängte sich Penhaligon auf. Sie bemühte sich um einen besonders sanften Tonfall – dies war eine äußerst heikle Situation. »Sie haben eine männliche Stimme gehört? Es war eindeutig eine *männliche* Stimme?«

Cormacks Witwe funkelte sie wütend an. »Würden Sie bitte aus meinem Laden verschwinden?«

Fitz stand neben den Abfalltonnen und dachte nach. Das Opfer war offenbar freiwillig in diese Gasse gegangen. Warum? »War dieser Cormack Drogenkonsument? Vielleicht ein Dealer?«

Bilborough schüttelte den Kopf. »Nicht daß ich wüßte. Wir werden das natürlich überprüfen.«

Fitz kratzte sich am Kopf. Jemand kam an seine Tür, ein anderer lag auf der Lauer. Cormack hatte nichts dagegen, mit der ersten Person mitzugehen, aber es widerstrebte ihm, seiner Frau genaue Auskunft zu geben, wer der Besucher war und wohin sie zusammen gingen.

Zwei Männer hoben Cormacks Leichnam auf eine Trage und brachten ihn weg. Während Bilborough und Giggs ihren gemütlichen Plausch mit Nikki Price fortsetzten, überquerte Fitz die Gasse und stellte sich an die Stelle, an der die Leiche gelegen hatte.

Bis jetzt war nur bekannt, daß der Schlag, der Cormack getötet und ihm den Schädel zertrümmert hatte, von hinten gekommen war. Aber Cormack mußte von oben in die Gasse eingebogen sein – die Kreuzung war ganz in der Nähe seines Ladens –, und die Mülltonnen standen ein Stück weiter unten.

Cormack war nicht an seinem Angreifer vorbeigegangen; er hatte nur ein paar Meter von der Kreuzung entfernt gestanden, als er getötet wurde.

Wieso hat er seinen Mörder nicht gesehen, als er auf ihn zukam? Weil er woanders hingeschaut hat? Er stand mit dem Gesicht vor der Wand. Aber warum hat er die Schritte nicht gehört?

Er muß beschäftigt gewesen sein.

Fitz ahnte, was seine Aufmerksamkeit so sehr in Anspruch genommen hatte, aber er war noch nicht ganz sicher. Er nahm seine Nickelbrille mit den halben Gläsern aus der

Brusttasche, setzte sie auf und untersuchte die Hauswand genauer. Er ging ein paar Schritte an der Mauer entlang und stieg über den Abfall, der aus einer umgekippten Tonne gefallen war, und dann sah er es. Am liebsten hätte er laut »Hurra!« geschrien. Seine Vermutung traf zu . . . Sein Pferd löste sich nach der Hälfte der Strecke vom Hauptfeld und preschte vor über die Ziellinie – Quote fünfzehn zu eins! *Er hatte recht!*

»Sie waren zu zweit«, verkündete er. »Ein Mann, eine Frau.«

Bilborough, Giggs und Nikki Price drehten sich gleichzeitig zu ihm um.

Fitz deutete auf die Stelle, wo die Leiche gelegen hatte. »Die Frau hat ihn hergeführt, um Sex mit ihm zu machen. Der Mann lauerte in seinem Versteck«, er richtete den Zeigefinger auf die Mülltonnen auf der anderen Straßenseite, »dort. Er ist kräftig. Er glaubt, er kann ihn mit bloßen Händen töten. Dann überlegt er es sich doch anders. Zieht den Stein heraus, und . . .« Er hob eine Hand und ließ sie niedersausen, als er demonstrierte, wie jemand einem Menschen von hinten den Schädel mit einem Stein einschlug.

»Absoluter Blödsinn«, urteilte Bilborough und zog eine große Show vor der Fernseh-Frau ab.

Fitz sah erst Bilborough, dann Nikki Price an. Dann faßte er in seine Hosentasche und zog einige Geldscheine heraus. »Fünfundvierzig Pfund«, verkündete er und hielt das Geld hoch, damit Bilborough es begutachten konnte.

»Wir führen hier Ermittlungen in einem Mordfall durch«, ermahnte Bilborough ihn würdevoll.

Fitz wedelte herausfordernd mit den Scheinen. »Sie nehmen den Mund ziemlich voll. Wenn Sie so sicher sind, will ich Kohle sehen.«

Bilborough zögerte einen Moment, ehe er seine Hand in der Jackettasche versenkte, seine Brieftasche herausnahm und fünfundvierzig Pfund abzählte. Dann deutete er auf den Punkt, an dem Cormack gefunden worden war. »Das ist Ihr Irrtum, Fitz. Cormack wurde *hier* ermordet, stimmt's? Man geht nicht in eine Seitengasse, um Sex zu haben, und stellt sich dann unter eine Straßenlaterne.« Er gab Giggs das Geld zur Aufbewahrung. »Paß darauf auf.«

Giggs grinste breit und winkte der blonden Journalistin zu.

»Sie ist kaputt«, sagte Fitz und übergab sein Geld auch dem feixenden Giggs.

Bilborough schüttelte äußerst selbstzufrieden den Kopf. »Ist sie nicht, das hab' ich gecheckt.«

Diese Neuigkeit ernüchterte Fitz sichtlich. Aber Straßenlaterne hin oder her – er wußte, daß er recht hatte. »Holt Penthesilea her«, sagte er.

Penhaligon erschien am Ende der Gasse und marschierte direkt auf Bilborough zu. »Sir, ich möchte etwas sagen. Mir ist da ein Gedanke gekommen.«

»Später«, fertigte Bilborough sie ab. »Fitz braucht Sie jetzt.«

»Aber, Sir . . .«

»Penthesilea«, rief Fitz. »Kommen Sie her, ich brauch' Sie.«

»Ich unterhalte mich in einer Minute mit Ihnen«, versprach ihr Bilborough.

Sie ging zu Fitz. »Was wollen Sie, Fitz?«

Fitz schob sie in eine Position, in der sie mit dem Gesicht zur Straßenlaterne, aber weit genug weg von der Mauer stand, so daß Spuren und Beweise nicht verwischt wurden. »Ich möchte, daß die Wand nach Haaren abgesucht wird«, erklärte er Bilborough, als sich Giggs, der laut Fitz' Anwei-

sung Cormacks Part übernehmen sollte, vor Penhaligon
aufbaute.

»Ich wußte, daß eine Frau an die Ladentür geklopft hat«,
machte Jane Giggs klar. »Ich wußte es die ganze Zeit. Ich
hab' versucht, ihm das zu sagen.« Sie zeigte auf Bilborough.
»Aber er hört ja nicht zu.«

»Komm schon, Jane«, beschwerte sich Giggs. »Du sollst
mich verführen und richtig scharf machen. Los, mach mich
an!«

Sie blies ihm einen Kuß zu. Giggs stöhnte und streckte
ihr die Zunge heraus.

»Du warst in der Schauspielschule, hab' ich recht?«
fragte Penhaligon kichernd.

Fitz spielte den Angreifer und kam aus dem Versteck
hinter den Abfalltonnen. »Er kommt heraus, geht weiter.«
Fitz hielt hinter Giggs an, hob beide Arme. »Bang, bang,
bang«, sagte er und klopfte Giggs leicht auf den Kopf.
»Giggsy fällt um.«

Jane Penhaligon bog sich vor Lachen, als Detective Sergeant Giggs die Augen dramatisch verdrehte und langsam
auf das Pflaster sank.

»Er faßt seine Komplizin bei der Hand. Sie rennen da
entlang.« Fitz hielt Jane Penhaligon die Hand hin, sie ergriff
sie, und sie entfernten sich, gefolgt von allen anderen, vom
Tatort.

Fitz wandte sich an Nikki Price. »Erinnern Sie sich an
die Soldaten, die vom Krieg auf den Falklands zurückka-
men?«

»Einigermaßen«, entgegnete sie verwirrt.

»Erinnern Sie sich an all die Frauen am Kai, wie sie mit
ihren Höschen und BHs gewunken haben? Patriotismus?«
Er schüttelte den Kopf und beantwortete die Frage selbst.
»Nein. *Begierde.* Einige dieser Männer hatten getötet, und

diese Frauen waren heiß auf sie.« Sie blieben neben einer umgefallenen Mülltonne stehen, eine zerrissene Plastiktüte lag auf dem Boden – es stank nach Fisch und Abfall. Fitz drehte sich zu Jane Penhaligon um. »Was ist der Tod, Penthesilea?« fragte er wie ein geduldiger Lehrer seine Lieblingsschülerin.

»Das wirksamste Aphrodisiakum der Welt«, antwortete sie artig.

»Richtig«, lobte Fitz. »Dort«, fuhr er fort und zeigte auf den Boden, »liegt ein Knopf von einer Levi's. Jemand hat in aller Eile seine Hose aufgemacht.«

Bilborough warf Beck einen Blick zu, der einen unausgesprochenen Befehl enthielt. Beck bückte sich und hob den Knopf mit einem Taschentuch auf.

»Und da«, setzte Fitz hinzu, während er den Zeigefinger auf die Steinmauer richtete, »sind lange Haare.«

Giggs und die anderen kamen näher, um besser sehen zu können.

Fitz packte Jane Penhaligon an den Schultern – die Demonstration war noch nicht vorbei. »Folgendes ist passiert: Sie rennen weiter, stolpern und fallen.« Er neigte sich leicht zu einer Seite und zog Jane mit sich. »Sie helfen sich gegenseitig auf.« Er und Penhaligon richteten sich wieder auf. »Sie haben Angst. Aber sie sind auch angetörnt. Also . . .« Er stellte sich vor Penhaligon. »Entschuldigung«, sagte er, als er die Arme um ihre Taille schlang und sie an sich zog. »Er drängt sie gegen die Wand, zerrt an seiner Hose. Der Knopf reißt ab, und sie haben Sex.«

Er neigte den Kopf nach vorn und starrte Penhaligon in die Augen. »Großartigen Sex. Welterschütternden Sex – acht Komma neun auf der Richterskala. Massenevakuierung in Südkalifornien. Aufregender, ungeheuerlicher, markerschütternder Sex.«

»Du bist krank«, sagte Bilborough und ging.

Nikki Price und die anderen folgten ihm, und Fitz und Penhaligon waren plötzlich allein.

»Acht Komma neun?« fragte Penhaligon mit hochgezogenen Augenbrauen.

»Mehr oder weniger, ja.«

Nikki Price wartete an der Kreuzung und hakte sich bei Fitz unter. »Verzeihen Sie, Doktor Fitzgerald. Kann ich Sie eine Minute sprechen?«

Er sah Penhaligon fragend an.

»Ich warte im Wagen auf Sie«, sagte sie und machte sich auf den Weg.

Giggs hockte mit verschränkten Armen auf der Motorhaube. »Du hast dir richtig lange Zeit gelassen mit dem Doktor, wie?«

Penhaligon holte tief Luft und biß sich auf die Lippe. »Was willst du damit sagen?«

Er hob abwehrend die Hände. »Nichts.« Er faßte in seine Tasche und förderte ein kleines Origami-Einhorn zutage. »Hier, speziell für dich gemacht«, sagte er und gab es ihr.

»Meine Güte, Giggsy«, sagte sie. »Ein Einhorn? Laß mich raten – *Blade Runner* lief gestern abend im Fernsehen, stimmt's?«

»Nee«, erwiderte er. »Emma hat das Video ausgeliehen. Das erinnert mich an was – du kommst doch heute, oder?«

Sie schüttelte den Kopf. »Ich weiß nicht so recht. Ich bin ziemlich müde.« Sie deutete auf den Papierstapel auf ihrem Rücksitz. »Und außerdem muß ich das ganze Zeug durchsehen.«

»Wir«, korrigierte Giggs. »Wir müssen das Zeug durchsehen. Bilborough möchte, daß wir zusammen daran arbeiten. Es sei denn, du willst dich lieber mit Dirty Harry junior zusammentun.«

»Mit Beck zusammentun? Freiwillig? Du machst wohl Witze!«

13

»Das Ärgerliche an Fitz ist«, sagte Judith und lehnte sich im Sessel im Büro ihres Therapeuten zurück, »daß nichts mit ihm einfach ist.«

Alles um sie herum war braun. Der Sessel, in dem sie saß, war mit braunem Leder bezogen. Die Wände waren mit dunkelbraunem Holz getäfelt. Eine braune Schachtel mit Papiertüchern stand auf einem kleinen braunen Tisch in Reichweite des Sessels. Graham, der in der Nähe hockte, trug eine braune Hose, eine braune Jacke und braune Schnürschuhe aus Wildleder. Das Gestell seiner Brille war auch braun. Graham strich geistesabwesend über seinen braunen Schnauzbart.

»Es ist alles so verdammt kompliziert«, fuhr sie fort. »Egal, was man sagt, es gibt immer eine versteckte Bedeutung für ihn. Egal, was man tut, hinter allem steckt ein Motiv.«

Graham zuckte mit den Schultern. »Möglicherweise hat er recht, Judith.«

»Das ist nicht der springende Punkt«, beharrte sie. »Das Leben mit ihm ist ein langes, kompliziertes Spiel auf verschiedenen Ebenen, und man ist sich nie über die Regeln im klaren. Früher mochte ich dieses Spiel, Graham. Aber jetzt habe ich es bis obenhin satt, und ich will nicht mehr mitspielen.«

Graham ging, die Hände in den Hosentaschen, zum Fenster. Staubpartikel tanzten in einem Sonnenstrahl und verschwanden wieder, als sich die Sonne hinter einer Wolke versteckte. In einem anderen Raum in der Nähe klingelte ein Telefon. »Warum regt es Sie so sehr auf, daß er spielt, Judith?«

Sie schüttelte verwirrt den Kopf. »Was meinen Sie mit warum?«

Graham rutschte die Brille über die Nase. Er schob sie wieder hinauf. »Ich meine: warum.«

»Das ist doch offensichtlich, oder nicht? Es ist eine Besessenheit, eine Sucht. Und er weiß das, Graham. Er weiß es, aber es ist ihm egal. Er denkt: Na und? Wenn ich mich und meine Familie zerstöre, ist das nur ein Teil des großen Spiels. Es ist alles Teil desselben verdammten Spiels!«

»Ist das der einzige Grund?«

Judith fiel der Unterkiefer herunter. »Reicht das denn nicht?«

»Ich hab' Sie nicht gefragt, ob das reicht«, ermahnte Graham sie. »Ich will wissen, ob das der einzige Grund ist.«

»Ich weiß es nicht, Graham«, sagte sie und rieb sich die Stirn. »Manchmal denke ich daran, was wir hatten: das Haus, die Kinder, Jobs, die wir gern machen, und dann frage ich mich immer: Warum hat das nicht genügt? Sicher würden sich die meisten Menschen damit zufriedengeben, oder nicht? Warum hat es ihm dann nicht gereicht? Warum war es nicht genug für ihn?« Sie machte eine Pause und warf seufzend den Kopf zurück. »Vielleicht ist es das, Graham. Vielleicht sehe ich seine Spielsucht als aufregende, exotische Geliebte an, mit der ich nicht konkurrieren kann. Daß ich keine Chance in dem Konkurrenzkampf habe. Vielleicht bin ich das Problem. Vielleicht genüge ich ihm einfach nicht.«

Graham setzte sich auf das Fenstersims und starrte auf seine Füße. »Ich denke, Sie würden jedem Mann vollauf genügen«, sagte er schließlich. Er stand auf und ging zu seinem Schreibtisch. »Ich streiche unseren nächsten Termin, Judith. Ich kenne eine wirklich sehr gute Therapeutin. Ihre Praxis ist um die Ecke, in Deansgate, und ich bin sicher, sie freut sich, Sie zu übernehmen.«

»Mich zu übernehmen? Wovon reden Sie überhaupt?«

»Judith, ich versuche Ihnen klarzumachen, daß ich Sie nicht mehr als meine Patientin ansehen kann. Ich kann nicht Ihr Therapeut sein.«

Judith richtete sich entsetzt auf. »Aber wieso? Ich verstehe nicht. Habe ich irgend etwas Falsches gesagt? Etwas getan?«

Graham schüttelte den Kopf. »Es geht um Berufsethos, Judith. Ich darf keine persönliche Beziehung zu einer Patientin haben; das wäre nicht richtig. Und dabei wünsche ich mir so sehr eine Beziehung mit Ihnen.«

Judith wollte etwas sagen, aber er hob abwehrend die Hand.

»Eine platonische Freundschaft«, sagte er, »mehr schlage ich Ihnen nicht vor. Ich hätte gern, daß Sie mich als Freund betrachten.«

Fitz suchte sich absichtlich den Schreibtisch aus, der der Kaffeemaschine am nächsten stand. Die Tatsache, daß der Platz in der hintersten Ecke und am weitesten von allen anderen weg war, wertete er als weiteren Pluspunkt. Er ließ seinen Becher nochmals vollaufen und wünschte, er hätte die Besprechung mit der Mannschaft der Mordkommission schon hinter sich, damit er nach Hause gehen und sich noch eine Stunde aufs Ohr legen konnte, ehe er ins Fernsehstudio mußte. Aber bis jetzt hatte die Besprechung noch nicht einmal angefangen. Die Hälfte der Leute war noch nicht eingetrudelt. Die andere Hälfte saß herum und schwatzte. Was für eine Zeitverschwendung! Fitz spürte, daß ihm die Augen zufielen.

Er hörte jemanden pfeifen und machte die Augen auf. Giggs heftete die vergrößerte Fotokopie einer Aufnahme von Beck an die Pinnwand – unter dem Foto stand: *Go ahead punk, make my day.*

Giggs drehte sich um und sah, daß Fitz ihn beobachtete. »Er wird fuchsteufelswild, wenn er das sieht«, sagte Giggs grinsend. Penthesilea in der anderen Ecke kicherte wie ein Schulmädchen.

»Sehr komisch«, sagte Fitz.

Weitere Polizisten kamen herein. Schließlich verteilten sich vierzehn oder fünfzehn Leute im Raum – etwa die Hälfte in Uniform –, alle von Bilborough, der die Ermittlungen leitete, ausgesucht.

Beck und Bilborough kamen zusammen. Beck nahm an seinem Schreibtisch Platz; Bilborough blieb stehen. Keiner von beiden bemerkte Giggs' Poster, und das veranlaßte Giggs und Penthesilea, sich immer wieder gegenseitig mit den Ellbogen in die Seite zu stoßen.

Fitz' Augen fielen wieder zu.

»Ist alles in Ordnung mit euch beiden?« erkundigte sich Bilborough bei Penhaligon.

»Ja, Sir. Alles bestens.«

Giggs versuchte, sein Lachen zu verbergen, und tat so, als müßte er niesen.

»Was dagegen, wenn wir jetzt anfangen?« fragte Bilborough ihn gehässig. »Das heißt, natürlich nur, wenn Sie bereit sind.«

»Nein, Sir«, sagte Giggs. »Ich meine, ja, Sir.« Er riß die Hände hoch. »Was auch immer.«

134

»Gut«, sagte Bilborough. »Jimmy?«

»Die Frau hab' ich überprüft«, berichtete Beck. »Kein Liebhaber. Keine Geldprobleme.« Er blätterte in seinem Notizbuch. »Er hat eine Lebensversicherung – dabei geht's eigentlich nur um Peanuts. Außerdem hat er einiges auf die Seite geschafft, aber davon wußte sie nichts. Sie ist sauber.«

Bilborough sah Penhaligon an.

»Giggsy und ich sind die Papiere durchgegangen und auf eine Liste von Namen und Adressen gestoßen.«

»Es sind 'ne Menge Namen«, ergänzte Giggs.

»Wir glauben, daß das Leute sein könnten, die ihm Geld schuldeten. Also, wenn es recht ist«, fuhr Penhaligon fort, »teilen wir die Namen der Liste auf – ich befrage die eine Hälfte, Giggs die andere.«

»Ja, gut«, sagte Bilborough.

»Irgendwelche Frauen auf der Liste?« flüsterte Giggs Penhaligon zu. »Ich übernehme mit Freuden alle Frauen.«

»Halt den Mund, Giggsy«, gab sie zurück. »Eines Tages werde ich Emma alles über dich erzählen.«

»Das würdest du nicht tun.«

»Seid ihr beide fertig?« fragte Bilborough.

»Ja, Sir«, erwiderte Penhaligon und blitzte Giggs scharf an.

»Gut.« Bilborough wandte sich an alle im Raum. »Ich war oben, um Überstunden zu beantragen. Noch gibt es keine Genehmigung. Bis dahin nutzen wir alle Möglichkeiten, die uns zur Verfügung stehen. Fitz ist eine davon . . .«

Fitz riß die Augen auf, als er seinen Namen hörte. Beck, auf der anderen Seite, lachte boshaft.

»Jimmy«, schimpfte Bilborough verärgert. »Jimmy! Er ist nicht die Quelle aller Weisheit, aber wir bezahlen ihm gutes Geld. Also halt den Mund und hör ihm zu, wenn er etwas zu sagen hat.«

Beck schwieg.

»Also«, fuhr Bilborough fort, »ihr habt alle das Täterprofil vorliegen. Prägt es euch ein. Wir geben es morgen früh an die Presse weiter, okay?«

Fitz räusperte sich. »Heute abend.«

»Was?«

»Ich bin heute abend in Lenny Lyons Show.«

Bilborough blieb der Mund offenstehen. »Sie gehen zu Lenny Lyon?« vergewisserte er sich noch einmal.

»Ja.«

»Aber sie wollte *mich*!«

Alle tauschten bedeutsame Blicke; Beck schüttelte sich vor unterdrücktem Lachen.

Fitz zuckte mit den Achseln. »Sie muß wohl ihre Meinung geändert haben.«

Bilborough funkelte Beck böse an, ehe er sich wieder an Fitz wandte. »Wieso?«

»Ich weiß es nicht«, erwiderte Fitz aufgebracht.

Bilborough fuhr zu Beck herum. »Kitzelt dich etwas, Jimmy? Hast du einen guten Witz gehört?«

Beck schüttelte den Kopf und kämpfte um Beherrschung. »Nein.«

»Jimmy.« Bilborough baute sich vor ihm auf. »Wenn du einen guten Witz gehört hast, dann wollen wir alle darüber lachen.«

»Ich hab' keinen gehört, Boss.«

Bilborough drehte sich wieder zu Fitz um. »Ich habe für morgen früh eine Pressekonferenz anberaumt. Bis dahin halten Sie den Deckel drauf. Sie sagen kein Wort über den Fall, auch nicht bei Lenny Lyon, verstanden?«

»Verstanden«, sagte Fitz – er war zu müde für einen Streit.

Bilborough marschierte in sein Büro und schlug die Tür zu. Beck trommelte mit den Fäusten auf seinen Schreibtisch und grölte vor Lachen. Dann drehte er sich um und entdeckte das Poster an der Pinnwand. »Hey«, rief er und sprang auf, »was, zum Teufel, soll das sein?«

Alle brachen in schallendes Gelächter aus.

»Ich finde das nicht komisch«, sagte Beck und riß das Poster herunter. Giggs lachte so sehr, daß er vom Stuhl fiel.

14

Jane Penhaligon ging durch das offene Tor eines Schrottplatzes. Sie entdeckte zwei Beine, die unter einem verbeulten Autowrack herausragten. »Gary Langston?«

Die Beine rutschten vor, ein breiter Oberkörper und ein rasierter Schädel kamen zum Vorschein. »Wer will das wissen?«

»Ich.« Sie hielt ihm ihren Ausweis entgegen. »Sind Sie Gary Langston?«

Er lachte laut. »Ich schätze, die Beschreibung paßt auf mich.«

»Wie bitte?«

»Ja, das bin ich, Süße.« Er richtete sich langsam auf. Er war mindestens einsfünfundneunzig groß, zweihundertdreißig Pfund schwer und entweder ein Ex-Soldat, oder er kaufte seine Klamotten in einem Armeeladen. Er trug ein dunkelgrünes T-Shirt, eine weite, ausgebeulte Tarnhose und dicke schwarze Schnürstiefel. Seine muskulösen Arme waren mit Tattoos bedeckt. Er verschränkte sie vor der mächtigen Brust und fragte: »Sind Sie hier, um mich zu verhaften?«

Sie hob den Kopf, um ihm in die Augen sehen zu können. »Hätte ich denn Grund, Sie festzunehmen?«

Er schüttelte den Kopf. »Kein Grund. Das war bloß ein Witz.«

»Vielleicht fällt Ihnen doch etwas ein, weshalb Sie verhaftet werden müßten.«

»Ich hab' doch gesagt, es war ein Witz, Süße. Das ist das Problem mit euch – ihr habt überhaupt keinen Sinn für Humor.«

»Ja. Traurig, nicht wahr?« Sie neigte den Kopf in Richtung Autowrack. »Sie versuchen, das zu reparieren? Sieht für mich aus wie ein totaler Schrotthaufen.«

»Deshalb hab' ich das Ding umsonst gekriegt. Wenn ich's wieder zum Laufen bringe, mache ich einen kleinen Profit. Das ist freies Unternehmertum, Süße. Aber deshalb sind Sie nicht hier, oder?«

»Kennen Sie einen Mann namens Kevin Cormack?«

»Ja, ich kannte ihn. Hab' hin und wieder für ihn gearbeitet.«

Für ihn gearbeitet, dachte sie, das macht Sinn. Wahrscheinlich als Geldeintreiber. Wenn so einer auf der Türschwelle auftaucht, haben die meisten Menschen Todesangst. Ihr fiel auf, daß er in der Vergangenheitsform von Cormack redete. »Dann wissen Sie also schon, daß er tot ist?«

»So was spricht sich rum.«

»Irgendeine Idee, wer ihn lieber tot sehen wollte?«

Er lachte. »Und ich dachte tatsächlich, Sie hätten keinen Humor.«

Detective Sergeant George Giggs klopfte an die Tür eines Reihenhauses. Eine Frau öffnete, ließ aber die Kette vorgelegt. »Ja?«

»Mrs. Marjorie Chapman?«

Die Frau nickte.

Giggs zeigte ihr seinen Dienstausweis. »Polizei. Kann ich bitte reinkommen?«

Sie löste die Kette, machte die Tür weiter auf, und Giggs trat ein. Im Flur roch es nach Moder und Schimmel. Die Tapete blätterte von den Wänden ab. Giggs legte die Hand auf einen dunklen Fleck; er fühlte sich naß an. Er betrachtete die Scheuerleisten am Boden und sah etwas, was wie Pilz aussah. »Dagegen sollten Sie etwas unternehmen«, sagte er.

»Das würde ich ja gern, aber dafür braucht man Geld«, erwiderte Mrs. Chapman hustend. »Für alles braucht man Geld.«

Giggs sah die Frau an. Sie war in etwa im selben Alter wie er, sah aber wesentlich älter aus. Übergewichtig, mit krausem, angegrautem Haar und tiefen Falten um Augen und Mund. Sie trug pinkfarbene Leggins und ein weites graues Sweatshirt – beides schmeichelte ihr nicht besonders. Sie öffnete die Tür zu einem kleinen, kahlen Wohnzimmer. Es war fast unmöbliert – ein schmales Sofa stand an der Wand, eine schlichte Glühbirne hing von der Decke, gelbe Vorhänge vor dem Fenster, ein dünner brauner Teppich auf dem Boden, das war alles.

»Nehmen Sie Platz«, bot sie Giggs mit einer Geste zum Sofa an.

»Ist schon gut«, erwiderte Giggs und blieb stehen. »Es dauert nur eine Minute.« Er holte sein Notizbuch aus der Tasche. »Soweit ich weiß, kennen Sie einen Mann namens Kevin Cormack.«

Sie warf ihm einen argwöhnischen Blick zu. »Was soll das alles?«

»Kevin Cormack«, wiederholte Giggs noch einmal. »Kennen Sie ihn?«

»Ja, ich kenne ihn«, gab sie zaghaft zu.

139

»Wissen Sie, daß er ermordet wurde?«

»Er ist tot? Sie wollen mir erzählen, daß Cormack tot ist?«

Giggs nickte.

Sie sank auf das Sofa und stützte den Kopf in die Hände. »Ich glaube das nicht«, sagte sie. »Ich glaube es einfach nicht.«

Giggs blies die Wangen auf. »Tut mir leid, Mrs. Chapman. Ich wollte nicht so mit der Tür ins Haus fallen; ich nahm an, Sie wüßten es bereits. Alle, mit denen ich bis jetzt gesprochen habe, haben es in den Fernsehnachrichten gesehen oder . . .« Er starrte an die Decke und suchte nach etwas, was sie trösten könnte. »Es tut mir schrecklich leid.«

»Es tut Ihnen leid?« Sie hustete wieder – laut und abgehackt. Sie schaute Giggs an, der unbehaglich von einem Bein auf das andere trat, und zog ein zerknittertes Taschentuch aus ihrem Hosenbund. »Ihnen tut es vielleicht leid«, fuhr sie fort, »aber mir fällt ein Stein vom Herzen.« Sie wedelte mit dem Taschentuch durch die Luft. »Sehen Sie sich um. Er hat das gemacht. Er kam mit seinen Schlägern rein und räumte die Wohnung aus. Er nahm den Fernseher, die Stereoanlage, die Mikrowelle, einfach alles. Dann behauptete er, ich würde ihm immer noch Geld schulden! Er sagte, er wolle zurückkommen. Und jetzt, wenn das, was Sie sagen, stimmt . . . Es stimmt doch, oder?«

Giggs nickte.

»Das heißt, er kommt nicht mehr. Nie wieder.« Sie putzte sich die Nase und steckte das Taschentuch wieder unter den Hosenbund. »Wissen Sie, was das ist? Das ist der glücklichste Tag meines Lebens.«

Jane Penhaligon atmete tief durch und sammelte sich für das Kommende. Es würde nicht leicht werden. *Eine heikle*

Geschichte, Penhaligon, sollte eine Frau übernehmen. Sie wissen, wenn ich einen der Jungs hinschicke, dann gibt's nur Ärger.

»Scheiß drauf«, murmelte sie und drückte auf die Klingel. Eine ältere Frau streckte den Kopf aus einem der oberen Fenster. »Hauen Sie ab!« schrie sie. »Verschwinden Sie, oder ich hol' die Polizei!«

Jane trat zurück, damit die Frau sie sehen konnte. »Ich bin die Polizei. Detective Sergeant Penhaligon, Anson Road. Ich war heute morgen schon mal hier. Ich muß mit Mrs. Cormack sprechen; ist sie da?«

Der Kopf der Frau verschwand, und Penhaligon hörte schwere Schritte auf der Treppe, dann wurde die Ladentür aufgemacht. Die Frau, die vor ihr stand, war relativ klein, mit schmalen, faltigen Lippen und dauergewelltem, blausilbrigem Haar. »Was ist jetzt schon wieder? Warum können Sie meine Tochter nicht in Ruhe lassen?«

Das beantwortete Jane Penhaligons unausgesprochene Frage, wer die Frau war. Sie bemühte ihren sanftesten, beruhigendsten Tonfall und beteuerte, daß es äußerst wichtig für sie sei, mit Mrs. Cormack zu sprechen, und daß es nur ein paar Minuten dauern würde. Die Frau trat widerwillig beiseite und ließ sie herein.

»Sie schon wieder«, sagte Mrs. Cormack und kniff die Augen zusammen. Sie lag auf einem Sofa im Wohnzimmer, der Kopf ruhte auf einem Stapel Kissen, und auf ihren Füßen lag ein Federbett. Sie balancierte ein Glas mit hellbrauner Flüssigkeit auf dem Bauch und hielt es mit einer Hand fest. Sie hatte immer noch denselben Morgenrock an wie am Vormittag. Ihr verhärmtes Gesicht – diesmal ganz ohne Make-up – war rot und aufgequollen vom vielen Weinen. Eine halbleere Flasche *Jack Daniels* stand auf dem Tisch neben ihr. »Was, zur Hölle, wollen Sie von mir?«

»Tut mir leid, daß ich störe, Mrs. Cormack. Aber ich brauche eine Probe von Ihrem Lippenstift.«

»Lippenstift?« wiederholte sie. »Was wollen Sie . . .« Sie hob das Glas an den Mund und leerte es mit einem Schluck. »Wie können Sie es wagen, herzukommen und so verdammte Anzüglichkeiten auszusprechen? Was glauben Sie eigentlich, wer Sie sind? Sie machen mich krank. Verdammt, ich könnte kotzen.«

Wenigstens Emma Giggs schien sich zu freuen, sie zu sehen. Kurz nach acht Uhr klingelte sie an der Haustür der Familie Giggs. Joanna, die vierzehnjährige Tochter, öffnete ihr. Joanna war das vollkommene Abbild ihres Vaters mit welligem dunklem Haar und einem runden verschmitzten Gesicht, nur ihre Kleidung war zu extrem: eine schwarze Lederjacke mit Ketten, ein kurzer Rock mit Leopardenmuster und Doc-Martens-Stiefel.

»Hi, Jane. Tschüs, Jane«, sagte Joanna und huschte an ihr vorbei.

Jane ging ins Haus und sah Emma in der Küchentür. »Sie geht zu einer Freundin«, erklärte Emma. »Sie sagt, sie wollen an einem Projekt für die Schule arbeiten.« Sie zuckte mit den Schultern. »Und Schweine können vielleicht fliegen, stimmt's?«

»Vielleicht«, stimmte Penhaligon zu und schloß die Haustür.

Emma verschwand in der Küche. »Komm rein. Wir reden miteinander, während ich den Salat mache«, rief sie.

Jane Penhaligon ging zur Küche. Emma stand vor der Arbeitsplatte und schnitt Tomaten. Sie trug wie immer ein T-Shirt und Jeans. Ihr dunkles Haar war fast so kurz wie das ihres Mannes, sie hatte nur ein paar Fransen in ihr molliges Gesicht gekämmt. Jane hatte Giggsy einmal

142

scherzhaft gefragt, wie es sei, mit der eigenen Zwillings-
schwester verheiratet zu sein – die beiden glichen sich
tatsächlich fast wie ein Ei dem anderen.

»Kann ich irgendwas helfen, Emma?«

»Klar kannst du das. Setz dich und erzähl mir alles über
dein Liebesleben«, forderte Emma sie augenzwinkernd auf.
»Ich möchte Namen, Daten und Orte.« Giggsy und Emma
hatten auch dieselbe Redeweise.

Jane setzte sich an den Küchentisch. »Da gibt's nicht viel
zu erzählen.«

»Ist Peter schon bei dir eingezogen?«

Jane schüttelte den Kopf.

Emma legte das Messer weg und hielt einen Kopf Eis-
bergsalat unter das kalte Wasser. »Warum nicht? Er scheint
ein netter Kerl zu sein, Jane.« Sie wies mit dem Kinn auf
die Flasche, die auf dem Tisch stand. »Ach, übrigens,
bedien dich mit Wein. Vielleicht löst das deine Zunge, wenn
du weißt, was ich meine. Ein kleiner Schubs schadet
nie.«

Penhaligon seufzte und goß sich ein Glas ein. »Ich hab'
dir doch gesagt, daß ich viel zu tun habe. Und . . .« Sie
zögerte und biß sich auf die Lippe.

»Und was?«

»Und ich habe jemand anderen kennengelernt. Na ja,
sozusagen.«

Emma legte den Salat weg und setzte sich an den Tisch.
»Was meinst du mit sozusagen?«

»Ich meine . . . nichts, ehrlich.« Sie trank einen Schluck
von dem Wein. »Wie soll ich das ausdrücken? Er ist abscheu-
lich, laut und anmaßend. Ich finde ihn nicht mal körperlich
anziehend. Und er ist verheiratet. Er lebt getrennt, um
genau zu sein. Seine Frau hat ihn verlassen, weil er trinkt
und spielt.«

Emma spitzte die Lippen. »Klingt wie eine echt gute Partie, Jane.«

»Aber er hat etwas, weißt du? Er bringt einen ständig auf die Palme, aber er ist auch irgendwie charmant. Und er hat 'ne Menge hier drin.« Sie tippte sich an die Stirn. »Das ist das Problem, glaube ich. Er hat zuviel da drin.« Sie merkte, daß Emma sie zweifelnd musterte. »Keine Angst, Emma. Ich habe nicht die Absicht, mich zum Narren zu machen. Ich werde keine Dummheiten anstellen; soweit ich weiß, könnte seine Frau ihn morgen zurückhaben. Sogar schon heute abend.«

»Diese Möglichkeit besteht immer«, meinte Emma und bediente sich mit Wein. »Kenne ich ihn?«

Jane schüttelte verneinend den Kopf. »Aber Giggsy kennt ihn.« Sie beugte sich vor und berührte Emmas Arm. »Versprich mir, daß du ihm nichts davon sagst. Du weißt ja, wie er ist – ich könnte es genausogut in die Zeitung setzen.«

Emma verdrehte die Augen: »Ha! Sehe ich aus wie ein Dummkopf? Mach dir keine Gedanken, ich erzähle George nie etwas.«

Giggs tauchte in der Tür auf – in Jeans und Pullover, seine Haare waren noch naß von der Dusche. »Was sollst du mir nicht erzählen?«

»Das geht dich nichts an«, entgegnete Emma entschlossen. »Jane und ich haben ein Recht auf ein paar kleine Geheimnisse.«

»Es geht doch nicht um Fitz und sie, oder? Das ist kein Geheimnis; das ganze Revier redet seit Wochen über die beiden.«

Jane blieb der Mund offenstehen. »Was reden sie?« wollte sie wissen. »Da gibt's nichts zu reden. Nicht das geringste.«

»Da hab' ich aber was anderes gehört«, neckte er sie.

»Besonders nach der kleinen Demonstration in der Gasse.«
Er wandte sich an seine Frau. »Emma, du wärst schockiert
gewesen.«

Jane kniff die Augen ein wenig zusammen und trommelte
mit den Fingern auf den Tisch. »Emma, ist es okay, wenn
ich deinen Mann umbringe? Ich meine, hättest du etwas
dagegen?«

»Ganz und gar nicht«, sagte Emma. »Nur zu.«

15

Sean hielt eine schwarz-violette Bowlingkugel vor seinen
Oberkörper, spannte die Muskeln an und versuchte, sich auf
die zehn weißen Kegel am anderen Ende der polierten
Holzbahn zu konzentrieren. Er trat vor, schwang den Arm
und schob die Kugel vorwärts. Plötzlich veränderte die
Kugel Form und Farbe und wurde zu einem Pflasterstein,
als sie mit einem widerhallenden Scheppern auf die Kegel
traf. Sean hörte Knochen splittern und sah Blut und Hirnmasse zu Boden spritzen.

Er preßte die Hände an den Kopf und keuchte gequält.
Um ihn herum tranken und lachten und bowlten die Leute.
Wenn sie gelegentlich zu den Fernsehschirmen am Ende der
Bahnen aufschauten, sahen sie nicht dasselbe wie er. Sie
hörten nicht das, was er hörte: das letzte, langgezogene
Zischen, wenn die Luft aus der Lunge eines sterbenden
Mannes entweicht.

Tina saß hinter ihm auf einer Bank – das lockige Haar
floß über ihren Rücken, und ihre Beine steckten in schwarzen Seidenstrümpfen. Sie schaute gänzlich ungerührt zu,
wie die klappernden Kegel umfielen. Sie sah auch nicht das,

was er sah. Und sie hörte nichts Ungewöhnliches – genau wie die anderen.

Sean ließ die Hände sinken – die Bowlingbahnen waren wieder nur Bowlingbahnen, die umgefallenen Kegel normale Pins, die zurückrollende Kugel hatte keinerlei Ähnlichkeit mehr mit einem Stein.

Kein Blut, keine Knochen, kein Todesseufzer.

Tina kam zu ihm und berührte seinen Arm. »Sean«, sagte sie und starrte auf den Fernseher über ihren Köpfen. Es war ein Lokalsender: die Lenny-Lyon-Show. Und Lenny Lyon gegenüber saß der fette Psychologe vom Polizeirevier. Sie redeten über den Mord an Cormack; Lenny Lyon sagte, er habe gehört, daß die Polizei nach zwei Tätern suche: nach einem Mann und einer Frau. Fitz bestätigte das.

Sean sah Tina entsetzt an. Sie versicherte ihm, daß niemand sie gesehen hatte.

Fitz hatte sich zwischen die Lehnen eines rot und schwarz bezogenen Sessels gequetscht und rutschte unbehaglich hin und her. An der Wand hingen lauter Poster von Lenny Lyons Gesicht: Lenny mit gerunzelter Stirn, Lenny mit ungläubigem Blick, Lenny mit einem Lächeln, Lenny lachend, Lenny mit ernster Miene.

Lenny höchstpersönlich saß in einem schwarzweißen Sessel und sah Fitz über einen Glas- und Chromtisch hinweg an. Er schien sich in dieser Pose ausgesprochen wohl zu fühlen, aber Lenny war im Gegensatz zu Fitz auch ein ungewöhnlich schlanker Mann.

Lenny Lyon bat seinen Talkgast, den sexuellen Aspekt des Falles zu kommentieren.

Fitz steckte sich eine Zigarette an und goß Wasser in sein Glas. »Das möchte ich lieber nicht tun.«

»Aber es gibt einen sexuellen Aspekt in diesem Fall?«

146

bohrte Lenny Lyon weiter. »Soweit ich hörte, haben Sie ein Täterprofil erstellt, das darauf basiert.«

Diese verdammte Nikki Price mußte ihm von seiner kleinen Vorstellung mit Penthesilea erzählt haben. »Es gibt auch einen sexuellen Aspekt an dieser Show, wenn Sie hier mit hängender Zunge sitzen und jedes Detail über einen besonders brutalen Mord erfahren möchten, meinen Sie nicht auch?«

Lenny Lyon stritt ab, daß er mit hängender Zunge auf grausige Einzelheiten wartete.

Fitz rieb sich seufzend die Stirn. »Wieso stellen Sie mir dann diese Frage?«

»Weil ich interessiert bin.«

Fitz schüttelte entschieden den Kopf. »Sie sind neugierig. Sie sind voyeuristisch. Das Leid törnt Sie an, genau wie – vergeben Sie mir – Ihr hirntotes, blutsaugerisches Publikum.«

»Wieso sind Sie hergekommen?« fragte Lenny Lyon.

»Ich bin hier, weil ich dachte, wir würden eine intelligente Diskussion führen können, aber daraus wird offenbar nichts. Sie schaffen es, Barrymores Show professionell aussehen zu lassen!«

Die Zuhörer im Studio lachten über den Witz auf Kosten der Barrymore-Show; Fitz drehte sich zu ihnen um. »Was ist eigentlich los mit euch, Leute? Ihr habt den ganzen Tag Schlange gestanden, um bei diesem Quatsch hier dabeizusein, in der Hoffnung, daß man eure Gesichter im Fernsehen sieht, ist es das? Großer Gott! Also schön – ich sage euch, was ihr wissen wollt: Die Täter sind ein Liebespaar.«

Lenny Lyon beugte sich vor und nickte.

»*Sie* ist jung und attraktiv.«

Der Regisseur deutete auf eine Kamera, und sie machte eine Nahaufnahme.

»Das muß sie sein, sonst wäre das Opfer um diese Nachtzeit nicht mit ihr in die Gasse gegangen. Möglicherweise geht sie auf den Strich, also hat sie Erfahrung, wie man Kunden anwirbt.

Er ist auch jung. Und sehr kräftig. Er war überzeugt, daß er das Opfer mit bloßen Händen erledigen kann. Er hat den Stein erst in letzter Sekunde aufgehoben. Er wollte ihn eigentlich gar nicht umbringen – es geht also um einen geplanten Raub und um einen nicht geplanten Mord. Aber irgend etwas ist passiert. Irgend etwas hat klick gemacht. Er ist unberechenbar und impulsiv, und es könnte sein, daß er schon wegen früherer Gewalttaten verurteilt wurde.

Und diese beiden sind zusammen. Sie vertrauen einander. Sie sind ein Team. Sie leben zusammen. Sie wohnen möglicherweise in einem möblierten Zimmer, in einem Apartment, in einem leerstehenden Haus oder so was. Und sie . . .«

Fitz wurde von Lenny Lyon unterbrochen, weil die Sendezeit vorüber war.

Sean wandte sich von den Bowlingbahnen ab, ging zu den Spielautomaten und steckte eine Münze in eine der Maschinen, aber er konnte sich nicht auf die blitzenden Lichter und sich drehenden Scheiben konzentrieren.

Tina gesellte sich zu ihm. »Er hat nichts gesagt.«

Sean starrte blicklos auf die Lichter.

»Jung, stark und impulsiv?« fuhr Tina fort. »Das trifft auf jeden Kerl hier drin zu. Das hat gar nichts zu bedeuten.«

Seans Kopf zuckte nach vorn, als er versuchte, etwas zu sagen.

Tina faßte nach seinem Arm. »Du hast Angst.«

»Angst?« wiederholte er wütend. Sobald er ein Wort hörte, konnte er es wiederholen, und die Wut ließ ihn seine

Hemmungen vergessen. »Angst? Er hat gesagt, du gehst auf den Strich!« Die schönste Frau, die er je gesehen hatte, die einzige Frau, die nicht hochnäsig auf ihn herabsah und ihn nicht für bescheuert hielt, weil er Schwierigkeiten mit dem Sprechen hatte, die einzige Frau, die ihm das Gefühl gab, so zu sein, wie er sein wollte, die einzige Frau, die je gesagt hatte, daß sie ihn liebte . . . diese Frau ging auf den Strich!

»Er hat gelogen!« beteuerte Tina. »Er hat gelogen. Er wollte dich ärgern, er hat versucht, dich wütend zu machen, damit du dich verrätst.«

SPIEL VERLOREN, zeigte der Spielautomat in leuchtendroten Buchstaben an. Sean versetzte der Maschine einen Tritt und stürmte zurück zu den Bowlingbahnen.

Tina lief ihm nach. »Willst du ins Gefängnis?« fragte sie. »Willst du das? Ja?«

Er nahm eine Kugel. Und er hörte es wieder – den letzen Atemzug eines sterbenden Mannes.

»Willst du, daß wir ins Gefängnis kommen?« sagte Tina und stellte sich ihm in den Weg. »Daß wir uns nie wiedersehen – willst du das?«

Er schob sich an ihr vorbei, schwang die Kugel und ließ sie los. Sie warf sieben Kegel in der Mitte um, zwei auf der rechten Seite und eine auf der linken blieben stehen. »Wir müssen ruhig bleiben, Sean, meinst du nicht?« sagte Tina, als er die nächste Kugel warf. »Wir bleiben ganz ruhig.«

Die Kugel traf die beiden Kegel auf der rechten Seite. Die eine, die stehen blieb, wurde zu einem Mann, der Tina an eine Mauer drängte.

Nicht Cormack – einfach irgendein Mann. Ein gesichtsloser Fremder, der Geld hatte. Sean lief durch die Gasse auf ihn zu und schlug mit aller Macht mit einem Stein auf ihn ein. Der Kopf des Mannes zerplatzte; seine Lunge leerte sich mit einem Seufzer.

Der Mann wurde wieder zum Kegel, der Stein zur schwarz-violetten Bowlingkugel, und Sean sah sich selbst am Ende einer polierten Holzbahn stehen.

Er wirbelte herum und sah, daß die Blicke aller auf ihn gerichtet waren.

16

Fitz klingelte am nächsten Morgen an der Haustür seiner Mutter – keine Reaktion. Er ging ums Haus und fand seine alte Dame im Garten. Sie saß in einem Gartenstuhl, hielt sich die Brille dicht vor die Nase und studierte aufmerksam die Rennergebnisse in den Sportseiten der Zeitung. Sie war eine zierliche, winzige Frau, kaum größer als Katie. Manchmal sah Fitz seine Mutter ungläubig an und wunderte sich, daß eine so zerbrechliche Gestalt einen derartigen Giganten wie ihn auf die Welt gebracht hatte.

»Hast du Lenny Lyon . . .«, begann er.

»Du hast versprochen, dich heute um meine Rosen zu kümmern«, fiel ihm seine Mutter ins Wort, ohne den Blick von der Zeitung zu wenden. Es war gerade erst acht Uhr, aber sie saß wahrscheinlich schon seit einer Stunde da und wartete. Anders als sein Sohn, der nur geächzt und sich das Kissen über den Kopf gezogen hatte, als Fitz ihm heute morgen eine Tasse Tee angeboten hatte, war seine Mutter eine Frühaufsteherin.

»Ich brauche den Schlüssel für den Geräteschuppen«, sagte Fitz.

»Er ist hier.« Sie zeigte auf den Gartentisch und sah ihren Sohn immer noch nicht an.

Fitz seufzte und nahm den Schlüssel an sich. Es hatte

keinen Sinn, über irgend etwas zu reden, während sie die neuesten Rennergebnisse nachlas. Er ging in den Schuppen, holte eine Schaufel und eine Rosenschere, dann kniete er sich neben die Rosenbüsche und wischte sich den Schweiß von der Stirn. Er hatte bis jetzt noch keinen Handschlag getan, aber schon war er verschwitzt. Die Morgenluft war unangenehm schwül; es würde ein heißer Tag werden. Er warf seiner Mutter einen Blick zu – sie hatte sich einen Wollschal um die Schultern gelegt und zitterte, sobald auch nur ein Lüftchen aufkam. Manchmal erinnerte sie ihn an eine grazile Porzellanpuppe mit vielen Sprüngen. Plötzlich hatte er die Vision, wie er selbst ganz allein alt wurde. Keine Judith, kein Mark, keine Katie. Nur er, wie er allein im Garten saß, eine Decke um seine Schultern geschlungen, aufmerksam die Nachrichten von den Rennbahnen in den Zeitungen verfolgte und sich allmählich in rissiges Porzellan verwandelte.

»Solo King?« fragte seine Mutter.

Fitz dachte einen Moment über das Pferd nach, über seine Stärken und Schwächen. Er war seiner Mutter dankbar, daß sie ihn von seinen trüben Gedanken ablenkte. »Mag einen Rechtskurs«, sagte er schließlich. »Gut auf festem Boden.«

»Er läuft in Chester.«

Er schüttelte den Kopf. »Das ist ein enger Linkskurs. Er hat keine Chance.«

»Dann nehme ich den«, sagte sie und umkreiste den Pferdenamen mit einem Stift.

»Mum, er wird nicht das geringste bringen. Er hat in seinem ganzes Leben noch kein verdammtes Rennen mit Linkskurs gewonnen.«

»Putz dir die Nase – du riechst nie, wer ein Gewinner ist und wer nicht.«

Fitz seufzte und widmete sich wieder den Rosen. Er zwang sich, sich auf das, was er tat, zu konzentrieren – er wollte nicht an Judith, ans Alleinsein, an die verrinnende Zeit und daran denken, daß er zu Porzellan und zu Staub wurde.

»Just My Bill«, sagte seine Mutter einen Augenblick später.

»Just My Bill«, wiederholte Fitz erleichtert. »Ist letztes Mal ziemlich gut gelaufen. Der Stall bringt ihn bestens in Form. Wenn die Kondition stimmt, hat er gute Chancen.«

Seine Mutter nickte nachdenklich. »Dann lass' ich auf jeden Fall die Finger von ihm.«

Fitz faßte in den Rosenbusch. »Scheiße!« Er warf einen Blick auf seine Mutter und verbesserte sich schnell: »Scheibenkleister!«

Endlich sah sie von ihrer Zeitung auf – zum erstenmal. »Was ist los?«

Er stand auf, saugte an seiner Hand und ging zu ihr. »Ein Wespenstich«, sagte er und hielt ihr die Hand hin. »Ein verflucht großes Ding.« Etwas, worüber man nachdenken konnte, eine Ablenkung.

»Es ist nur ein ganz winziger Stachel«, korrigierte sie ihn.

Er folgte ihr ins Haus, wo sie ihm mit einer Pinzette den Stachel aus dem Fleisch holte. »Bitte, du großes, verweichlichtes Kind. Alles ist wieder gut.«

»Na«, sagte er und betrachtete seine Hand. »Hast du's gesehen? Die Lenny-Lyon-Show?«

»Nein«, versetzte sie, als wäre das eine ausgesprochen dumme Frage. »Ich hab' mir Bingo angesehen.«

Wieder einmal stand Fitz vor dem Haus seines Schwiegervaters. Ausnahmsweise empfing ihn nicht das verdammte Hundegebell – der alte Mann mußte mit dem Köter spazierengegangen sein –, und ausnahmsweise kam Judith selbst an die Tür.

»Was willst du, Fitz?« fragte Judith, ohne die Kette von der Tür zu nehmen.

»Ich will mit dir reden, Judith, das ist alles.«

»Es ist gleich halb neun, Fitz! Ich mache mich gerade für die Arbeit fertig.« Sie trug ein ihre Figur betonendes schwarzes Kleid, Ohrringe und mehr Make-up als gewöhnlich. Früher war sie nie in einem solchen Aufzug ins Büro gegangen. Sie gab sich Mühe, jemanden zu beeindrucken, und es war offensichtlich, daß er nicht gemeint war.

»Lenny Lyon, hast du ihn gesehen?«

Judith schüttelte den Kopf und fummelte an der Türkette herum. »Ich war nicht zu Hause.«

Er spürte, wie sich seine Gesichtsmuskeln anspannten. »Wo warst du?«

»Im Kino.«

»Mit wem?«

»Einem Freund.«

Er war nicht hergekommen, um sie zu verhören, aber jetzt konnte er sich nicht mehr beherrschen. Es war, als hätte er angefangen, an einem Insektenstich zu kratzen – man konnte erst aufhören, wenn es blutete. »Was für ein Freund ist das?«

Sie mied seinen Blick. »Einfach ein Freund.«

Er schob die Tür auf, bis sich die Kette spannte. »Ein männlicher Freund?« Er mußte das fragen, auch wenn er die Antwort kannte.

Sie nickte und fixierte einen Punkt auf der anderen Straßenseite.

Der Drang, weiterzubohren, war unbezwingbar, obwohl er ohnehin schon alles wußte. »Graham?«

»Ja«, sagte sie und machte die Tür zu.

Bilborough hatte die Lenny-Lyon-Show gesehen, und sobald Fitz das Polizeigebäude betreten hatte, wurde er ins Büro des Detective Chief Inspectors gerufen.

»Fitz, ich hab' Ihnen strikte Anweisung gegeben, nicht darüber zu sprechen.«

»Sie werden wieder töten«, unterbrach Fitz ihn.

»Das wissen wir nicht.«

»*Ich* weiß es«, versetzte Fitz ungehalten und lehnte sich über den Schreibtisch. »Sie haben gevögelt, nachdem sie es getan hatten.«

Fitz sah Bilborough prüfend an. Bilborough war sauer – im Moment ging es ihm nicht darum, die Mörder zu fassen, und es ging auch nicht um Anordnungen oder Strategien. *Er* wollte derjenige sein, der Auftritte im Fernsehen hatte und mit brillanten, originellen Ideen aufwarten konnte, derjenige, der schon als blutjunger Kerl seinen Job auf so bewundernswerte Weise erledigte, daß die Bosse aufmerksam auf ihn werden *mußten*. »Da draußen auf den Straßen treiben sich gerade zwei Menschen herum, die einen sexuellen Kick kriegen, wenn sie morden, und alles, was Sie beschäftigt, ist Ihr verletzter Stolz! Ich jedenfalls hab' keine Zeit, hier rumzustehen und Ihr Ego zu streicheln«, machte Fitz ihm klar. »Ihr verdammtes, publicitygeiles Ego!«

Bilborough starrte ihn entgeistert an. Jemand klopfte an die Tür. »Ja!«

Penhaligon kam herein und legte einen Ordner auf den Schreibtisch. »Die Spurensicherung hat Menschenhaar am Tatort gefunden. Es ist mit dem identisch, das wir ein Stück entfernt in der Gasse entdeckt haben. Lang. Spuren von schwarzem Haarfärbemittel, wahrscheinlich von einer Frau.«

Fitz schlug mit einem triumphierenden Grinsen auf den

154

Ordner, stand auf und streckte fordernd die Hand aus. »Neunzig Pfund.«

Bilborough betrachtete schäumend vor Wut die Akte.

Fitz taxierte Bilboroughs Gesicht, dann verließ er verächtlich schnaubend das Büro.

Bilborough wandte sich an Penhaligon. »Ja?«

Sie spreizte in aller Unschuld die Hände. »Nichts.«

»Fitz!« brüllte er und sprang auf. »Fitz!«

Bilborough folgte ihm in den Korridor, wo Maler die Wände im selben Farbton strichen, den sie bereits hatten. »Fitz!« Er mußte laut schreien, um das plärrende Radio der Maler zu übertönen. »Hey, Fitz!«

Fitz blieb schließlich stehen und drehte sich um, sah, daß Bilborough ihm nachgelaufen war, den Bericht der Spurensicherung in den Händen. »Hey, Fitz, ich brauche Sie. Sie wissen, daß ich Sie brauche.« Er blieb neben einem Malergerüst stehen. »Sie nützen die Tatsache aus, daß ich Sie brauche . . .«

»Neunzig Pfund«, überbrüllte Fitz die Musik.

Bilborough riß die Hände hoch. »Ich hab' sie nicht; Giggsy hat sie noch in Verwahrung.«

»Ja«, sagte Fitz und ging.

»Hey, Fitz, wohin gehen Sie?«

»Ich hab' einen Termin«, rief er über die Schulter zurück. »Ich hab' auch noch Patienten, um die ich mich kümmern muß, kapiert? Und Sie schulden mir immer noch neunzig Pfund!«

Bilborough schnappte sich das Radio und schaltete es aus. »Das hier ist ein Polizeirevier, keine verdammte Diskothek!«

Es war stickig in der Wohnung; Tina riß alle Fenster auf, aber das nützte nicht viel.

Sie war so sicher gewesen . . . es hätte genügend Geld dasein müssen, um von hier abzuhauen. An dem Abend, an dem Cormack ihr was geliehen hatte, mußten fünf- oder sechstausend in seiner Brieftasche gesteckt haben, sie hatte noch nie zuvor so ein dickes Geldbündel gesehen – aber in der Nacht in der Gasse hatte er nur zweihundertfünfundachtzig Pfund bei sich gehabt. Und das meiste hatten sie bereits für Klamotten, Alkohol und Zigaretten ausgegeben.

Jetzt gingen sie nirgendwohin.

Und Sean war launisch und niedergeschlagen. In einer Minute war er hyperaktiv, tigerte in der Wohnung herum und faßte alles an, dann wieder kauerte er auf dem Boden, wiegte sich vor und zurück und schlang die Arme um sich.

Das tat er jetzt auch: Er wiegte sich vor und zurück. Es beunruhigte sie, wenn er in dieser Stimmung war; es machte ihr sogar noch mehr angst als dieses rasende Hin- und Herlaufen.

Hin und wieder konnte sie seine Gedanken lesen und wußte genau, was ihm durch den Kopf ging. Sie fragte sich, ob er auch erriet, was sie dachte.

Hör auf damit, Sean, dachte sie jetzt und konzentrierte sich ganz fest auf ihn. Hör auf.

Er sah nicht einmal auf und wiegte sich weiter.

Sie war eher erleichtert als enttäuscht. Sie wollte nicht, daß jemand ihre Gedanken kannte, weil sie wußte, was in ihr lauerte.

Besonders nicht Sean. Wie könnte er sie noch lieben, wenn er es wüßte? Er hatte in der letzten Nacht kurze Einblicke gehabt, und er hatte sie dafür gehaßt. Er hatte sie gehaßt, als sie durch den Regen nach Hause gerannt waren und als er zugesehen hatte, wie das Blut im Bad in den Ausguß geflossen war.

Vielleicht haßte er sie jetzt auch.

156

Sie ging zu ihm und kniete sich hin. Er starrte ins Nichts und schien sie zuerst nicht zu bemerken, aber mit Händen und Zunge gelang es ihr, seine Aufmerksamkeit auf sich zu ziehen.

Nein, er haßte sie nicht.

Fitz saß an seinem Schreibtisch, rauchte eine Zigarette nach der anderen und trank den bitteren, lauwarmen Kaffee aus einem Plastikbecher. Zum zwanzigstenmal in zwanzig Minuten schaute er auf eine Uhr, trommelte mit den Fingern auf einen Stapel unbearbeiteter Post und stand schließlich auf.

Er ging hinaus auf den Flur. »Nichts Neues von Sarah Heller?« fragte er die Empfangsdame.

Sie schüttelte den Kopf.

»Vielleicht hat sie angerufen und eine Nachricht hinterlassen, als ich außer Haus war. Haben Sie vergessen, mir das auszurichten? Sie können es ruhig sagen, ich bin nicht böse deswegen.«

»Nein, Fitz. Keine Nachrichten.«

Er nickte und ging wieder in sein Büro. Er war so sicher gewesen, daß sie wiederkommen würde, wenn auch nur, um ihm zu beweisen, daß er sich irrte. Um damit zu prahlen, daß sie noch auf den Beinen war und perfekt funktionierte.

Er trank den Rest des lauwarmen Kaffees, dann zerknüllte er den Becher in der Hand, warf ihn in Richtung Papierkorb und verfehlte sein Ziel. Er zuckte mit den Achseln und ging.

Sie duschten, aber das machte die Luft in der Wohnung noch feuchter und schwüler, und sie schwitzten wie vorher. Sie zogen sich an, gingen hinaus und schlenderten den langen Balkon entlang.

Selbst der Gestank vom Parkplatz war eine Wohltat im Vergleich zu dem stickigen Dampf in ihrem Wohnzimmer. Sie stützten die Ellbogen auf die Brüstung, sahen einem Jungen zu, der an einer Schrottkarre bastelte, und lauschten den vielen unterschiedlichen Geräuschen: dem stotternden Motor der Schrottkarre, dem geistlosen Geschwätz aus den Fernsehern, den hämmernden Rhythmen von Rap und Reggae. Irgendwo kläffte ein Hund. Und dann durchbrach ein Laut das übliche Gewirr: das deutliche Knacken und Rauschen eines Polizeifunks.

Ein kleiner blauer Wagen hielt direkt unter ihnen. Ein Mann in Anzug stieg aus und sprach in ein Mikrophon. »Escort drei an Zentrale.«

Sie wichen von der Brüstung zurück und rannten. Tina drückte sich an die Wand und schnappte nach Luft, als Sean in seinen Taschen nach dem Wohnungsschlüssel suchte. »Mach schon«, drängte sie ihn und spähte über den Balkon. »Mach schon!« Er öffnete die Tür, grapschte nach Tinas Arm und zerrte sie hinein.

Detective Sergeant George Giggs stieg die Treppe hinauf. In jedem Stockwerk blieb er stehen, um die Nummern der Wohnungen zu checken, schüttelte den Kopf, blies die Wangen auf und kletterte weiter. Er wünschte, er hätte diese eine Penhaligon überlassen; er wollte nur einen Witz machen, als er darauf bestanden hatte, alle Frauen auf der Liste zu vernehmen. Aber Jane hatte ihn beim Wort genommen und gesagt: »Du wolltest mit allen Frauen sprechen – okay, hier ist noch eine; geh hin.«

Die Wohnung, in die er mußte, befand sich im obersten Stock. Klar, dachte er, wie könnte es anders sein? Er wußte, daß eine Menge Leute viel Geld ausgaben, um in Fitneßstudios auf Treppsteppern zu trainieren – er bekam ein solches Training umsonst. Der Gedanke tröstete ihn kein bißchen. Die Leute bezahlten auch für die Sauna und fürs Schwitzen – noch etwas, was er kostenlos bekam. Er lockerte seinen Kragen und ging den langen Balkon entlang.

Sie preßten sich links und rechts von der Tür gegen die Wand, sahen sich starr vor Schreck an und versuchten, wieder ruhig zu atmen.

Es ist alles gut, redete sich Tina ein, um ihr wild hämmerndes Herz zu beruhigen. *Es ist ein großes Haus, und er könnte zu jedem, der hier wohnt, wollen. Ganz sicher sucht er nicht nach uns.*

Es klopfte an der Tür. Sean erstarrte und riß entsetzt die Augen auf.

»Versteck dich«, flüsterte Tina.

Sie strich ihr Haar glatt und legte die Hand auf den Türknauf, während sich Sean in die kleine Kammer neben der Küche zwängte.

Noch ein Klopfen – diesmal lauter.

Sie atmete tief durch, riß sich zusammen und setzte eine gleichmütige Miene auf. Sie öffnete die Tür, gerade als der Beamte die Klappe vom Briefschlitz hochhob.

»Ja?« sagte sie.

»Christine Brien?«

»Ja.«

»Ich bin Police Officer«, erklärte der Polizist und zeigte ihr seinen Ausweis. »Kann ich reinkommen?«

Er sah verschwitzt und elend aus in seinem dreiteiligen Anzug; er hatte den obersten Kragenknopf aufgemacht und die Krawatte gelockert, Schweißperlen glitzerten auf seiner Stirn und auf der Oberlippe. Sie konnte sich vorstellen, daß er unter all den Kleiderschichten klatschnaß war.

»Was wollen Sie?« fragte sie ihn.

»Kannten Sie einen Mann namens Kevin Cormack?«

Sie runzelte die Stirn und schob die Lippen vor, als müßte sie überlegen, wo sie den Namen unterbringen sollte. »Nein.«

»Unsere Recherchen haben ergeben, daß Sie mit ihm bekannt waren«, beharrte der Kriminalbeamte. »Darf ich reinkommen?«

Sie zuckte mit den Schultern, trat zurück und ließ ihn herein.

Er ging an ihr vorbei in den Flur.

»Ich hab' ihm Geld geschuldet«, gestand sie, als sie ihn ins Wohnzimmer führte.

»Ich weiß. Ob Sie's zurückzahlen oder nicht – uns geht das nichts an.«

Sie trat näher an ihn heran, ihr Lächeln drückte Dankbarkeit und Erleichterung aus. »Danke.«

Ihr wurde bewußt, daß es im Zimmer nach Schweiß und Sex stank. Und er merkte es auch. Das erkannte sie am Zucken seiner Nasenflügel und an der leichten Röte, die ihm in die Wangen stieg, als er das verknitterte Laken mit den verräterischen Flecken auf dem Boden neben der Matratze sah.

Giggs riß den Blick von dem Laken los und rief sich ins Gedächtnis, weshalb er gekommen war. »Wissen Sie, daß Kevin Cormack ermordet wurde?«

»Ja.« Christine Brien kam ihm noch einen Schritt näher – lächelnd.

Sie war jung, Anfang Zwanzig oder noch nicht einmal zwanzig. Eine atemberaubende Figur und noch atemberaubendere Kleider. Schwarze Netzstrümpfe, deren oberer Rand unter den glänzenden schwarzen Hotpants hervorspitzte. Tiefausgeschnittene Bluse im selben kräftigen Dunkelrot wie ihre Lippen. Hochhackige schwarze Stiefel. Eine Sexphantasie aus seiner Jugend erwachte zum Leben.

»Kaffee?« fragte sie.

Wenn er es nicht besser gewußt hätte, hätte er schwören können, daß sie ihn anmachte. »Nein, danke.«

»Nehmen Sie Platz«, sagte sie und rückte noch näher. Ihr Körper verströmte einen starken, moschusartigen Duft. Animalisch. Eine Tigerin. Er war noch nie einer Frau begegnet, die so viel Sex ausstrahlte.

Er wich vor ihr zurück und sank aufs Sofa. Denk dran, weshalb du hier bist, George, ermahnte er sich und suchte in seiner Tasche nach dem Notizbuch. »Kevin Cormack«, sagte er. »Wissen Sie, ob er Feinde hatte?«

Sie warf den Kopf zurück und lachte – ein tiefes, kehliges Lachen, das ihm einen Schauer über den Rücken jagte. Gott, war sie sexy.

»Fällt Ihnen jemand ein, der ihn töten wollte?« hakte er nach.

Sie rückte einen großen gepolsterten Sessel so, daß er dem Sofa gegenüberstand. »Jeder, der ihm je begegnet war«, sagte sie, als sie sich niederließ. Sie stellte die Füße auf den Rand des Sessels und schlang die Arme um die Knie. »Er war ein Schweinehund«, setzte sie hinzu, ließ die Knie los, und ihre Beine fielen auseinander.

Tina hätte fast laut gelacht. Wenn der Typ jetzt seinen Gesichtsausdruck hätte sehen können! Offener Mund und ein starrer Blick . . . wie ein Fisch, der sich im Netz verfangen hatte. Seine Stirn war schweißglänzend, und er hatte große Mühe, sich wieder auf ihr Gesicht zu konzentrieren. »Ich muß Sie das fragen, Christine«, sagte er heiser. »Das verstehen Sie doch, oder?«

Sie beugte sich vor. »Ja.«

Er räusperte sich und wurde wieder ganz sachlich und

nüchtern. »Wo waren Sie gestern abend um Mitternacht?«

Sie sagte das erste, was ihr einfiel. »Bei meinen Eltern.« Ein Abend bei ihren Eltern. Das klang gut und nicht nach jemandem, den man wegen Mordes verhörte.

»Bis?«

Sie starrte eine Weile an die Decke und zählte dabei die Stunden an den Fingern ab. »Bis ungefähr zwei, glaube ich.«

»Und wo wohnen Ihre Eltern?«

»Brook Road sechsundsiebzig, Hale.« Sie sah, wie er die Adresse in seinem Notizbuch vermerkte, und verfluchte ihre eigene Dummheit. Er würde ihre Angaben überprüfen, zu ihren Eltern gehen und herausfinden, daß sie gelogen hatte.

»Hale, ja?« sagte er und stieß einen anerkennenden Pfiff aus. »Hübsche Gegend.« Er sah sie an, als wollte er sagen: Wie kommt es, daß ein Mädchen aus Hale in einem Dreckloch wie diesem landet? Sein Blick wanderte zu der Matratze in der Ecke und zu den zerwühlten fleckigen Laken. »Leben Sie allein?«

Sie mußte ihn davon abhalten, nach Hale zu fahren und Fragen zu stellen. Sie hatte keine andere Wahl – er ließ ihr keine andere Wahl. Es war seine eigene Schuld – er hätte nicht hier auftauchen und ihr Fragen stellen sollen. Jetzt mußte sie ihn unbedingt aufhalten, und sie kannte nur eine Möglichkeit, das zu tun; es war Notwehr. Sie hob einen Finger an die Lippen, stellte einen Fuß auf den Boden, beugte sich vor und hauchte verschwörerisch: »Sie verraten mich doch nicht an die Sozialarbeiter?«

Er schüttelte den Kopf.

»Mein Freund ist gelegentlich hier«, flüsterte sie vertrauensvoll. »Leben Sie allein?«

Er zögerte kurz. »Ja.«

Tina neigte den Kopf zur Seite und zwinkerte amüsiert mit den Augen. »Sie sind nicht verheiratet?«

»Geschieden.«

Sein verschwommener Blick verriet ihr, daß er alles sagen würde, was sie seiner Meinung nach von ihm hören wollte. Sie lachte und neckte ihn. »Sie sind ein schlechter Lügner.«

Er konnte nicht anders – er mußte sie ansehen. »Ich weiß.«

»Das macht nichts.« Sie betrachtete lange sein gerötetes, rundes Gesicht, dann griff sie nach ihren Zigaretten. Sie hielt ihm das Päckchen hin, bot ihm eine an, aber er lehnte kopfschüttelnd ab. Sie zuckte mit den Achseln und zündete sich eine an, lehnte sich wieder zurück – sie wußte genau, daß er jede ihrer Bewegungen begierig verfolgte. Sie hätte ihn haben können – gleich jetzt; es wäre ganz leicht, aber das würde ihr nicht viel nützen. Sie hatte gesehen, wie er ins Funkgerät gesprochen hatte, die anderen wußten, wo er war. »Ich hab' ein Problem«, sagte sie. »Mein Freund kann jede Minute kommen, und ich möchte nicht, daß er von meinen Schulden bei Cormack erfährt.«

»Ich könnte später wiederkommen«, schlug der Beamte bereitwillig vor.

Perfekt. Sie spitzte die Lippen und blies einen Rauchring aus. »Wann?«

»Wann immer es Ihnen paßt.«

Sie dachte einen Moment nach. Diesmal wollte sie es richtig machen: keine Sauerei, keine Fingerabdrücke, keine Leiche. Sie brauchte Zeit, um alles vorzubereiten. »Morgen abend?«

»Um wieviel Uhr?« fragte er gespannt.

Der geile Bock konnte es kaum erwarten.

163

Sie zog ausgiebig an ihrer Zigarette. Es mußte dunkel draußen sein, überlegte sie. »Ungefähr um zehn«, sagte sie.

»Um zehn. Sehr gut«, sagte der Beamte und stand auf, um zu gehen.

Sie brachte ihn zur Tür und öffnete sie lächelnd.

Er zögerte einen Augenblick, sah sie unsicher an, als wäre er sich nicht ganz klar, ob er sie küssen sollte oder nicht. »Bis dann«, sagte er schließlich und trat vor die Tür.

Sie kicherte und winkte, ehe sie die Tür zumachte. Sie schloß die Augen und preßte die Stirn an die Tür. Nach einer Weile ging sie in die Küche und befreite Sean aus der Kammer. Er hockte auf dem Boden neben dem Warmwasserboiler.

Sie setzte sich neben ihn und erklärte ihm sachlich und nüchtern die Situation. »Ich hab' ihn angelogen. Er wird herausfinden, daß ich gelogen habe; er muß meine Angaben überprüfen.« Sie wappnete sich gegen das, was jetzt kommen mußte und stellte zu ihrem eigenen Erstaunen fest, daß ihr die Worte ganz leicht über die Lippen kamen. Es war fast, als würde eine andere Person sie aussprechen, so einfach war es. »Wir müssen ihn töten«, sagte sie, schmiegte sich an Sean und legte den Kopf an seine Schulter. »Wir tun es morgen.«

17

Die Gruppe der Anonymen Spieler traf sich im oberen Stock des Zentrums für Erwachsenenbildung. Ein kleines Schild auf einem Tisch im hinteren Teil des Raums verkündete: »Was Sie hier sehen und sagen, BLEIBT HIER.«

Fitz fand das Schild kein bißchen beruhigend.

Er lehnte an der Wand, trank lauwarmen Kaffee, rauchte eine Zigarette nach der anderen und betrachtete all die leblosen leeren Gesichter der anderen Teilnehmer. Dabei stellte er sich vor, wie Graham im dunklen Kino neben seiner Frau saß.

Was haben sie vor dem Film gemacht? Und wo waren sie anschließend gewesen? Haben sie etwas getrunken oder gegessen? Gab es einen Gutenachtkuß?

Graham traf um Punkt sieben ein – er trug eine bis oben zugeknöpfte braune Strickjacke über einem blauen Hemd mit Krawatte. Lieber Himmel, dachte Fitz, wie konnte sich eine Frau mit Selbstachtung in aller Öffentlichkeit mit einem so armseligen Wurm zeigen?

Graham ging nach vorn und verkündete, daß sie anfangen wollten. Er setzte sich an einen Tisch, mit dem Gesicht zu den anderen, und bestand darauf, daß Fitz als »neues Mitglied« zu ihm nach vorn kommen solle.

Fitz gehorchte, plazierte seine Massen auf einem zierlichen, schmalen Plastikstuhl und sah die wandelnden Toten an.

»Weshalb haben Sie sich den Anonymen Spielern angeschlossen?« erkundigte sich Graham in seinem säuselnden Tonfall.

Fitz hatte nicht die Geduld, dieses kleine Ritual mitzumachen. »Sie *wissen*, warum ich bei den Anonymen Spielern bin.«

»Würden Sie uns gern etwas über sich erzählen?« fragte Graham weiter.

»Ich wurde am 19. September 1949 geboren. Wissen Sie, wer am selben Tag auf die Welt kam?« Er machte eine Pause und wartete auf die Antwort. »Twiggy«, sagte er schließlich selbst.

Die wandelnden Toten lachten – vielleicht gab es doch noch Hoffnung für sie.

»Sonst noch was?« sagte Graham.

Fitz hob die Schultern. Was sollte man einer Ansammlung von wandelnden Toten erzählen? »Zwei Archäologen gruben eine Mumie aus, wickelten sie aus und enthüllten dieses schreckliche Gesicht – das niedergeschlagenste, angstverzerrteste Gesicht, das sie je gesehen hatten –, und sie sagten: Was wohl mit diesem armen Mann geschehen sein mag? Sie sahen, daß er die Hände zu Fäusten geballt hatte. Als sie die Finger aufbogen, stießen sie auf des Rätsels Lösung: einen Wettschein. Zweihundert Pfund auf Sieg: Goliath.«

Alle außer Graham lachten.

»Tut mir leid«, sagte Fitz und stand auf. »Das hier ist nichts für mich.«

Er war schon fast an der Tür, als Graham ihm nachrief: »Eddie, Sie sind ein Idiot!«

Fitz blieb stehen und sah sich um. Wieder entstand das Bild von Graham und Judith in dem dunklen Kino vor seinem geistigen Auge. Er sah, wie dieser hochnäsige, heuchlerische, bigotte Mistkerl an seiner Frau herumfummelte.

Er wandte sich an den Mann, der ihm am nächsten war, beugte sich zu ihm und murmelte ihm verführerisch ins Ohr: »Was passiert, wenn dein Pferd die Führung übernimmt? Mit Leichtigkeit gewinnt? Zweihundert Mäuse. Kokain, Heroin – das kostet Geld. Es bringt dich am Ende um. Aber spielen und gewinnen?«

Er richtete sich auf, um alle anzusprechen – seine Augen glänzten in beinahe biblischem Eifer. »Dieser Kick, dieses Gefühl, einen Luftsprung machen und Freudenschreie ausstoßen zu wollen und noch dazu zweihundert Mäuse gewonnen zu haben . . . nichts auf der Welt ist so wie dieses Gefühl. Ich hatte richtig getippt. Ich hab' alles Für und Wider erwogen, die Rennzeitung studiert und mein Urteilsvermögen geprüft. Ich hab' etwas getan, was ich in der Arbeit nicht tun darf. In der Fabrik. Im Büro. Oder in dem verdammten Arbeitsamt. *Ich hab' dies benützt.*« Er deutete auf seinen Kopf. »Und *ich lag richtig.*«

Die wandelnden Toten sahen ihn gebannt an. Hungrig.

Er holte Karten aus der Jackentasche, mischte sie und ging zu dem Tisch, der an der hinteren Wand stand. »Oh, ich kenne die Tiefschläge. Ich mag sie. Die Tiefschläge versüßen einem die Erfolge. Gipfel und Abgründe, Berge und Täler – das möchte ich jeden Tag erleben, statt die lange, flache, öde Straße entlangzugehen – zusammen mit den Angepaßten wie«, er hielt inne und deutete auf Graham, »ihm.«

Er verteilte sieben Karten auf dem Tisch: drei Kreuz, zwei Karo, zwei Herz. »Wir sind in Newmarket«, sagte er. »Sieben Achtelmeilen. Quitt bei Pik, drei zu eins bei Herz und Karo, fünf zu eins bei Kreuz. Zwei Pfund Minimum, fünf Pfund Maximum.«

Er hob den Kopf und sah, daß die anderen zögerten. »Kommt schon«, drängte er sie. »Wie lange ist es her? Wann habt ihr das letzte Mal gespürt, wie das Herz schneller schlägt, die Hände zittern, die Eingeweide zu Eis werden? Wie lange ist es her, seit ihr das letzte Mal *gelebt* habt?«

»Zwei Pfund auf Kreuz«, brüllte jemand.

»Fünf auf Herz«, schrie eine Frau.

Und plötzlich waren alle dabei, machten ihre Einsätze und legten Geld auf den Tisch. »Das ist ein Schlag ins Gesicht aller Puritaner, aller schleimigen Mistkerle wie dem da vorn«, donnerte Fitz und richtete einen anklagenden Finger auf Graham, der hilflos hinter seinem Tisch hockte.

»Wenn ihr heute abend nach Hause kommt, werden sie euch fragen: Wie ist es gelaufen, Liebes? Und ihr werdet sagen: Nicht schlecht, Schätzchen, ich hab' ihnen alles über meine gräßliche Sucht erzählt und hab' zweihundert Eier gewonnen!«

Grahams Blick wurde immer trauriger, als Fitz die wandelnden Toten zur Ekstase anstachelte.

»Die weiße Flagge ist oben . . . Sie haben die Startposition eingenommen . . . und schon sind sie auf der Bahn!«

Sean warf den Kopf zurück und lachte, als der Wagen in eine scharfe Kurve schlitterte. Er nahm eine Hand vom Steuerrad, um sich den Telefonhörer ans Ohr zu halten. »*I just called*«, sang er, »*to say I love you.*«

»*I just called*«, fiel Tina mit ein. Der Camcorder in ihrer Hand wackelte hin und her, als das Auto seine schwindelerregenden Kreise auf dem leeren Parkplatz zog. ».*. . to say how much I care.*«

Der Wagen war weiß und glänzte brandneu; wahrscheinlich gehörte er einem reichen Schauspieler. Der Camcorder war ein Sonderangebot in einem Laden im Arndale Centre gewesen.

Fitz stand auf der gegenüberliegenden Straßenseite des Zentrums für Erwachsenenbildung und wartete. Es dauerte fast eine Stunde, bis Graham mit gesenktem Kopf und Aktentasche in der Hand auftauchte. Fitz ging auf ihn zu. »Lust auf ein Bier?«

Graham fixierte ihn einen Moment, sein fades Gesicht zeigte keinerlei Ausdruck. »Ich würde einen Orangensaft vorziehen.«

»Gut«, sagte Fitz. »Lust auf einen Orangensaft?«

»Danke.«

Sie gingen schweigend zu dem Pub an der Ecke. Es war eine überfüllte, verqualmte Kneipe. Nicht gerade Grahams Ambiente, registrierte Fitz mit Genugtuung und führte ihn zur Bar.

Fitz stützte einen Ellbogen auf die Theke und sah zu, wie Graham an seinem Saft nippte. »Ich muß sagen, Sie haben das gut im Griff. Als ein Profi zum anderen: Ich bin beeindruckt.«

»Danke.«

Der Wichser nickte huldvoll und wirkte äußerst selbstzufrieden. Er glättete mit einer affektierten Geste seinen Schnauzbart. Der Bursche hatte keinen Schimmer.

»Ich hab' eine Frau«, erinnerte Fitz ihn und hob das Wort »Frau« besonders hervor. »Eine Familie, ein Haus, einen Job, den ich schon immer machen wollte.« Er zündete sich eine Zigarette an und bewahrte seinen gleichgültigen Gesichtsausdruck. »Ich spiele nicht, weil mir etwas im Leben fehlt.«

Graham nickte nachdenklich. »Ich verstehe.«

Fitz lachte. »Ich an Ihrer Stelle hätte etwas anderes gesagt. Etwas Provokatives. Scheiße – vielleicht. Irgendwas.«

»Aber ich bin kein Psychologe.«

Fitz hob sein Bierglas und trank einen großen Schluck. Er wischte sich den Mund mit dem Handrücken ab und ächzte zufrieden. »Ich habe diese Gabe, wissen Sie, Graham. Ich muß nur fünf Minuten mit jemandem sprechen und kann direkt da hineingraben.« Er deutete auf Grahams Herz. »Ich sehe, was da drin vor sich geht.«

Grahams Lippen kräuselten sich zu einem freudlosen Lächeln. »Und Sie möchten, daß ich Sie frage, was Sie sehen?«

»Sie möchten, daß ich Ihnen sage, was ich sehe.«

Graham zuckte mit den Achseln, um seine Gleichgültigkeit kundzutun. »Meinetwegen. Was sehen Sie?«

»Fragte er und beschloß, cool zu bleiben, egal wie die Antwort ausfällt.« Fitz legte eine wirkungsvolle Pause ein, nahm noch einen Schluck Bier und zog an seiner Zigarette. »Ich sehe einen Mann«, sagte er schließlich, »der meiner Frau an die Wäsche gehen will.«

Unwillkürlich zuckte Graham zusammen, und seine Augen weiteten sich überrascht. »Falsch«, entgegnete er. Unter dem dichten Schnurrbart entdeckte Fitz Schweißperlen. »Warum spielen Sie? Was ist Ihr Motiv?«

»Ich kann nicht umhin zu bemerken, daß Sie das Thema wechseln.«

»Warum spielen Sie?«

Fitz zuckte mit den Schultern. »Ich langweile mich, das ist alles.«

»Und welche Motive haben Sie, so mit mir zu reden?«

Fitz betrachtete sein Glas.

»Sie wollen, daß ich später erzähle: ›Er hat das Meeting gesprengt, aber nachher hat er privat mit mir gesprochen.‹«

»Etwas in der Art, ja.«

»Das werde ich nicht tun, Fitz.« Graham nahm seinen Aktenkoffer und machte Anstalten zu gehen.

»Glauben Sie an Safer Sex?« rief Fitz ihm nach – laut genug, daß er im ganzen Pub zu hören war. Die Unterhaltungen an den Tischen verstummten, und die Blicke aller waren auf den Mann gerichtet, der mit gesenktem Kopf zum Ausgang eilte. »Meine Frau zu bumsen könnte gefährlich werden. Es könnte ernsthaft gesundheitsschädigend für Sie sein!«

Graham drehte sich gerade lange genug um, um Fitz übertrieben mitleidig anzusehen, dann war er weg.

18

Sean und Tina standen auf einem Hausdach gegenüber dem Polizeirevier in der Anson Road, beobachteten und warteten. »Da ist er, Sean.« Tina deutete auf die Straße. Der Beamte, der in ihrer Wohnung gewesen war, schlenderte mit einer rothaarigen Frau auf das Gebäude zu. Sie blieben vor den Stufen stehen und unterhielten sich.

Sean benutzte den Zoom des Camcorders, um sich den Mann genauer anzusehen, und nahm das Gesicht und die Gesten auf.

»Er ist groß«, sagte Sean. »Stark.«

»Du bist stärker.«

Sean schüttelte den Kopf. »Ich kann nicht . . .«

»Du mußt es tun, Sean«, forderte Tina eindringlich. »Willst du ins Gefängnis?«

»Nein.«

»Dann müssen wir ihn loswerden, Sean.« Sie faßte nach seinem Arm. »Keine Angst, es klappt ganz sicher. Du wirst sehen.«

Die rothaarige Frau ging ins Haus. Ein anderer gesellte sich zu dem großen Polizisten. Sean erkannte Beck sofort. »*Den* könnte ich umbringen«, sagte Sean und schwenkte das Objektiv auf Becks Gesicht. »Warum kann es nicht der mit dem Schnauzer sein?«

»Die Nummern sind nicht wichtig, es geht um die Art«, erklärte Giggs, als er mit Beck ins Büro kam. »Die Qualität bringt Punkte.«

»Aber die Nummern sagen auch etwas«, widersprach Beck stur.

Giggs schüttelte den Kopf. »Nur beim Bingo.«

Penhaligon sah von ihrem Schreibtisch auf. »Ihr seid ekelhaft, wißt ihr das?«

»Etwa ich?« fragte Giggs.

Beck setzte sich und legte die Füße auf seinen Schreibtisch.

Bilborough streckte den Kopf durch die Tür. »Was habt ihr für mich, Leute?«

Giggs und Penhaligon tauschten einen entrüsteten Blick. Giggs hockte sich auf die Kante von Janes Schreibtisch, nahm einen der Stifte und spielte geistesabwesend damit. »Nicht viel.«

Jane Penhaligon blätterte in einer Akte. »Der Mann ist tot – die Leute springen nicht auf und erzählen uns, daß sie ihm Geld schulden.«

Bilborough kam näher; er hatte einen Fußball dabei und warf ihn von einer Hand in die andere. »Und mit *wem* habt ihr gesprochen?«

»Mit seiner Familie, seinen Saufkumpanen, ein paar riesigen Kerlen, die sagen, sie hätten hin und wieder ein bißchen Arbeit für ihn erledigt«, antwortete Penhaligon. »Alles einwandfrei, nichts Ungesetzliches – ehrlich nicht«, setzte sie gelassen hinzu. »Aber Leute, die tatsächlich Schulden bei ihm hatten?« Sie schaute Giggs an. »Sechs?«

»Sieben«, verbesserte Giggs sie. »Ich hab' heute morgen eine vernommen, und heute nachmittag kommen noch zwei andere dran.«

Bilborough seufzte enttäuscht. »Was Neues aus dem Labor?« Penhaligon blätterte in der Akte und nahm zwei Papiere aus dem Stapel. »Nicht viel nach vier Stunden Regen. Lippenstift auf seinem Hemd . . .«

»Von seiner Frau?« fiel Bilborough ihr ins Wort.

»O nein. Sie haben mich hingeschickt, um das zu chekken, erinnern Sie sich? Das war nicht ganz einfach – die

172

Witwe wurde hysterisch. Hat Sachen zertrümmert. Zwei Gläser. Trotzdem hab' ich die Lippenstiftproben bekommen. Keine paßt.« Sie blätterte wieder in den Unterlagen. »Todeszeit. Todesursache, bla, bla, bla.« Sie hielt inne, sie war auf etwas gestoßen, was sie für interessant hielt. »Sein Hosenschlitz war offen.«

Giggs beugte sich über den Tisch, um sie anzutupsen, und lachte dreckig.

»Sonst nichts?« fragte Bilborough.

Sie überflog noch einmal den Bericht und schüttelte den Kopf. »Nein.«

Bilborough war unzufrieden; er umklammerte den Fußball so fest, daß seine Knöchel weiß wurden.

»Wißt ihr, was das Problem ist?« brach Giggs das Schweigen. »Sie haßten ihn, weil er ein Widerling war, oder sie haßten ihn, weil sie ihm Geld schuldeten. Aus welchem Grund auch immer – alle haßten ihn, und alle wünschten ihm den Tod.«

»Bringt uns diese bahnbrechende Erkenntnis irgendwie weiter?« erkundigte sich Bilborough.

Giggs schüttelte verlegen den Kopf. »Nein.«

Bilborough steuerte sein Büro an. »Haltet mich auf dem laufenden.«

Beck stand auf. »Wir könnten . . .« Er hob eine Hand an den Mund, als würde er ein Glas halten – das war seine Art, den Boß zu einem Drink aufzufordern.

»Ich komm' später nach«, sagte Bilborough.

Penhaligon schloß sich den anderen an.

»Haben Sie eine Minute Zeit?« fragte Bilborough sie.

»Klar.« Sie folgte ihm in sein Büro und blieb abwartend an der Tür stehen, während er den Fußball vorsichtig auf ein paar Bücher, die auf dem Fenstersims standen, plazierte.

Nachdem er sich gesetzt hatte, ordnete er ein paar Unterlagen auf seinem Schreibtisch und legte ein Blatt Papier vor sich. »Wie kommen Sie mit Giggs zurecht?«

»Gut«, sagte sie und schielte auf das Papier. Es war ihr Antrag auf Beförderung. »Er ist ein guter Polizist.«

»Brauchen Sie irgend etwas?«

Sie zuckte mit den Achseln und versuchte ein Lächeln. »Ein bißchen Glück.«

»Konnte Fitz helfen?«

»Manchmal«, entgegnete sie vorsichtig.

»Sehen Sie ihn oft?«

Die Unterhaltung wurde ein wenig zu persönlich; am liebsten hätte sie ihm unmißverständlich klargemacht, daß ihn das einen feuchten Kehricht anging, aber dies war nicht der richtige Zeitpunkt für eine solche Zurechtweisung. Nicht, solange ihr Antrag auf Beförderung noch auf seinem Schreibtisch lag. »Es ist platonisch«, sagte sie ausdruckslos. Sie rief sich ins Gedächtnis, daß sie unter allen Umständen sauber bleiben wollte.

Bilborough nickte. »Erzählen Sie ihm nichts, was er nicht unbedingt wissen muß.«

Der hat Nerven! Was soll das heißen? »Das tue ich nie«, sagte sie, dabei hatte sie größte Mühe, die Beherrschung zu bewahren.

Bilborough nickte wieder. »Der Chief hat einen Brief bekommen und mir eine Kopie davon geschickt. Ich dachte, das könnte Sie interessieren.«

»Ja, Sir?« fragte sie wachsam.

Er suchte in einer Schublade nach einer Akte, nahm ein Blatt heraus und las vor: »Lieber Chief Superintendent, ich möchte Ihnen danken, daß Sie neulich diese großartige Miss Sergeant Pendleton zu mir geschickt haben. Ich denke zumindest, daß sie so heißt.«

Penhaligon schloß mit einem Seufzer die Augen und schwor sich, in die Vale Road zu fahren und die alte Frau zu erwürgen.

»Sie werden wissen, wen ich meine, wenn Sie sie sehen«, fuhr Bilborough fort. »Sie ist sehr hübsch, rothaarig und ungeheuer klug, zudem ausgesprochen hilfsbereit und freundlich. Meiner unmaßgeblichen Meinung nach ist sie eine richtige Miss Marple! Hochachtungsvoll – Miss Anna Knight. PS: Der Police Constable, der mit ihr hier war, war auch sehr nett.«

Sie öffnete die Augen und sah, daß Bilborough lachte. »Wir bekommen nicht viele derartige Briefe«, sagte er. »Gut gemacht.«

»Danke, Sir«, erwiderte sie kühl. »Ist das alles, Sir?«

»Nein.« Bilborough legte Miss Knights Brief weg und nahm ihren Antrag in die Hand. Er nahm sich die Zeit, ihn zu überfliegen, dann hob er den Blick und sah sie an. »Sie haben einen Antrag auf Beförderung gestellt. Ich muß einen Bericht anfertigen.«

Sie hielt den Atem an und versuchte, ganz ruhig zu bleiben. »Ja.«

Bilborough plazierte ihren Antrag wieder auf der Schreibtischplatte. »Abgesehen von Ihrer Fanpost, glauben Sie nicht, daß Sie damit ein bißchen überstürzt gehandelt haben?«

Penhaligon erstarrte zu Eis. Wie konnte er so was sagen? Nach all den Leistungen, die sie erbracht hatte, bei ihrer Entschlossenheit, nicht nur ebenso gut zu sein wie die männlichen Kollegen, sondern besser? Wie konnte er sie so behandeln?

»Ihre letzte Beförderung ist nicht allzu lange her«, setzte er hinzu. »Vielleicht in einem halben Jahr, einem Jahr, kein Problem . . .«

»Okay«, sagte sie. Sie bemerkte zu ihrem eigenen Entsetzen, daß sie kicherte. Wie hatte Fitz das genannt? Ein Galgenkichern – das Lachen, wenn einem eigentlich zum Heulen zumute war. Sie nickte und verließ Bilboroughs Büro.

Auf dem Korridor lief sie Fitz in die Arme. »Penthesilea«, grüßte er sie lautstark.

All ihre Wut und Frustration kochte mit einemmal über, als sie den verhaßten Spitznamen hörte. »Penhaligon!« schrie sie aufgebracht. »Mein Name ist Penhaligon, Sie arroganter Fettkloß!« Sie schubste ihn zur Seite und stürmte an ihm vorbei. »Penhaligon!« brüllte sie ein letztes Mal.

»Irgend etwas hat dich aufgeregt«, sagte Fitz, als er ihr nachsah. Er tippte sich an die Nase. »Mein Näschen verrät mir das jedesmal sofort.«

Er fand sie im Pub auf der anderen Straßenseite. Sie saß ganz allein an einem Tisch, während ihre Kollegen an der Bar standen und schwatzten. Er bestellte einen Scotch für sie und eine Diät-Cola für sich und brachte beides an ihren Tisch.

»Tut mir leid«, sagte sie.

»Ist schon gut.« Er hob sein Cola-Glas.

»Sind Sie trocken?«

Er nickte. »Aber es ist nicht leicht. Hin und wieder falle ich um.«

»Er hat recht, wissen Sie«, sagte sie schließlich. »Ich kenne das System. Ich habe zu früh einen Beförderungsantrag eingereicht.«

»Aber?«

An der Bar lachten alle über Giggs, der sich in einen Damenschlüpfer schneuzte.

Jane Penhaligon nahm ihr Glas und vernichtete den Whisky in einem Zug. »Wollen Sie nicht doch einen?« fragte sie und kramte in ihrer Tasche.

»Nein.«

»Um Gottes willen, trinken Sie einen.« Sie zog ihre Geldbörse heraus und wollte aufstehen.

Fitz grapschte nach ihrem Arm und hielt sie zurück. »Aber . . .«, sagte er, »das System ist nur für andere da. Wenn man etwas Besonderes ist, gilt es nicht für einen. Stimmt's?«

»Stimmt«, murmelte sie leise und senkte betreten den Blick.

Das Telefon an der Bar klingelte. Der Barmann nahm den Hörer ab. »Jimmy«, sagte er nach einer kurzen Weile und hielt ihn Beck hin.

»Ja?« sagte Beck, hörte einen Moment zu, dann brüllte er aufgeregt: »*Ja!*« Er knallte den Hörer auf und rief laut: »Sie haben die Kreditkarte benutzt!«

Der Geschäftsführer deutete auf einen der Camcorder, die in einem Glaskasten ausgestellt waren. »So einer war's.«

»Ich brauche eine Beschreibung von allen Leuten, die einen von denen gekauft haben«, sagte Beck.

»Sie machen Witze«, erwiderte der Geschäftsführer. »Wir haben in den letzten Tagen ungefähr hundert davon verkauft. Ein Sonderangebot – Jeremy Beadle will damit die Geschäfte ankurbeln.«

Beck deutete auf einen Bildschirm in dem Schaukasten. Er war an eine der Videokameras angeschlossen, die hin- und herschwenkte und den ganzen Laden aufnahm. »Was ist damit?«

»Nützt auch nichts, leider«, sagte der Geschäftsführer kopfschüttelnd. »Das Band spult sich alle zwei Stunden zurück.« Er zuckte mit den Achseln. »Kaufen Sie, solange der Vorrat reicht.«

Tina fummelte an der Kamera herum, stellte das Stativ auf und prüfte die Position durchs Objektiv. Dann kommandierte sie Sean herum: »Einen Schritt vor, nein, doch wieder ein Stückchen zurück. Ein wenig nach links, noch ein wenig, nein, das ist zuviel. Ja, so stimmt's.«

Sie rannte zu ihm und klebte ein Stück Klebeband neben Seans Füße auf den Boden. »Da«, sagte sie, »das ist deine Markierung.«

Danach war Sean dran, durch die Linse zu sehen. Er ließ sich lange Zeit, grunzte vor Begeisterung und wedelte mit den Händen, um Tina zu signalisieren, wohin genau sie den Sessel rücken mußte. Schließlich waren sie beide zufrieden.

Sean ging zu seiner Markierung und stellte sich in Positur. *»I, I who have nothing«*, sang er mit ausladenden Gesten. *»I, I who have no-one . . .«*

Tina setzte sich in den Sessel und schaute in die Kamera. »Wir werden einen Polizisten töten«, begann sie.

19

Fitz ging ins Haus und fand Mark ausgestreckt auf dem Sofa im Wohnzimmer. Er hatte die Augen geschlossen, den Mund geöffnet und schnarchte. Seine Lider flatterten, als er eine Bewegung wahrnahm. Er hob den Kopf und fragte gähnend: »Was?«

»Was hast du heute getan, Mark?« fragte Fitz seinen Sohn. »Welche großen Taten hast du vollbracht?«

Mark gähnte wieder, rieb sich die Augen und richtete sich

auf. Er trug ein T-Shirt, verwaschene Jeans und mit Nieten verzierte Lederarmbänder. Sein schulterlanges Haar war zu einem Pferdeschwanz zusammengebunden, aus dem sich etliche Strähnen gelöst hatten. »Ich muß eingeschlafen sein«, sagte er. »Übrigens, Großmutter hat angerufen. Sie wollte dir erzählen, daß Solo King achtzehn zu eins in Chester bekommen hat. Dann sagte sie noch, daß du dir die Nase putzen sollst.« Er zuckte mit den Achseln. »Sie meinte, du wüßtest schon, was sie damit meint.«

Fitz ging in die Küche.

Es war das reinste Chaos; das schmutzige Geschirr stapelte sich im Spülbecken, eine Flasche mit Milch, die sich allmählich in Joghurt verwandelte, stand auf dem Abtropfbrett, Wäsche lag verknittert und vergessen im Trockner. Fitz seufzte und schaltete das Radio ein – der Sender, der die Nachmittagsrennen übertrug, war bereits eingestellt.

Er stellte die Milch in den Kühlschrank. Er spülte das Geschirr und wischte den Tisch ab. Dann entschied er, daß er sich auch gleich die Bügelwäsche vornehmen könnte. Er räumte den Inhalt des Trockners in einen Korb und machte sich an die Arbeit. Er bügelte ein T-Shirt nach dem anderen; Mark trug selten etwas anderes.

Ihm fielen in einem der Hemden eine Menge kleiner Löcher auf. Motten? Er hielt das Hemd gegen das Licht, um besser sehen zu können. Nein, keine Motten. Das waren Brandlöcher.

Er hob ein anderes T-Shirt hoch und untersuchte es. Löcher.

»Scheißkerl«, schimpfte er. Er stürmte ins Wohnzimmer und schwang drohend eins der durchlöcherten Hemden. »Was ist das?«

Mark hatte sich nicht vom Sofa gerührt, aber wenigstens

war er jetzt wach, hatte den Kopf an ein Kissen gelehnt und starrte in den Fernseher.

Fitz stellte sich vor den Bildschirm, um ihm die Sicht zu versperren, und hielt ihm das T-Shirt unter die Nase. »Was *ist* das?«

»Das ist ein T-Shirt.«

Fitz schaltete den Fernseher aus und warf Mark das Hemd zu, damit er es sich genauer ansehen konnte. »Und was ist das hier? Diese kleinen Löcher?«

Mark betrachtete das T-Shirt, dann seinen Vater. »Ist das eine Scherzfrage?«

»Nein.«

»Dann würde ich sagen, es sind kleine Löcher.«

»Hör mal, ich hab' diese Dinger gekauft«, rief ihm Fitz zornig ins Gedächtnis. »Ich hab' dafür bezahlt. Du rauchst offensichtlich irgendein Dope, das dir das Gehirn vernebelt; du hast das glimmende Zeug über deine ganzen Sachen verstreut . . .«

Mark rollte sich auf die Seite und tat die Anschuldigungen lässig ab. »Ich hab' das Hemd seit Jahren.«

»Du bist offenbar so weggetreten, daß du nicht einmal merkst, was du machst.«

»Ich weiß gar nicht, wovon du überhaupt sprichst.«

»Du, hör zu – dieser alte Trottel hier hat die Dinger bezahlt, okay?«

Mark verdrehte die Augen. »Ja, ja.«

»Solange du unter meinem Dach lebst, befolgst du meine Regeln.«

»Ja, ja, ja, ja.«

»Hör auf damit. ›Ja, ja, ja‹. Du läßt das ab sofort sein«, forderte Fitz. »Du rauchst kein Dope mehr, es sei denn, du beweist mir, daß du damit umgehen kannst.«

»O ja.« Mark lachte bitter. ». . . das sagte der Mann, der

180

sich jeden Abend vollschüttet, der Mann, der sein Hirn in Fusel ertränkt.«

Fitz trollte sich und bügelte weiter.

Kurze Zeit später tauchte Mark in der Küche auf. »Möchtest du eine Tasse Tee?«

Fitz sah von seinem Bügelbrett auf. Eine Tasse Tee: Das war Marks Art, sich zu entschuldigen. »Ja, gern«, sagte er – die Entschuldigung war angenommen.

Sean sah sich das Video mit den beiden Polizisten, die auf den Stufen zum Revier standen und sich unterhielten, ganz genau an. Warum konnte es nicht der andere sein? Der kleine schleimige Typ mit dem Schnauzer? Den könnte er mit bloßen Händen kaltmachen; er könnte ihn an der Kehle packen und zudrücken. Drücken und drücken, bis dem Scheißkerl die Augen aus dem Kopf sprangen. Drücken, bis sein Schädel explodierte . . . Aber nein, es mußte der große sein.

Cormack hatte er gehaßt. Er hatte ihn mehr gehaßt als irgend jemanden sonst. Sogar noch mehr als den kleinen Scheißkerl mit dem Schnurrbart.

Cormack zu töten, war leicht gewesen, erstaunlich leicht. Aber diesen bulligen Cop umzubringen, würde schon schwieriger werden. Nicht wegen seiner Größe, nicht, weil Sean Angst vor ihm hatte, sondern weil er ihn nicht haßte. Er hatte keinen Grund, ihn zu hassen.

Plötzlich stand Tina neben ihm. Sie berührte seinen Arm. »Er wird mein Alibi prüfen, Sean, und herausfinden, daß ich nicht bei meiner Mum war. Das wär's dann. Mit uns wär's aus.«

»Ich w-w-w . . .«

»Du weißt.«

»Ich weiß, ich weiß das. Ich weiß.«

»Den einen würdest du alle machen. Denjenigen, der dich so schikaniert hat. Den könntest du ganz leicht umbringen?«

»Ja.«

»Der andere ist genauso. Wenn er mit dir in dieser Zelle gewesen wäre, hätte er dich genauso schikaniert wie der andere. Sie sind alle gleich: Alle sind Scheißkerle, Sean. Jeder einzelne von ihnen.«

»Ich weiß.«

»Und du weißt auch, was er eigentlich von mir will, Sean. Du weißt, weshalb er herkommt und was er mit mir machen will.«

Er nahm ein kurzes Bleirohr und wog es in seinen Händen. »Ich weiß.«

Es gab einige Dinge, auf die man sich bei Judith hundertprozentig verlassen konnte. Eins dieser Dinge waren ihre Einkaufsgewohnheiten.

Fitz fand sie im Supermarkt im Gang mit den Muffins, den Fertigkuchen und dem abgepackten Brot. Sie sah voller Entrüstung auf, als Fitz ihren Einkaufswagen übernahm und weiterschob.

»Was willst du, Fitz?«

»Ich muß mit dir reden. Es ist wichtig.«

»Es ist immer wichtig, Fitz, und ich hab's verdammt satt. Ich bin es leid zu reden, verstehst du?«

»Es geht um Mark, Judith.«

Sie erschrak sichtlich und sah Fitz besorgt an. »Was ist mit ihm?«

Er stand mit ihr an der Kasse und war noch immer bei ihr, als sie ihre Einkäufe vom Wagen in den Kofferraum lud. Er erzählte von Mark.

Wie gewöhnlich war seine Reaktion übertrieben. Es war doch nur ein bißchen Pot; sie beide hatten auch Pot geraucht, als sie jünger waren. »Es gibt Schlimmeres«, erklärte sie ihm aufgebracht.

»Nein«, beharrte er. »Es war 'ne Menge Dope.«

Sie riß die Hände hoch. »Dann rede mit ihm.«

»Das hab' ich versucht. Aber wir haben uns nur angeschrien.« Er bedachte sie mit einem hilflosen Blick. »Du weißt, wie das ist.«

»O ja, ich weiß genau, wie das ist«, murmelte sie, während sie die letzten Lebensmittel im Kofferraum verstaute.

»Was meinst du damit?« fragte Fitz unsicher.

Sie deutete auf den leeren Einkaufswagen. »Würdest du den bitte für mich zurückbringen?«

»Dann fährst du weg.«

Manchmal konnte er so verdammt dumm sein. »Das tue ich nicht«, sagte sie.

Er rührte sich nicht von der Stelle.

»Ich verspreche es.«

Er schlug den Kofferraumdeckel zu und nahm ihren Schlüssel an sich. Dann rollte er den Wagen weg.

Judith schlug sich mit der Hand gegen die Stirn. Das Leben mit ihm war wie ein Schachspiel; nach jedem Zug, den sie machte, nahm er ihr eine der Figuren weg. Schach und matt.

»Kann ich bitte meine Schlüssel wiederhaben?«

Er warf sie ihr zu – eins zu null für ihn. »Was hast du gemeint, als du sagtest, daß du genau weißt, wie das ist?«

Sie stieg ein. Fitz stand daneben und hielt die Tür fest, als sie sich anschnallte. »Du bist der Psychologe«, sagte sie. »Du löst die Probleme anderer, du analysierst ihre Beziehungen. Aber du bist unfähig, mit deinem eigenen Sohn ein Gespräch zu führen.« Sie drehte den Schlüssel im Zündschloß. »Du redest nicht, du streitest. Ich bin keine Mutter, sondern ein Schiedsrichter! Das hab' ich gemeint.«

»Ich lasse für heute abend einen Tisch für uns reservieren«, begann er. »Wir können . . .«

Sie schüttelte den Kopf und unterbrach ihn: »Ich gehe heute abend aus.«

»Mit Graham?«

»Ja.« Sie wollte die Tür zumachen, aber er hielt sie nach wie vor fest. »Laß los.« Er regte keinen Muskel. »Fitz, laß die Tür los!«

»Ich werde keine Versprechungen machen, die ich nicht halten kann . . .«

Sie redeten gleichzeitig drauflos, beide schrien, um den anderen zu übertönen. »*Ich hör' dir nicht zu, Fitz* – Schau, ich werde den Alkohol reduzieren – *Ich hör' nicht zu* – Ich werd's versuchen, und ich schränke mich mit dem Spielen ein – *Wenn ich dir zuhöre, wirst du mich wieder um den kleinen Finger wickeln, und das lasse ich nicht zu* – Ich mache keine leeren Versprechungen; ich bin kein Heuchler – *Ich höre nicht auf dich; ich lasse das nicht zu* – Das ist doch gerade das, was du an mir magst, um Himmels willen – *Ich höre nicht zu* – Aber ich werd's versuchen. Alles, was ich sagen kann, ist: Ich werde es versuchen – *Laß die Tür los, Fitz* – Ich werd's versuchen, ich verspreche dir, daß ich es versuche, mehr kann ich nicht . . .«

»Laß die Tür los, Fitz!« kreischte Judith. »Ich höre dir nicht zu!«

Er zog die Hand zurück. »Ich liebe dich.«

Sie schlug die Tür zu. Warum quälte er sie so? Wieso konnte er sie nicht einfach in Ruhe lassen?

»Ich liebe dich!« Ein Riese von einem Mann beugte sich ganz tief zu einem Autofenster und preßte die Nase an die Scheibe. »Ich liebe dich!«

Sie trat aufs Gas und brauste davon. Eine Träne rollte ihr über die Wange.

»Ich liebe dich!«

Sean hielt eine Rolle Mülltüten in der einen Hand und in der anderen eine Rolle Klebeband.

Tina riß eine der schwarzen Plastiktüten ab und schnitt mit einer Schere sorgsam die Seiten auf – die Tüte wurde zu einem langen, breiten Plastikstreifen. Sean gab ihr ein Stück Klebeband, und sie befestigte die aufgeschnittene Tüte an der Wohnzimmerwand.

Sie hatten beide Handschuhe an.

Tina riß die nächste Tüte ab und wiederholte die Prozedur. Sie paßte genau auf, daß sich die Plastiktüten an den Rändern beim Aufkleben leicht überlappten.

Sie kleideten das ganze Zimmer aus, bedeckten jeden Zentimeter der Wand mit Plastik; falls es ähnlich sein würde wie bei Cormack, dann würde eine Menge Blut fließen.

Als sie mit den Wänden fertig waren, kam die Decke dran, dann der Boden.

»*Mord im Orientexpreß*«, sagte Giggs, als er mit Jane Penhaligon in die Anson Road zurückfuhr.

»Wie?«

»Erinnerst du dich? Am Schluß von *Mord im Orientexpreß* stellt sich heraus, daß alle an dem Mord beteiligt waren. Das könnte ich mir im Cormack-Fall auch vorstellen. Alle, mit denen wir gesprochen haben, haßten ihn, alle wünschten ihm den Tod. Vielleicht haben ihn alle zusammen umgebracht, eine große Party veranstaltet. Das würde eine Menge erklären, findest du nicht?«

Jane lachte. »Hast du Bilborough deine Theorie schon unterbreitet?«

»Hmm . . . nein.«

»Gut, ich möchte nämlich dabeisein, wenn du das tust. Ist immer für einen Lacher gut, oder? Die Art, wie Bilboroughs Augen glasig werden, wenn du den Mund aufmachst, und dieser Geistesblitz mit dem *Orientexpreß* wird ihn ganz bestimmt schwer beeindrucken.«

»Danke, Jane«, brummte Giggs. »Ich wußte, daß ich auf deine Unterstützung zählen kann.«

Sie zeigte mit dem Finger auf eine Bushaltestelle. »Hey, Giggsy, sieh mal, da ist Fitz.«

Giggs blieb am Straßenrand stehen. Fitz bemerkte sie nicht; er starrte auf ein Plakat, das für eine neue Jeansmarke warb. Zwei Nonnen im Habit standen ein paar Meter von ihm entfernt und warteten auf den Bus.

Giggs hupte, während Jane Penhaligon die Scheibe herunterkurbelte. »Hey, großer Junge!« schrie sie kichernd. »Wollen Sie mitfahren?«

Fitz wirbelte herum und deutete auf das Plakat hinter ihm: eine riesige Nahaufnahme von einem halboffenen Hosenschlitz mit Inhalt. »Denk an den Hoden«, sagte Fitz laut.

Jane beugte sich aus dem Wagenfenster, um besser sehen zu können. »Ich tue nichts anderes.«

»Cormacks Hoden war zerquetscht, oder?«

»Ja«, bestätigte Penhaligon verlegen – die Nonnen bekamen jedes Wort mit.

»Warum?«

Sie zuckte mit den Achseln. »Sagen Sie es mir.«

»Sexuelle Raserei«, stellte Fitz fest. »Sexuelle Raserei. Hören Sie mal, ich erklär' Ihnen das beim Abendessen.«

Penhaligon deutete mit dem Kopf auf Giggs. »Wir gehen was trinken.«

»Das tun wir nicht«, korrigierte Giggs sie. »Ich hab' was vor. Was Geschäftliches.«

Penhaligon drehte sich überrascht zu ihm um. »Ach, ja? Was für Geschäfte sind das denn?«

»Eins, das niemanden was angeht«, erwiderte Giggs mit abgewandtem Gesicht.

»Mit Emma?«

Er sah sie immer noch nicht an. »Nein.«

»Also?« hakte Fitz nach und beugte sich zu Janes Fenster.

»Okay«, sagte sie. »Steigen Sie ein.«

Er kletterte auf den Rücksitz.

»Er ist ein netter Kerl, ehrlich«, versicherte Jane den Nonnen.

20

Es war eines dieser extrem vornehmen Restaurants, in denen keiner laut zu reden wagte. Judith fand, daß die Leute übertrieben, aber ihr fiel auf, daß alle tatsächlich nur dezent murmelten: die Kellner, die Leute an den Nachbartischen und besonders Graham.

»Sie müssen wissen, was ich für Sie empfinde, Judith«, sagte er. »Sicherlich haben Sie es längst erraten.«

»Graham, tut mir leid. Aber ich bin noch nicht so weit, mich auf so etwas einzulassen.«

»Ich verstehe.« Er nickte verständnisvoll. »Sie sollten auch wissen, daß ich nicht im Traum daran denken würde, Sie zu etwas zu drängen.« Er zog beide Augenbrauen hoch, wie er es immer tat, wenn er eine bahnbrechende Erkenntnis hatte. »Das ist eine Lüge. Mein Bemühen, Sie nicht zu drängen, wird Sie unter Druck setzen, weil Ihnen immer bewußt sein wird, daß ich mich zurückhalte.«

Judith konnte nicht anders, sie mußte lachen; diese verwickelte Logik war typisch für ihn.

Graham lachte auch. »Beziehungen können so verdammt kompliziert sein, nicht wahr?«

Sie nickte. »Ich weiß, wovon Sie sprechen.« Sie nahm eine Bewegung aus dem Augenwinkel wahr. Sie drehte leicht den Kopf, um mehr zu sehen, und hätte am liebsten zu schreien angefangen. Der Kellner geleitete zwei neue Gäste durchs Restaurant, und einer dieser Gäste war Fitz. O Gott, nein, dachte sie, er ist mir hierher gefolgt!

Er war in Begleitung einer Frau, die sie noch nie gesehen hatte: groß, mit rötlichem Haar und einem knappen gelb-schwarz gemusterten Kleid. Judith bezweifelte, daß die Frau die Dreißig schon überschritten hatte. Offensichtlich eine kleine Schlampe – ein Flittchen, das ihr Mann an Land gezogen hatte, um sie zu ärgern. Nur ein weiterer Bauer in seinem abartigen Schachspiel.

»Es liegt ganz allein an Ihnen«, fuhr Graham fort, ohne zu merken, daß Fitz direkt auf sie zusteuerte, »wie weit unsere Beziehung geht, wohin sie führt, wie lange sie dauert . . .«

Zu Judiths hellstem Entsetzen erkannte sie, daß der Kellner Fitz und sein Flittchen zu dem Tisch neben ihrem brachte.

Endlich begriff auch Graham, daß etwas nicht stimmte.

»Ist alles in Ordnung mit Ihnen?« fragte er.

»Mein Mann ist hier.«

Graham drehte sich um.

Fitz nickte ihnen zu, als wären sie Fremde. »Guten Abend.«

»Was soll das?« wollte Judith wissen.

»Wie bitte?« erwiderte Fitz in aller Unschuld.

Judith winkte dem Kellner. »Entschuldigen Sie.«

»Madam?«

»Würden Sie diese Leute bitte an einen anderen Tisch führen?«

Der Kellner wandte sich verwirrt und peinlich berührt an Fitz und seine Begleiterin. »Die Dame hätte gern, daß Sie woanders Platz nehmen.«

Fitz setzte seine Brille auf und sah sich verblüfft um.

»Kenne ich die Dame?«

»Er kennt mich sehr gut. Ich bin seine Frau.«

Fitz schlug überrascht die Hand vor den Mund, als hätte er sie gerade erst erkannt. Er neigte sich dem Kellner zu und vertraute ihm an: »Hören Sie, ich bin Psychologe. Es ist tragisch. Sie ist eine Patientin von mir.«

»Ich bin keine Patientin! Ich bin seine Frau.«

Fitz beugte sich über den Gang zu ihr. »O ja«, sagte er. »Tut mir leid. Ich habe Sie ohne Ihre Zwangsjacke gar nicht erkannt.«

Judith wandte sich wieder an den Kellner. »Würden Sie ihnen bitte einen anderen Tisch zuweisen?«

Der Kellner blieb stehen und sah ratlos von einem zum anderen.

Fitz sah ihn an und sagte wie ein Mann von Welt zum anderen: »Ich bitte Sie, glauben Sie, ich würde meine Geliebte groß zum Essen ausführen und sie meiner Frau direkt vor die Nase setzen? Einen großen Scotch – pur, bitte.«

Er tippte den Arm der Rothaarigen an. »Und für dich, Liebling?«

»Nichts, danke«, sagte sie, besann sich dann aber anders. »Einen großen Krug Wasser, bitte«, bestellte sie. »Mit Eis.«

»Sehr wohl, Madam«, sagte der Kellner und machte sich eilends davon.

»Würden Sie bitte . . .«, rief Judith ihm nach. Aber es hatte keinen Zweck, er war schon weg. »Wer hat dir gesagt, daß ich hier bin?« wollte sie von Fitz wissen.

»Niemand.«

»Du bist zufällig hier vorbeigegangen und hast einfach so mal reingeschaut?«

Fitz wurde zu Bogart aus *Casablanca*: »Von allen Kneipen dieser Welt . . .«

»Ist das nicht ein bißchen kindisch?« mischte sich Graham ein.

Der Kellner kam mit Fitz' Whisky und dem Wasserkrug zurück. Graham gab ihm ein Zeichen. »Könnten wir bitte die Rechnung haben?«

»Ist alles in Ordnung, Sir?« fragte ihn der Kellner beflissen.

»Nein, das ist es nicht«, antwortete Judith für ihn.

Der Kellner stellte den Krug auf Fitz' Tisch, die Rothaarige dankte ihm, stand auf und ergriff den Krug mit beiden Händen. Dann goß sie den Inhalt ruhig und gelassen über Fitz' Kopf. Die junge Frau stieg beträchtlich in Judiths Achtung – vielleicht war sie doch kein hirnloses Flittchen.

Der Kellner wußte nicht, wohin er schauen sollte; schließlich heftete er den Blick auf einen Fleck über Grahams Kopf. Fitz nahm seelenruhig ein Eisstück von seinem Schoß und ließ es in das Whiskyglas fallen.

»Ein altes angelsächsisches Vorspiel«, erklärte er Graham, ehe er sich der Frau zuwandte. »Geh sofort in mein Bett. Wenn ich in einer halben Stunde noch nicht da bin, fang schon mal ohne mich an.«

Fitz' Freundin ging wortlos davon – Judith achtete sie dafür noch mehr.

Fitz blieb mit triefenden Haaren und nassem Anzug sitzen, nahm die Speisekarte zur Hand und blätterte ungerührt die Seiten um. Der Kellner zückte achselzuckend seinen Bestellblock.

»Es passiert immer wieder, nicht wahr, Doktor Fitzgerald?« sagte Judith, als sie und Graham aufstanden und gingen.

Sean stand inmitten des leeren mit schwarzem Plastik ausgekleideten Zimmers.

»Du mußt deine Klamotten ausziehen«, machte Tina ihm klar, während sie ihm das Hemd aufknöpfte. Dann versuchte sie, ihm die Hose zu öffnen; er schob ihre Hand zur Seite. »Sie werden mit Blut besprizt«, sagte sie. »Das ist ein Beweis.«

Er schüttelte ungehalten den Kopf.

»Er kommt, um mit mir ins Bett zu gehen, Sean«, erinnerte Tina ihn und machte sich wieder an seiner Hose zu schaffen.

Wieder stieß er ihre Hand weg; er würde dem Mann nicht nackt gegenübertreten. »Ich behalte sie an. Ich werde sie gleich nachher verbrennen, okay? Ich werde sie verbrennen.«

Die verqualmte Luft in dem Kasino knisterte vor Spannung; Menschen, die das Gefühl haben wollten, lebendig zu sein, drängten sich hier – sie suchten nach etwas, was ihre Gedanken beschäftigte, was sie voll und ganz in Anspruch nahm. Fitz stand am Eingang und sah ein Heer konzentrierter Gesichter, dabei stellte er sich vor, in die zersplitterten Fragmente eines großen Spiegels zu schauen, die seine eigene Verzweiflung reflektierten – tausendfach. Höchste Zeit, die Gedanken an zerbrochene Spiegel und

Verzweiflung aufzugeben und auch die Vorstellung zu verdrängen, wie seine Mutter in Decken gewickelt einsam im Garten zu sitzen und allmählich zu rissigem Porzellan zu werden. Statt dessen brauchte er diesen Kick, dieses Gefühl, einen Luftsprung machen und Freudenschreie ausstoßen zu wollen. Er setzte sich vor das Rouletterad und öffnete die Brieftasche.

Er nahm einige Scheine heraus – das Geld, das er nicht für das Abendessen mit Jane Penhaligon ausgegeben hatte –, zählte sie und warf sie über den Tisch. Zwanzig Pfund behielt er für später. Der Croupier schob ihm einen Stapel Chips zu.

Fitz plazierte sie alle auf eine Zahl. Er gewann und wartete auf das Hochgefühl. Es kam nicht.

Er setzte alles auf eine andere Zahl. Er gewann wieder. Und dann noch einmal.

Der Haufen Chips, den er vor sich aufgebaut hatte, war riesig und fast tausend Pfund wert. *Spielen und gewinnen – nichts auf der Welt ist so wie dieses Gefühl.* Und er konnte an nichts anderes denken als an Detective Sergeant Jane Penhaligon, an ihr langes Haar, das über die Schultern floß, und an ihr Lachen auf dem Weg zum Restaurant. O Penthesilea, dachte er, es tut mir leid. Es tut mir aufrichtig leid.

Er setzte ein letztes Mal und verlor alles.

Fitz stand auf und ging zur Tür, neben der der Rausschmeißer im Smoking postiert war. »Gib mir Hausverbot, George.«

»Das kann ich nicht, Fitz.«

Fitz nickte seufzend. Er faßte nach hinten und kippte einen der Tische um – Karten und Chips verteilten sich auf dem Boden.

»Du hast Hausverbot«, sagte der Rausschmeißer.

»Guter Junge«, lobte Fitz ihn und steckte dem Mann die zwanzig Pfund, die er sich aufbewahrt hatte, in die Tasche.

Jane Penhaligons Apartment befand sich in einer neuen Wohnanlage nicht weit vom Kanal entfernt. Fitz spazierte einen Treidelpfad entlang, rauchte und dachte nach. Es regnete wieder, und der Grund zwischen Kanal und Wohnanlage verwandelte sich in Schlamm. Fitz warf die Zigarette ins Wasser, drehte sich um und marschierte mit schmatzenden Schuhen durch den Matsch.

Er hörte das Schlagzeug, als er in den Flur kam – ein unbarmherzig hämmernder Rhythmus. Bumm, bumm, peng, bumm, bumm, peng. Jane Penhaligon trommelte sich die Wut aus dem Leib. Sie ließ all den aufgestauten Zorn an dem Schlagzeug aus, das in ihrem Wohnzimmer stand. Auch ihre Nachbarn hatten darunter zu leiden – es war immerhin schon kurz vor zehn.

Fitz holte tief Luft und klopfte. Bumm, bumm, peng. Sie hörte ihn nicht. Er klopfte wieder, diesmal lauter. Der Rhythmus brach ab. Fitz hörte Schritte und das metallische Klirren, als die Kette vorgelegt wurde. Die Tür öffnete sich einen Spalt, und Janes Gesicht funkelte ihn böse an.

»Tut mir leid«, sagte Fitz.

»Das sollte es auch«, versetzte sie scharf und schlug die Tür zu.

Er klopfte noch einmal. Die Tür ging wieder auf, aber die Kette war noch immer vorgelegt.

»Hab' ich die Chance auf einen Kaffee?« fragte er.

Sie schüttelte den Kopf. »Eine ganz winzige. Zu klein, als daß sie zählen könnte.«

»Bitte.«

Sie löste die Kette und ließ ihn herein. Sie hatte sich inzwischen abgeschminkt und ein weites Sweatshirt und

Leggins angezogen – ein Aufzug, den Katie auch bevorzugen würde. Jane sah aus wie fünfzehn.

Sie führte Fitz in ihr aseptisch sauberes Wohnzimmer und ließ ihn dort allein. Er stand mitten im Zimmer und lauschte dem Geschirrklappern in der Küche, während er sich genauer umsah. Weiße Wände, kahl bis auf einen einzigen gerahmten Druck, der über dem blumengemusterten Sofa hing. Zwei Bambussessel mit zum Sofa passenden Kissen, ein Bambustisch mit fleckenlos glänzender Glasplatte und ein paar Zeitschriften, die ordentlich gestapelt waren. Der Persianerteppich unter seinen Füßen war makellos – nirgendwo war auch nur ein Stäubchen zu finden. Auf ihre Art übte Jane Penhaligon ebensoviel Kontrolle aus wie Sarah Heller.

Das ging natürlich auf ihre Kindheit zurück, wie Fitz wußte. Das einzige Mädchen in einem Haus voller Brüder. Strenge Mutter, die nur ihr nichts durchgehen ließ und sie im Haus festhielt, während die Jungs draußen herumtollten. Ein einsames kleines Mädchen drückte sich die Nase an der Fensterscheibe platt, sah, wieviel Spaß die andern hatten, und sehnte sich danach, diese Spiele auch mitmachen zu dürfen. Sie mußte ein braves kleines Mädchen sein, tun, was die Mutter ihr sagte, und immer unter ihrer Aufsicht bleiben. Innerlich brodelte und gärte es. Die übermächtige Herrschaft der Mutter rieb die kleine Jane auf, und sie träumte von dem Tag, an dem sie ihr Leben in die eigenen Hände nehmen und endlich das tun konnte, was sie wollte. Sie wollte so schnell wie möglich groß werden und selbst die Kontrolle übernehmen.

Und als sie älter wurde, mußte sie feststellen, daß nichts im Leben ihrer Kontrolle unterlag. Sie mußte Rechnungen bezahlen, vor Vorgesetzten katzbuckeln . . . Der einzige Ort, an dem sie bis zu einem gewissen Maß Kontrolle ausüben konnte, war die eigene Wohnung; wenn sie schon nicht die große Welt da draußen im Griff hatte, dann konnte sie wenigstens den Dreck aus ihren vier Wänden fernhalten. Bändige den Schmutz und bring alles auf Hochglanz – das ist Kontrolle.

Und dann war da noch das Schlagzeug. Noch mehr Kontrolle. Macht über die Nachbarn. Die Macht, ihnen den Schlaf zu rauben und ihnen das Leben zu erschweren.

Kontrolle, dachte er wieder und versuchte den genauen Zeitpunkt zu benennen, wann er selbst sie verloren hatte, wann alles um ihn herum zu bröckeln begonnen hatte.

Er nahm eine Zeitschrift von dem ordentlichen Stapel und blätterte sie durch, um seinen Geist mit irgend etwas anderem zu beschäftigen. Er versuchte den ersten Absatz eines Artikels zu lesen, aber die Worte ergaben keinen Sinn, und die Buchstaben waren nur schwarze Schnörkel auf weißem Hintergrund. Er starrte auf die Seite, fand jedoch keine zusammenhängende Aussage.

Penhaligon durchbrach endlich die Stille. »Sie haben mich benutzt!« schrie sie aus der Küche.

»Ich wollte das nicht. Ich wußte schon, daß sie heute ausgeht, aber ich hätte nicht gedacht, daß sie in diesem Restaurant ist. Reine Sentimentalität, Penthesilea.« Er machte eine Pause und wartete, ob sie dazu etwas zu sagen hatte. »Ich dachte, das würde Sie amüsieren.«

»Was?«

»Wissen Sie, was die Chinesen sagen?«

Penhaligon kam ins Wohnzimmer und rümpfte die Nase. »Was ist das für ein komischer Gestank?«

Fitz schaute auf seine Schuhe; er war in irgend etwas getreten, was schlimmer war als Matsch. »O Gott«, sagte er. Er war hergekommen, um sich bei ihr zu entschuldigen, und jetzt verschmierte er Hundescheiße auf ihrem Persianerteppich. »Ich mach' das weg, Penthesilea. Ich versprech's.«

»Sie können verdammt sicher sein, daß Sie das wegmachen«, gab sie zurück.

Tina stand im dunklen Flur vor der Tür und wartete. Sie trug ein kurzes schwarzes Kleid und lange schwarze Handschuhe. Die Tür zum Wohnzimmer war zu.

Um Punkt zehn klopfte es an der Tür. Sie öffnete lächelnd. »Hi.«

Der Polizist stand auf dem Balkon und hielt eine Weinflasche in der Hand. Er hatte denselben dunklen Anzug an wie am Tag zuvor. »Alles klar?« fragte er und trat in den Flur. Er roch nach Aftershave.

Tina drückte die Wohnungstür zu. »Bist du mit dem Auto da?«

Er nickte.

»Du hast es doch nicht direkt vor dem Haus abgestellt, oder?« fragte Tina besorgt und sah ihn mit großen Augen an.

»In einer Seitenstraße.«

»In welcher?«

»Sylvester Street.«

»Man kann nie vorsichtig genug sein«, sagte sie erleichtert.

»Ich weiß.« Er gab ihr die Weinflasche.

Sie bedankte sich, stellte sich auf die Zehenspitzen und hauchte ihm einen Kuß auf den Mund. Er zog sie an sich und zwängte seine Zunge in ihren Mund. Ihre Lippen waren voll und nachgiebig; er schmeckte das Pfefferminz von ihrem Atemspray.

Sie ging rückwärts und lockte ihn weiter.

»Warum diese Eile?« fragte sie lachend zwischen zwei

feuchten Pfefferminzküssen. »Wir haben die ganze Nacht für uns, wir brauchen nichts zu überstürzen. Wir haben die ganze Nacht Zeit.« Er ließ eine Hand unter ihr Kleid gleiten und preßte sich stöhnend an sie. Sie lachte wieder, entwand sich seinem Griff und nahm seine Hand. »Ich hab' eine Überraschung für dich«, sagte sie, als sie die Tür zum Wohnzimmer fast erreicht hatten. Sie gab ihm die Flasche zurück und hielt ihm scherzhaft mit einer Hand die Augen zu. »Jetzt behalt die Augen zu«, flüsterte sie kichernd.

Er tat gehorsam, was sie von ihm verlangte, lachte, als sie die Tür aufmachte und ihn ins Wohnzimmer führte, wo Sean im Dunkeln lauerte.

»Jetzt bleib hier stehen«, wisperte sie.

Giggs stand einen Moment ganz still – mit geschlossenen Augen und einem erwartungsvollen Lächeln. Nichts geschah. Er hörte jemanden schwer atmen. Fast keuchen. Aber es schien weit weg zu sein. Zu weit. Etwas stimmte nicht. Er riß die Augen auf und fand sich in einem leeren Zimmer; es war so dunkel, daß er kaum etwas erkennen konnte. Erst nach einer Weile begriff er, daß er nicht nur in einem gänzlich unbeleuchteten Raum stand, sondern daß alles – Wände, Decke, Boden – mit etwas Schwarzem verdeckt war.

Er drehte den Kopf in die Richtung, aus der das Keuchen kam, und sah Tina in der Ecke stehen. Sie lehnte an der Wand, hatte den Kopf nach hinten geneigt und den Mund leicht geöffnet. Sie berührte und streichelte sich selbst.

Tina beobachtete, wie Angst in den Augen des Polizisten aufflackerte. Sie hielt die Luft an, als sich Sean auf ihn stürzte und mit aller Wucht das Rohr auf den Schädel des Mannes sausen ließ.

»Kill ihn, Sean«, drängte sie. »Mach ihn alle. Er muß richtig tot sein.«

197

Fitz kroch mit der Bürste in der Hand und einem Eimer mit Seifenlauge neben sich auf allen vieren über den Teppich. Jane Penhaligon überwachte seine Arbeit vom Sofa aus und deutete auf die Flecken, die er übersehen hatte.

»Also, was sagen Sie?« fragte sie ihn schließlich.

»Hmm?«

»Die Chinesen. Sie wollten mir erzählen, was sie sagen, schon vergessen?«

Fitz verbeugte sich leicht, nahm einen übertriebenen chinesischen Akzent an, der irgendwo zwischen Fu Manchu und Charlie Chan angesiedelt war. »Man kann die Schönheit eines Tigers würdigen, selbst noch in dem Moment, in dem er sich auf einen stürzt, um einen zu verschlingen.«

»Blödsinn.«

»Nein, Losgelöstsein«, sagte er, während er die Bürste ins Wasser tauchte. »Egal, in welcher Lage man sich befindet, wenn man frei und losgelöst genug ist, findet man sie faszinierend.«

»Ich fand es nicht faszinierend«, protestierte sie. »Ich fand es peinlich. Es hat mich wütend gemacht.«

»Nur weil Sie nicht losgelöst und frei waren.« Er hörte auf zu schrubben und sah auf. »Weil Sie so scharf auf mich waren.«

Sie lachte. »Der chinesische Tiger hat mehr Chancen als Sie, Fitz. Was wollen Sie eigentlich erreichen?«

»Wollen Sie die Wahrheit hören?«

»Das wäre mal eine erfrischende Abwechslung.«

Er stand vom Boden auf, ließ sich in einen Sessel fallen und sah sie an. »Es ist etwas, was ich vor Jahren gemacht habe. Impulsiv, riskant, intuitiv. Es gehörte zu den Dingen, die sie damals an mir mochte. Klar, Sie sind verrückt nach mir, Penthesilea, deshalb schockiert Sie das vielleicht ein bißchen, aber . . . ich habe nicht gerade die Idealfigur.«

Sie zuckte gleichgültig mit den Achseln. »Liebe macht blind.«

»Aber ich konnte immer was damit anfangen.« Er tippte sich an den Kopf. »Ich hatte ein flottes Mundwerk. Und ich bin Risiken eingegangen.«

»Jetzt sind Sie vierundvierzig Jahre alt, Fitz.«

Et tu, Penthesilea, dachte Fitz. Vierundvierzig und nicht mehr der junge Klugscheißer, der alles noch vor sich hat. Vierundvierzig und zu alt für impulsive Handlungen. Vierundvierzig – Zeit, die Anstrengungen und Kämpfe aufzugeben. Zeit, zu gehen. Zeit, die Frau in Ruhe zu lassen und durch den Regen nach Hause zu gehen. »Das stimmt«, entgegnete er ruhig. »Leihen Sie mir einen Fünfer fürs Taxi?«

»Ja.« Sie griff nach ihrer Tasche und nahm einen Geldschein heraus. »Soll ich Ihnen eins rufen?«

Er stand auf. »Nein, ich halte eins auf der Straße an.«

»Wirklich?«

»Ja«, sagte er und steuerte die Tür an.

Sie folgte ihm in den Flur. »Du kannst gern bleiben«, sagte sie unvermittelt.

Er fuhr herum und sah, daß sie verlegen auf ihre Füße schaute.

»Ich wollte dich nicht fragen, bevor ich sicher bin«, murmelte sie mit weiterhin gesenktem Blick. »Ich wollte die Dinge nicht noch komplizierter machen.«

Sie erwischte ihn gänzlich unvorbereitet. Er zögerte. »Und jetzt bist du sicher?«

»Nein.« Sie schüttelte den Kopf und kicherte wie ein Schulmädchen. »Ich meine, ja. Aber eigentlich war ich mir immer sicher, zumindest, was mich betrifft. Ich meinte, bis ich sicher sein konnte, daß du und Judith alle Brücken zwischen euch eingerissen habt.«

199

Jetzt war er noch verwirrter als vorher; er hatte nichts getan oder gesagt, um ihr diesen Eindruck zu vermitteln. »Aber das haben wir nicht.«

Sie streckte die Hand aus, um die Tür aufzumachen, dann senkte sie wieder den Kopf.

»Und was bringt dich auf die Idee, daß wir das getan haben?«

»Geh und halt dir dein Taxi an, Fitz.«

Das konnte er nicht einfach so auf sich beruhen lassen; erst mußte er herausfinden, wovon sie überhaupt sprach und was sie darauf gebracht haben könnte, daß er mit Judith endgültig fertig war. »Nein, bitte sag mir, wieso du glaubst, daß Judith und ich alle Brücken hinter uns abgebrochen haben.«

»Würdest du bitte gehen und dich in das verdammte Taxi setzen?« Sie schubste ihn durch die Tür.

Er stand auf dem Korridor vor ihrer Wohnung und sah sie flehentlich an.

»Du siehst es nicht, was? Du kannst es nicht sehen!«

»Was sehen?«

Sie schüttelte ärgerlich den Kopf. »Fitz, du hast sie in sein Bett getrieben.«

Die Tür schlug vor seinem Gesicht zu.

Tina zog Gummihandschuhe an, ehe sie die Brieftasche des toten Mannes an sich nahm. Sie kniete neben der Leiche, klaubte vorsichtig das Geld aus der Brieftasche und steckte sie wieder in sein Jackett. Dann faßte sie in seine Hosentaschen und fand die Autoschlüssel, sie gab sie Sean. Zum Schluß legte sie dem toten Mann eine Videokassette auf die Brust und knöpfte das Jackett zu, so daß die Kassette nicht verrutschte.

Sean half ihr, die vollgespritzten Plastikstreifen vom

Boden und den Wänden zu nehmen und die Leiche darin einzuwickeln, bis sie aussah wie eine schwarze Plastikmumie. Dann klebten sie alles mit Klebeband fest.

Tina ging auf den Balkon, um nachzusehen, ob im Treppenhaus niemand war. Es war lange nach Mitternacht, es war windig draußen und regnete in Strömen. Weit und breit war kein Mensch zu sehen. Sie ging zurück in die Wohnung und sagte Sean, daß es Zeit zum Aufbruch wäre.

Er zog einen Mantel über seine blutdurchtränkten Kleider und fuhr das Auto des toten Mannes vor die Haustür. Tina stand neben dem Wagen Schmiere, während er hinaufging, um die Leiche zu holen. Er zog sie an den Füßen die Treppe hinunter, und der mit Plastik umwickelte Kopf schlug auf jeder Stufe auf.

Sie hievten den Toten in den Kofferraum und fuhren weg. Kein Mensch hatte sie bei ihrer Aktion beobachtet.

Jane Penhaligon nahm den Telefonhörer neben ihrem Bett ab. Sie wußte ziemlich genau, wer sie anrief. »Penhaligon«, sagte sie und versuchte unbeteiligt und sachlich zu klingen.

»Ich glaube es nicht«, sagte Fitz.

»Was?«

»Ich glaube es nicht.« Sein Tonfall war schleppend; er hatte getrunken.

»Was? Was glaubst du nicht?«

»Judith und dieses schleimige Stück Scheiße.«

»Geh schlafen, Fitz.«

»Warum hast du das gesagt?« quengelte er. »Es war nicht nötig, daß du irgend etwas sagst.«

»Geh schlafen, du egozentrischer, verfluchter . . . Du siehst nicht einmal, was direkt vor deiner Nase vor sich geht. Du hast die Stirn, über Instinkt zu reden . . . über Intuition . . . und ähnliche Scheiße. Und du siehst nicht

einmal, was sich direkt vor deiner verdammten Nase ab-
spielt.«

»Penthesilea . . .«

Sie knallte den Hörer auf und löschte voller Wut das
Licht.

Sie parkten neben einem Eisenbahngleis, holten die Leiche
aus dem Kofferraum und zerrten sie über das nasse Gras
auf einen Hügel über dem Kanal. Dann gaben sie ihr einen
Schubs und sahen zu, wie sie in die Tiefe rollte.

Janes Telefon klingelte wieder. Dieser verdammte Fitz! Sie
hob den Hörer hoch und ließ ihn auf die Gabel zurückfallen. Eine Minute später klingelte es wieder.

Sean saß zitternd in einer Badewanne mit rötlich verfärb-
tem Wasser und rieb sich das rechte Handgelenk.

»Du hast es dir verstaucht«, sagte Tina. »Du hättest nicht
so fest zuschlagen dürfen.« Sie half ihm aus der Wanne,
trocknete ihn mit einem Handtuch ab und drängte ihn, sich
auf den Toilettendeckel zu setzen, während sie eine elasti-
sche Binde um sein Handgelenk wickelte.

»So«, schmeichelte sie. »Ist es jetzt besser?«

Er nickte. Das Zittern hatte noch nicht aufgehört.

Sie strich über seine Gänsehaut – ihre warme, zärtliche
Berührung wirkte besänftigend und gleichzeitig erregend.
Ihre Lippen kräuselten sich zu einem Lächeln.

Sie hob sanft seine bandagierte Hand an ihren Mund und
küßte sie. Dann beugte sie sich über ihn, küßte seine Wange,
dann die Stirn und zum Schluß die Lippen. »Sollen wir ins
Bett gehen?«

Er schloß die Augen und nickte. Jetzt zitterte er nicht
mehr.

21

Jane Penhaligon war es endlich gelungen einzuschlafen, und jetzt klingelte das Telefon schon wieder. Sie nahm den Hörer ab, entschlossen, Fitz gehörig die Meinung zu sagen. »Ja?« schrie sie.

Es war nicht Fitz, der Anruf kam von der Dienststelle. Eine Stimme erzählte ihr etwas, was sie nicht hören wollte.

»Wohin?« fragte Jane.

Das ist nicht wahr – es ist nur ein Traum. Ein schlimmer Traum.

Die Stimme am anderen Ende der Leitung nannte einen Straßennamen.

»In fünfzehn Minuten«, sagte sie. Noch immer überzeugt, daß sie träumte.

Sie griff in ihren Schrank, nahm irgendwelche Kleidungsstücke, zog sich an, griff nach ihrer Tasche und den Schlüsseln und ging.

Die Morgenluft war eisig. Jane schauderte; jetzt wußte sie, daß sie wach war, daß sie die ganze Zeit wach gewesen war und nicht geträumt hatte, auch wenn sie es sich noch so sehr wünschte. Es war wahr, und ihr blieb nichts anderes übrig, als einfach weiterzumachen und so schnell wie möglich hinzufahren. Sie stieg in ihr Auto und startete den Motor.

Sie schaffen das, Penhaligon.

Sie trat aufs Gas und raste durch die leeren Straßen.

Sie sagen es ihnen; es ist sehr viel besser, wenn sie es von einer Frau erfahren.

Sie scherte aus, um ein Milchauto zu überholen.

Tee und Mitgefühl, Penhaligon, Sie kennen das Schema.

Sie bog in einen Feldweg ein, der zu einer Wiese neben dem Kanal führte.

Behutsam, Penhaligon – bringen Sie ihnen die Nachricht schonend bei.

Vor ihr, hinter der Absperrung, standen mehrere Streifenwagen, Vans und die mobile Einheit der Spurensicherung. Jane Penhaligon zeigte ihren Ausweis und passierte die Sperre.

Tee und Mitgefühl.

Für sie hatte es weder Tee noch Mitgefühl gegeben, keine Behutsamkeit. Nur einen knappen Telefonanruf: *Giggsy ist tot, fahren Sie so schnell wie möglich los.* Sie stieg aus und ging über die noch feuchte Wiese.

Bilborough und Beck hatten sich bereits eingefunden und waren im Gespräch. »Dreh bloß nicht durch, bleib ruhig«, schärfte Bilborough Beck ein. »Wie wir unter diesen Umständen ruhig bleiben können? Wir schnappen uns den Scheißkerl. Wie wir den Scheißkerl schnappen? Wir bleiben gelassen und vernünftig. Wir rennen nicht herum wie kopflose Hühner und verschwenden weder Zeit noch Energie. Wir wollen keine Rache üben – das würde die Dinge nur noch mehr durcheinanderbringen. Hörst du mir überhaupt zu?«

»Ich höre zu«, bestätigte Beck.

»Und hast du mich verstanden?« hakte Bilborough zweifelnd nach.

Sie bemerkten Jane Penhaligon nicht. Fitz war auch da; er saß auf der Motorhaube eines Streifenwagens.

Er sprang auf, als sie an ihm vorbeiging. »Dein Boß hat mich hergefahren.«

Sie ignorierte ihn, duckte sich unter dem Absperrband durch und rannte den Hügel hinunter zu dem Pfad neben dem Kanal, wo Giggsys Leichnam am Morgen von einem

Jogger entdeckt worden war. Fitz lief ihr nach, dann wartete er, während sie zu den Männern in weißen Kitteln ging, die sich über *etwas* beugten, das reglos auf dem Boden lag.

Das war nicht Giggsy – dies war nicht ihr Freund. Es war eine leere, zerschlagene Hülle. Das Gesicht, das sie mit leerem Blick anstarrte, war nicht Giggsys Gesicht, es war eine unkenntliche Masse. Und der zertrümmerte Körper, der wie eine Mumie in etwas Schwarzes eingewickelt war, das aussah wie Mülltüten, konnte unmöglich Giggsys Körper sein.

Sie wandte sich ab und schlug entsetzt die Hand vor den Mund, als die Männer den Reißverschluß des Leichensacks zuzogen.

»Was ist mit dem Videoband?« fragte einer der Männer und deutete auf die Kassette, die dem toten Mann aus dem Jackett gefallen war.

»Laßt sie bei der Leiche, damit sie ins gerichtsmedizinische Institut zur Untersuchung kommt«, antwortete ein uniformierter Polizist.

»Bist du okay?« fragte Fitz Penhaligon.

»Ja«, fauchte sie und schob sich an ihm vorbei. Im Augenblick empfand sie nur Wut. Wut auf den, der so etwas fertiggebracht hatte – es war eine normale Reaktion, eine Reaktion, die sie von sich erwartet hatte. Aber da war noch eine andere, eine irrationale Wut, die sie in Erstaunen versetzte. Sie war wütend auf Giggsy, weil er gestorben war.

Sie ging den Hügel hinauf, um mit Bilborough zu sprechen; sie war auch auf ihn wütend.

»Weiß Emma es schon?«

»Ist das seine Frau?«

Sie nickte; sie war nicht imstande, ihren Ärger zu verbergen. Bilborough schwafelte ständig davon, daß sie ein Team waren und eng zusammenarbeiteten – müßte er dann nicht den Namen von Giggsys Frau kennen? Er hätte die Frage nicht stellen dürfen.

»Der Chief Superintendent wird es ihr sagen. Er möchte, daß Sie dabei sind.«

Klar, dachte sie, immer ich. Immer ich.

»Sie haben mit dem Jungen gearbeitet«, setzte Bilborough hinzu.

»Ich beschwere mich ja gar nicht«, sagte sie – jetzt war sie auch noch wütend auf sich selbst. »Sie haben einen Sohn in Scarborough. Kann ich ihr sagen, daß wir ihn mit einem Wagen abholen?«

»Ja.«

Fitz ging mit Bilborough und Beck in das sterile weiße Pathologielabor. In den hellbeleuchteten Regalen standen Chemikalien und Geräte. Männer und Frauen in weißen Kitteln saßen an langen Tischen, schauten in Mikroskope und untersuchten Proben auf Objektträgern. Gelegentlich sagte jemand etwas mit gedämpfter Stimme.

Eine Frau führte sie zu dem schmalen Metallwagen, auf dem Giggs' persönliche Sachen lagen. Sie reichte jedem der Männer ein Paar Chirurgenhandschuhe und ließ sie dann allein.

Sie standen nebeneinander und begutachteten die Gegenstände, die man bei Giggs' Leiche gefunden hatte. Sie suchten nach einem Hinweis darauf, wo er gewesen sein mochte, in wessen Gesellschaft er sich befunden und was er getan hatte.

Fitz nahm Giggs' Brieftasche in die Hand. Er fand ein verknittertes Foto von Giggs und einer Frau, die er für seine Ehefrau hielt, außerdem waren noch Penhaligon und ein anderer Mann auf dem Foto. Jeder hatte den Arm um den anderen gelegt, sie lachten und trugen komische Hüte. Giggs zog eine seiner Grimassen. Ein Spruchband hing über der Tür hinter ihnen: Happy New Year.

»Da ist Penthesilea«, sagte Fitz, als er Bilborough das Foto zeigte. »Wer ist der Kerl neben ihr?«

»Weiß nicht.« Bilborough reichte das Foto an Beck weiter; Beck zuckte mit den Schultern.

Fitz drehte die Brieftasche um und schüttelte sie aus. »Kein Geld.« Er wandte sich an Bilborough. »Los, sagen Sie's schon.«

»Was soll ich sagen?«

»Er hatte Ihr Geld für die Wette in Aufbewahrung.«

»Das ist das letzte, was mir dazu einfällt«, behauptete Bilborough.

»Klar«, erwiderte Fitz in einem Ton, der deutlich machte, daß er ihm kein Wort glaubte. Er fischte ein ungeöffnetes Päckchen mit drei Kondomen aus dem Metallwagen. Geriffelt für intensivere Empfindungen, zumindest stand das auf der Packung. »Hatte er Kinder?«

Beck zuckte wieder mit den Schultern. »Drei, glaube ich. Aber ich bin mir nicht sicher.«

»Penhaligon wird's genau wissen«, sagte Fitz.

Emma Giggs öffnete die Tür, ehe der Chief Superintendent anklopfen konnte. »Es ist wegen George, stimmt's?« sagte sie. »Er ist letzte Nacht nicht nach Hause gekommen. Ihm ist was passiert, nicht wahr?«

Der Chief Superintendent nannte seinen Namen und schlug vor, ins Haus zu gehen.

Emma warf Jane Penhaligon, die neben der silberhaarigen Gestalt auf der Türschwelle stand, einen flehenden Blick zu. »Was ist los, Jane? Geht es George gut? Ist er im Krankenhaus? Sag es mir.«

207

»Emma, bitte, laß uns hineingehen.«

Emma blieb stehen und fing an zu zittern.

»Emma, bitte.«

Sie trat ein paar Schritte zurück und ließ sie ins Haus. Der Chief Superintendent meinte, sie sollte sich besser setzen. Wieder wandte sich Emma an Jane Penhaligon. »Jane? Es geht ihm doch gut, oder? Alles kommt wieder in Ordnung, nicht?«

Penhaligon nahm ihren Arm und führte sie zum Sofa.

»Es tut mir sehr leid, Mrs. Giggs . . .«, begann der Chief Superintendcnt.

»NEIN!« schrie Emma, ehe er den Satz beenden konnte. Sie schlug die Hände vors Gesicht – sie wußte, weshalb sie gekommen waren. »Bitte, lieber Gott! Bitte, bitte, bitte nicht!«

Jane Penhaligon legte den Arm um sie und hielt ihre schluchzende Freundin fest. »O Emma, o Emma, es tut mir so leid«, murmelte sie. Sie strich ihr übers Haar und wiegte sie wie ein Baby. »Es tut mir so leid.«

Der Chief Superintendent stand hilflos dabei und starrte aus dem Fenster.

Penhaligon marschierte ohne anzuklopfen in Bilboroughs Büro. »Sie wollten mich sprechen?«

Er deutete auf den Stuhl vor seinem Schreibtisch. »Setzen Sie sich.«

Bilborough war nicht allein; Fitz war bei ihm – er saß in der entferntesten Ecke des Raums.

»Wie hat seine Frau es aufgenommen?« erkundigte sich Bilborough.

»Sie hat Purzelbäume geschlagen.«

Bilborough verschränkte die Arme vor der Brust und wartete geduldig.

»Entschuldigung«, murmelte sie.

»Sie kennen sie gut, oder?«

»Ja.«

»Eine Freundin?«

Sie nickte. »Ich denke schon.«

»Hatten sie Kinder?« schaltete sich Fitz ein.

Jane sah Bilborough an. »Sie wissen, daß er Kinder hatte.«

»Er ist nicht sicher, wie alt sie sind«, erklärte Fitz schnell.

»Peter ist sechzehn. Er ist in Scarborough. Tony ist fünfzehn. Joanna ist vierzehn.«

»Nimmt sie die Pille?« fragte Fitz.

Sie schnaubte. »Mit vierzehn Jahren?« erwiderte sie – offenbar wollte sie nicht verstehen, was er meinte.

»Die Mutter«, sagte Fitz. »Giggs Frau.«

»Emma«, verbesserte Penhaligon ihn gereizt. »Sie heißt Emma.«

»Nimmt *Emma* die Pille?«

»Worum geht's eigentlich?« wollte Jane Penhaligon von Bilborough wissen.

Er hielt ein durchsichtiges Päckchen mit drei Kondomen in die Höhe. »Dies hier haben wir bei Giggsys Sachen gefunden.«

Jane zwang sich, ihre Stimme gleichgültig und ruhig zu halten. »Und?«

»Haben sie so etwas benützt?« fragte Fitz.

Giggsy ist tot, dachte sie, sie dürfen jetzt nicht auch noch Emmas Erinnerung an ihn töten. »Ja«, sagte sie. »Sicher.«

Fitz zog fragend die Augenbrauen hoch. »Seit fünfzehn Jahren?«

»Na ja, nicht dasselbe Päckchen.«

Bilborough und Fitz tauschten einen wissenden Blick. »Du lügst«, sagte Fitz.

»Kann ich jetzt bitte gehen?« fragte sie Bilborough.

»Nein.«

Fitz stand auf und ging zu ihr. »Es hätte dich treffen können«, sagte er und nahm hinter ihrem Stuhl Aufstellung. »Es hat Giggsy erwischt, weil er zufällig diesen einen Besuch gemacht hat. Er klopft an die Tür. Sie bittet ihn herein. Ein bißchen plaudern, vielleicht zeigt sie viel Bein. Sie lädt ihn ein wiederzukommen – am Abend. Giggs kann sein Glück nicht fassen. Er geht in die Apotheke und kauft sich ein Dreierpack, während der Mistkerl seine Muskeln stählt.« Fitz ging ein paar Schritte, um sich direkt vor Jane zu stellen, dann bückte er sich und sah ihr in die Augen – sein Gesicht war nur wenige Zentimeter von ihrem entfernt. »Nach allem, was du über Giggs weißt – wäre das ein vorstellbares Szenario, Detective Sergeant Penhaligon?«

Sie wandte sich ab und biß sich auf die Unterlippe.

»Ich weiß, warum du das nicht beantworten willst«, fuhr Fitz fort. »Emma soll nicht erfahren, daß er herumgespielt hat – das willst du nicht. Na, das geht in Ordnung, sie wird es nicht erfahren.«

Sie sah Bilborough an. »Ist das ein Versprechen?«

»Ja.«

Sie seufzte. »Es ist ein vorstellbares Szenario, ja. Giggsy und Emma benutzten keine Kondome; er hat vor Jahren eine Vasektomie vornehmen lassen. Er muß Angst gehabt haben, daß er sich von der Schlampe etwas einfangen könnte.«

Sean machte die Augen auf; Tina war nicht bei ihm. Er setzte sich in seinem Bett auf und sah sich hektisch um. Er konnte nicht allein sein. Nach allem, was passiert war, nach allem, was er getan hatte, konnte er nie wieder allein sein. Fremde, eigenartige Klänge und Horrorvisionen würden ihn in den Wahnsinn treiben.

Das Zischen von Cormacks letztem Seufzer. Das Gurgeln, das der Polizist von sich gegeben hatte, als er zu Boden sank, das Rasseln in seiner Brust, als er endlich starb.

Backsteine und Plastik, Blut und Hirnmasse. Tote Augen mit riesigen Pupillen.

»Tina!«

»Ja?« Sie kam in ihrem Kimono aus dem Badezimmer und bürstete sich die Haare. Sean ließ sich erleichtert aufs Kissen zurücksinken.

Tina holte das Fotoalbum aus der untersten Kommodenschublade, wo sie es versteckt hatte, dann setzte sie sich neben ihn auf die Matratze und fing an zu blättern. »Ich hab' nachgedacht, Sean«, sagte sie.

Er betrachtete ihr Gesicht und wartete, daß sie weiterredete.

Sie richtete den Blick auf das Album in ihren Händen. »All die Dinge, die ich hätte machen können. Der Mensch, der ich hätte werden können, wenn sie nie existiert hätte! Sie hat mir mein Leben gestohlen, Sean. Das Leben, das ich ohne sie hätte haben können – sie hat es mir gestohlen.«

Er schloß gequält die Augen – er hatte entsetzliche Angst vor dem, was als nächstes kam.

»Wenn sie nicht mehr existiert, kann ich vielleicht immer noch die Person werden, die ich eigentlich sein sollte.« Sie faßte nach seinem Arm und küßte ihn. »Was meinst du, Sean? Was denkst du darüber?«

Er wagte es nicht, nein zu sagen. Wenn er nein sagte, würde sie ihn wahrscheinlich mit den Worten, die er nicht aussprechen konnte, mit den grausigen Lauten und den Visionen von toten Männern, die in seinem Kopf herumschwirrten, allein lassen. Er brauchte sie; er konnte ohne sie nicht mehr leben.

Er nickte.

»Oh, ich liebe dich«, sagte sie und küßte ihn wieder. Streichelte ihn. Ließ ihre Zunge über seinen Körper gleiten.

»Zieh dich lieber an«, sagte sie, als er aus der Dusche kam. »Du mußt dich auf dem Polizeirevier melden.«

Er schüttelte den Kopf. Das konnte er auf gar keinen Fall tun. Er konnte nicht einfach so in das Polizeigebäude in der Anson Road marschieren. Nicht nach dem, was er getan hatte.

»Du mußt dorthin, Sean.«

Er schüttelte wieder den Kopf, diesmal noch entschiedener. Wenn er in das Polizeigebäude ging, würde er nie wieder herauskommen.

»Sie werden dich nicht verhaften, Sean. Sie suchen nicht einmal nach dir. Sie wissen nichts. Sie haben nicht den kleinsten Hinweis. Wenn du hingehst und dich meldest, wie du es tun solltest, ist alles bestens. Aber wenn du dich nicht blicken läßt, werden sie herkommen und dich festnehmen. Die Richter werden eine andere Strafe für dich festsetzen. Dann hast du keine Bewährung mehr, dann kommst du in den Knast. Willst du das?«

Aber sie würden ihm eine Menge Fragen stellen. Er würde seinen Namen und seine Adresse angeben müssen. Wenn Tina dabei war, konnte sie das Reden für ihn übernehmen. »K-k-k . . .«

»Nein, ich kann nicht mitkommen«, sagte sie.

22

Detective Sergeant James Beck stand neben der Tür des großen Büros und ließ seine Fingerknöchel knacken. Er wartete.

In letzter Zeit tat er nichts anderes: herumstehen, warten und nichts unternehmen, während Bilborough und der fette Psychologe auf ihren Ärschen saßen und theoretisierten. Zur Hölle mit allen Theorien, Beck wollte Action. Er wollte auf die Straße gehen und irgend etwas erreichen: etwas Greifbares, etwas, was man sehen konnte. Etwas Solides. Er wollte jemanden beim Kragen packen, in eine der Zellen werfen und verhören.

Es ging nicht einfach nur um einen weiteren Mord, man hatte nicht irgendeinen widerlichen Kredithai, um den sich niemand scherte, kaltgemacht – jemand hatte Giggsy umgebracht. Einen Polizisten.

Beck schlug mit der Faust in seine Handfläche. Einen Polizisten. Irgendein verdammter Scheißkerl hat einen Polizisten ermordet – nein, nicht nur ermordet: abgeschlachtet. Man hatte *einen von ihnen* abgeschlachtet, und was unternahmen sie deswegen? Sie hockten in Bilboroughs Büro; er konnte sie durch die Glaswand sehen. Erst hatten sie mit Penhaligon geredet, jetzt war sie weg, und nun unterhielten die zwei sich. Er brauchte ihnen nicht zuzuhören, um zu wissen, daß sie über eine dieser blödsinnigen Theorien sprachen. Über einen verdammten wissenschaftlichen Ansatz und irgendwelche verrückten Verfahrensweisen.

Scheiß auf die Wissenschaft, sagte er sich. Scheiß auf all das theoretische Zeug. Wenn man einen Verbrecher fassen will, darf man nicht den ganzen Tag herumsitzen und nur darüber reden. Man geht auf die Straße, fühlt den Leuten auf den Zahn und schnappt sie sich, bis man das Ergebnis hat, das man sich wünscht. Das ist das Wichtigste: Ergebnisse.

Er atmete befreit auf, als er beobachtete, daß sie endlich aufstanden und aus dem Büro kamen. Bilborough ging voran.

»Aufbruchbereit, Jimmy?«

»Seit Ewigkeiten, Boß«, entgegnete Beck so ruhig, wie es ihm möglich war.

Fitz schlenderte durch den Raum zu einem der Telefone. »Ich komme in einer Minute nach«, sagte er und nahm den Hörer ab. »Ich muß erst einen Anruf machen.«

»Boß!« brauste Beck auf.

»Er sagte, es dauert nur eine Minute, Jimmy.«

Beck verschränkte vor Wut die Arme, während Fitz eine Nummer wählte.

»Hallo, Sarah«, sagte Fitz in den Hörer. »Hier ist Fitz. Ich versuche schon seit Tagen, Sie zu erreichen. Es ist wichtig, daß wir reden. Wenn ich nicht im Büro bin, rufen Sie mich bitte zu Hause an. Die Nummer haben Sie.« Dann legte er auf. »Verdammte Anrufbeantworter«, sagte er zu niemand Speziellem.

Sie gingen hinunter zum Parkplatz und stiegen in Bilboroughs Wagen. Fitz saß auf dem Beifahrersitz und redete ohne Punkt und Komma auf den Detective Chief Inspector ein. Er erklärte seine neueste Theorie, und Beck schnaubte wütend auf dem Rücksitz vor sich hin.

Vor dem Manchester Central Hospital stiegen sie aus. Sie nahmen den Lift ins Untergeschoß und gingen schweigend durch den langen Gang zur Leichenhalle.

Beck seufzte erleichtert, weil das Salbadern und die endlosen Auslassungen verstummt waren – wenigstens für den Moment. Sie blieben vor einer großen Glasscheibe stehen.

Eine Frau mit Chirurgenhandschuhen und Gummischürze stand auf der anderen Seite der Scheibe und beugte sich über einen Tisch, auf dem eine nur unzureichend bedeckte Leiche lag. Sie sah auf, als sie die Schritte hörte. Ihre Augen glitzerten hinter der großen runden Brille.

»Gentlemen«, ertönte ihre fröhliche Stimme über Lautsprecher auf dem Flur, »ich habe hier ein verkohltes Kerlchen!« Sie deutete auf den Tisch und winkte mit der anderen Hand. »Junger Mann, acht Bier. Stellt sich an den Rand des Bahnsteigs und pinkelt auf das Gleis. Er trifft ausgerechnet die elektrische Leitung. Der Strom wird durch den Bogen Urin geleitet . . .«, sie beschrieb mit der Hand einen Halbkreis in der Luft, ». . . und er ist mausetot.« Sie hob das Leintuch von seinem Unterkörper.

»Voila!« sagte sie.

Beck starrte die Frau fassungslos an. Er war nicht hergekommen, um sich sinnloses Geplapper anzuhören, und erst recht nicht für eine solche Karnevalsshow.

Er war froh, daß Bilborough und Fitz dasselbe taten wie er – sie starrten die Frau an, als hätte sie nicht alle Tassen im Schrank.

Die Frau ließ das Leintuch wieder fallen – offensichtlich war sie enttäuscht über die Reaktion der drei Besucher – und ging zu einem anderen Tisch, ihnen Giggs' nackten Oberkörper zu zeigen. »Jetzt zu Ihrem Opfer«, plapperte sie munter weiter. »Auf den ersten Blick sieht es aus wie eine typische gewaltsame Attacke. Der erste Schlag landete auf den Armen des Opfers.« Sie hob einen Arm hoch und deutete auf die Verletzungen. »Die sind eine Folge davon.«

Beck ging zum Mikrophon, das in einer Halterung an der Wand hing, und nahm es in die Hand.

215

»Das Opfer ließ die Arme sinken . . .«, fuhr die Frau munter fort.

»Giggs«, fiel Beck ihr ins Wort.

»Wie bitte?«

»Er ist nicht ›das Opfer‹. Er ist Giggs. Ein Polizist mit Namen Giggs. Klar? Ich möchte keinen Stunk machen, aber dies ist kein verdammter Zivilist, verstehen Sie. Es ist ein Police Officer mit Namen Giggs. Haben Sie das kapiert?«

»Sie hat's verstanden«, sagte Bilborough.

»Nicht ›das Opfer‹«, fuhr Beck fort, ohne auf ihn zu achten. »Dieser Mann war kein Opfer, er war das Gesetz, verstehen Sie das? Dieser Mann war Poli . . .«

»Sie hat's verstanden, Jimmy«, wiederholte Bilborough ungeduldig.

Beck verstummte.

»Sehr gut«, sagte die Frau. »Aber der Angriff war gar nicht so brutal. Einige aufeinanderfolgende Hiebe trafen auf denselben Punkt . . . auf Giggs' Schädel. Kein Zweifel – es bestand einwandfrei eine Tötungsabsicht.«

Beck drückte das Mikrophon in der Hand, atmete schwer. Dann knallte er es in die Halterung und stürmte davon. Jemand hatte einem Police Officer so etwas angetan, und alles, was sie bis jetzt fertiggebracht hatten, war, ein paar Papiere mit nutzlosem Zeug vollzuschmieren: Fitz' verdammtes Täterprofil.

Fitz und seine Theorien führten zu nichts. Fitz und seine Theorien brachten sie so weit, daß sie einen Polizistenmörder frei herumlaufen ließen.

Beck hatte seine eigenen Theorien und sein eigenes Täterprofil im Kopf.

Sie gingen alle zusammen zu Bilboroughs Wagen zurück, als jemand Fitz' Namen rief.

Fitz drehte sich um und sah John Peterson, der über den Parkplatz auf ihn zukam. »Warst du oben bei Sarah?« fragte Doktor Peterson.

»Was? Kein Mensch hat mir gesagt, daß sie hier ist.«

»Sie ist gestern eingeliefert worden. Vierter Stock, Station B«, sagte Peterson. »Tut mir leid, ich dachte, du wüßtest es längst.«

Fitz wandte sich an Bilborough. »Hören Sie, ich komme später ins Revier, geht das? Hier ist jemand, mit dem ich unbedingt sprechen muß.«

Beck nahm zwei Stufen auf einmal, stürzte in das große Büro und steuerte Giggsys Schreibtisch an. Er sah die Papiere und Unterlagen des ermordeten Cops durch, schob die bekritzelten Notizblätter überall herum, bis er fand, wonach er suchte: die Liste der Leute, die Cormack Geld geschuldet hatten.

Beck hatte genug von dem Geschwafel und Theoretisieren, vom Rumsitzen und vom Nichtstun. Er rannte die Treppe hinunter, fuchtelte mit der Liste in der Luft herum und deutete auf etliche uniformierte Polizisten: »Du, du, du und du. Ihr kommt mit mir.«

Sarah Heller lag dösend im Bett eines voll belegten Krankenzimmers. In jedem Arm steckten Schläuche, durch die durchsichtige Flüssigkeiten tropften. Ein Gerät stand neben dem Bett und zeichnete ihre Herztöne und die Atmung auf. »Ich nehme an, es wäre eine sinnlose Geste, Ihnen eine Tüte mit Trauben mitzubringen«, sagte eine Stimme.

Sie machte die Augen auf und sah eine riesige Gestalt in verknittertem Anzug.

»Ich würde auch sagen, daß es praktisch sinnlos wäre«, stimmte sie zu.

217

Fitz sank auf den Stuhl neben dem Bett. »Glauben Sie immer noch, daß es Ihnen gutgeht, Sarah?«

»Warum gehen Sie nicht und lassen mich in Ruhe?« Der Fernseher an der Wand zeigte eine nachmittägliche Quizshow. Die Frau im Bett nebenan hatte einen scheußlichen Hustenanfall und spuckte grünen Schleim in eine Schüssel. »Aber bevor Sie gehen«, sagte Sarah, »machen Sie den Vorhang zu, ja?«

Fitz stand auf und zog den Vorhang um ihr Bett. »Sie sind nicht auf mich wütend, Sarah«, sagte er. »Auf wen sind Sie so wütend?«

»Was macht das schon für einen Unterschied?«

»Es macht einen Unterschied, wenn Sie wissen, wem Ihr Zorn gilt – vielleicht hören Sie dann auf, ihn auf sich selbst zu richten, Sarah. Vielleicht ist das der einzige Unterschied, aber er ist sehr wichtig. Es ist etwas, was Sie am Leben erhalten könnte.«

Sie lachte matt. »Sie hören wohl nie auf, wie?«

»Sie wollen nicht sterben, Sarah.« Fitz ließ nicht locker.

»Warum nicht? Wenn das das Leben ist – in einem Krankenhausbett, an verdammte Maschinen angeschlossen, mit Schläuchen in den Armen, dann sehe ich keinen Grund, daran festzuhalten.«

»Okay, Sie liegen in einem Krankenhausbett; so ist es nun mal. Aber wer hat Sie in dieses Krankenhausbett und in diese Situation gebracht? Sie selbst! Nur Sie. Und wer wird Sie wieder aus diesem Bett holen? Ich wünschte, ich könnte sagen, daß ich das tue, aber die Wahrheit ist, daß nur eine einzige Person dazu imstande ist, und das sind Sie. Sie wollen Kontrolle, Sarah? Okay, Sie haben die Kontrolle. Es liegt ganz allein an Ihnen, was als nächstes geschieht. Sie sind diejenige, die alle Fäden in der Hand hält.«

»Okay, Sie haben gewonnen«, sagte sie.

»Was?«

»Bringen Sie mir ein großes Steak mit Röstkartoffeln und einen Yorkshire-Pudding, und nachher möchte ich Apfelkuchen mit Sahne haben.«

»Sie verarschen alle, stimmt's, Sarah?«

Sie schloß die Augen. »Ich will Sie bei Laune halten. Ich werde alles sagen, was Sie hören möchten, wenn ich Sie dadurch davon abbringen kann, auf meiner Kindheit herumzureiten.«

»Was ist mit Ihrer Kindheit? Ich habe Ihre Kindheit mit keinem Wort erwähnt.«

»Ach, nein? Früher haben Sie es getan. Öfter als einmal. Genauso, wie Sie ständig von Kontrolle reden. Kontrolle!« Sie lachte. »Sehen Sie sich an, wer da über Kontrolle spricht! Ein fetter Kerl, der es keine zwei Minuten ohne Zigarette aushält – das ist der Mann, der alles über Kontrolle weiß.«

»Erzählen Sie mir von Ihrer Kindheit«, forderte Fitz sie auf.

»Wird das hier zu einer Therapiesitzung?« fragte sie. »Schicken Sie mir nachher eine Rechnung?«

»Reden Sie einfach mit mir, Sarah. Ich bin hier und höre Ihnen zu. Erzählen Sie alles, was Sie sagen wollen.«

»Was ich sagen will . . .« Sie zuckte mit den Achseln. »Ich nehme an, ich könnte etwas sagen wie: Und wenn Sie recht haben? Damit behaupte ich nicht, daß Sie wirklich recht haben; ich sage nur *wenn*. Wenn mir als Kind einige Dinge passiert wären, Dinge, über die ich nicht nachdenken will. Dinge, von denen ich glaubte, ich hätte sie selbst verursacht, an denen ich meiner Meinung nach selbst schuld war. Und was wäre, wenn ich jetzt darüber nachdenken würde? Was würde geschehen? Würde ich plötzlich aus dem Bett springen und einen Big Mac verschlingen?« Sie schüttelte den Kopf. »Ich glaube nicht.«

»Nein«, sagte Fitz. »Aber es könnte passieren, daß Sie aufhören, Ihre Wut an sich selbst auszulassen. Sie könnten einen Heilungsprozeß in Gang setzen.«

»Das glauben Sie?« Sie drückte auf einen Knopf neben dem Bett und richtete sich in eine sitzende Position auf. »Ich erzähle Ihnen was. Ich sage nicht, daß Sie recht haben. Ich gebe gar nichts zu, verstehen Sie? Aber . . . ich werde über das, was Sie gesagt haben, nachdenken, okay? Mehr als das kann ich nicht sagen. Ich werde darüber nachdenken.«

Der erste Name auf der Liste war Tony Rivers, und er wohnte in einem Mietshaus ganz in der Nähe von Cormacks Laden.

»Okay, alle bereit?« fragte Beck die Polizisten, die sich hinter ihm versammelt hatten. Er hämmerte gegen die Tür und wartete.

Eine Frau öffnete die Tür einen Spalt. Sie hatte einen Bademantel an. »Ja?«

Beck stieß die Tür ganz auf und schubste die Frau weg, als er sich, gefolgt von den anderen Männern, an ihr vorbeischob.

»He, was machen Sie da?« kreischte die Frau. »Was geht hier vor?«

Ihr Mann saß in einem Sessel im Wohnzimmer und sah fern. Offensichtlich ein Versager. »Was ist los?«

Beck zerrte den Mann auf die Füße, stieß ihn gegen die Wand und legte ihm Handschellen an.

»Lassen Sie mich los!« forderte der Mann lautstark. »Was soll das?«

»Tony Rivers, ich bin Police Officer. Soviel ich weiß, hat

Detective Sergeant Giggs an dem Tag, an dem er ums Leben kam, mit Ihnen gesprochen, und ich möchte, daß Sie mich zum Polizeirevier begleiten.«

»Lassen Sie ihn in Frieden!« schrie die Frau und lief auf Beck zu. »Lassen Sie ihn los!«

Zwei Polizisten drängten sie aufs Sofa und drohten ihr, sie mit ihrem Mann festzunehmen.

»Leckt mich am Arsch!« kreischte sie, während sie nach ihnen trat.

Beck stieß Rivers vor sich her durch den Flur und auf die Straße, wo sich bereits die Nachbarn drängten, um das Spektakel nicht zu verpassen.

»Einen haben wir«, sagte Beck zu den Uniformierten, als sie Rivers in den Wagen bugsierten.

Bilborough stürmte in das große Büro und richtete einen anklagenden Finger auf Beck. »Wenn du noch einmal so was machst, bist du gefeuert!« Er drehte sich um, um alle anzusprechen. »Und das gilt für alle hier!«

Beck sprang auf und zeigte ebenso anklagend auf Bilborough. »Du willst, daß niemand irgend etwas tut!« brüllte er; seine Stimme überschlug sich beinahe dabei. »Wir sollen nur auf unseren Ärschen sitzen und nichts unternehmen, während Giggsy im Leichenschauhaus liegt! Wir haben die Schnauze voll vom Rumsitzen«, erklärte er. »Wir haben die Schnauze voll von dem theoretischen Gelaber, dem wissenschaftlichen Zeugs!«

»Wenn wir diesen Fall knacken, dann als Team! Jedes Mitglied muß wissen, was der andere tut.«

»Knacken?« wiederholte Beck. »Du willst den Fall knakken? Dann sage ich dir, wie das geht!«

»Wir sind ein Team! Jedes Mitglied weiß . . .«

»Wir knöpfen uns alle einzeln vor, mit denen Giggsy

gesprochen hat. Wir zerren sie um fünf Uhr morgens aus dem Bett . . .«

». . . was alle anderen tun!«

». . . wir bringen sie her . . .«

»Keine verdammten Alleingänge!«

». . . und behalten sie hier, bis wir herausgefunden haben, wer es war.«

»Ich will keine verdammten Alleingänge in diesem Team! Wir haben bereits einen Einzelkämpfer«, sagte Bilborough und deutete auf Fitz. »Wenn wir Alleingänge brauchen, dann haben wir ihn dafür. Wir bezahlen ihm gutes Geld, damit er sich seine eigenen Gedanken macht – alle anderen gehören zum Team.«

»Verhaftungen bei Morgengrauen!« schrie Beck. »Alle, die Giggs gesprochen hat, werden verhaftet!«

»Würdest du bitte einen Augenblick rausgehen, Fitz?« bat Bilborough, ohne den Blick von Beck zu wenden. »Nur ein paar Minuten.« Er wartete, bis Fitz die Tür hinter sich geschlossen hatte. »Er hat Beschwerde eingelegt«, sagte er mit vor Zorn heiserer Stimme. »Wir werden unsere wertvolle Zeit mit einer verdammten Beschwerde verschwenden! Giggsy würde dich verfluchen, Jimmy.«

23

Fitz brauchte frische Luft. Er mußte raus aus diesem verdammten Polizeigebäude, weg von der internen Politik, den Rivalitäten und den ständigen Reibereien zwischen den Egos, die sich gegenseitig unterstellten, etwas falsch zu machen. Er ging den Flur entlang, weg von Bilborough und Beck, die sich immer noch anschrien, weg von Jane Penhaligon und ihrer Wut, die nur darauf wartete, in tiefste Trauer umzuschlagen, weg von ihnen allen und ihren Problemen.

Er hatte den Fuß der Treppe erreicht und steuerte den Ausgang an, als er etwas entdeckte, was ihm bekannt vorkam: einen jungen Mann in Lederjacke, sein Kopf zuckte heftig vor und zurück, während er versuchte, dem Sergeant am Empfang seinen Namen zu nennen. »K-k-k . . .«

»Kerrigan«, sagte Fitz und stellte sich hinter ihn.

»Kerrigan«, wiederholte Sean.

»Verstaucht?« erkundigte sich Fitz, als er den Verband an Seans Handgelenk sah.

Sean nickte und schielte zur Tür – offenbar hatte er es eilig, sich davonzumachen.

»Noch dazu deine Wichshand«, sagte Fitz mitfühlend.

Sean grunzte und trat nervös von einem Fuß auf den anderen.

»Wie geht's Tina?«

»G-g-g . . .«

»Gut«, half Fitz nach und trat einen Schritt vor, so daß er Sean direkt gegenüberstand.

»Gut«, wiederholte Sean, ohne Fitz' eindringlichem Blick zu begegnen. Er kritzelte seinen Namen auf ein Formular, das ihm der Sergeant hinhielt, dann lief er ohne jedes weitere Wort zur Tür.

Fitz ging wieder die Treppe hinauf.

»Was ist?« fragte Tina, als Sean zu ihr ins Auto stieg. »Stimmt was nicht?«

Der Motor sprang nicht an. Sean schlug mit der Faust aufs Armaturenbrett. »Er weiß es.«

»Wer?«

»Fitz«, sagte er und versuchte mit aller Gewalt, den

Motor zu starten. »Dieser Scheißkerl aus dem Fernsehen. Er weiß es!«

»Woher?«

Wie konnte er den Blick beschreiben, mit dem Fitz ihn angesehen hatte? Als könnte er durch ihn hindurchschauen, als könnte er jeden Gedanken in seinem Kopf lesen, als könnte er die Angst, die sein Herz schneller schlagen ließ, spüren. »Er weiß es einfach.«

Bilborough und Beck stritten immer noch, allerdings leiser und abgesondert von den anderen in einer Ecke. Fitz steuerte Giggs' Schreibtisch an und blätterte seine handschriftlichen Notizen durch. »Ist das das Zeug von Giggs?« wollte er von Penhaligon wissen.

Sie sah auf und nickte. Sie redete immer noch nicht mit ihm, erstickte ihre Trauer immer noch mit Wut.

Eine uniformierte Polizistin kam herein und gab die Videokassette ab, die bei Giggs' Leichnam gefunden worden war. »Das Video kommt aus der Gerichtsmedizin!« rief sie Bilborough zu.

»Okay, gleich einlegen«, ordnete Bilborough an.

Penhaligon nahm die Kassette aus dem Plastikbeutel, durchquerte den Raum und steckte sie in den Videorecorder, der neben einem tragbaren Fernseher auf einem Bord über Becks Schreibtisch stand. Sie drückte auf PLAY, wobei sie einen rötlichbraunen Fleck auf der Manschette ihrer weißen Bluse entdeckte. Während sie zurück zu ihrem Platz ging, rieb sie an dem Fleck und redete sich ein, daß der Schmierer nicht von der Kassette kommen und unmöglich Giggsys Blut sein konnte.

Fitz überflog die Liste der Personen, die Giggs im Mordfall Cormack vernommen hatte, und suchte nach Seans Namen. Er stand nicht dort.

Bilborough redete immer noch auf Beck ein und machte ihm klar, daß sie strikt nach Vorschrift vorgehen mußten. »Wenn sie einen Anwalt haben wollen, dann bekommen sie einen Anwalt«, sagte er. »Wir schulden es Giggsy, alles richtig zu machen, wir schulden es ihm, alles wasserdicht zu machen.«

Sean nahm den Deckel vom Spülkasten in der Toilette und holte das Rohr heraus, mit dem er den Polizisten erschlagen hatte. Dann lief er ins Wohnzimmer und warf es in die Tasche, die Tina in aller Eile packte.

Fitz fand den Namen Christine Brien ganz unten auf Giggsys Liste.

Ich muß mit einer Frau namens Tina Brien sprechen, klar? Es ist lebenswichtig.

Christine Brien. Seans Tina. Fitz wollte Bilborough gerade etwas sagen, als eine Frauenstimme im Raum ertönte.

»Wir werden einen Polizisten töten.«

Penhaligon schwang herum und sah gebannt auf den Bildschirm. »Boß«, sagte sie.

Bilborough starrte den Fernseher mit weit offenem Mund an.

Fitz ging zu Penhaligon und beobachtete die bizarre Szene, die sich auf dem Schirm präsentierte.

Ein schlanker Mann stand mitten in einem kleinen, düsteren, kaum möblierten Raum. Ein großes Poster war an der Wand hinter ihm zu sehen: das taoistische Symbol von Yin und Yang.

Der Mann hatte zerschlissene Jeans und eine Jacke mit Kapuze und abgeschnittenen Ärmeln an. Muskulöse Arme waren zu sehen. Er sang, gestikulierte wild, und seine Bewegungen wirkten abgehackt und unbeholfen, als er zu tanzen anfing. Die Arme ausgestreckt, als würde er eine Partnerin festhalten, das Gesicht hinter einer steifen Plastikmaske versteckt: die *Spitting-Image*-Version von Prinz Philip. »*I, I who have nothing, I, I, who have no-one, adore you and want you so; I'm just a no-one with nothing to give you, but oh, I love you.*«

»Die Leute glauben, das sei schlimmer, als einen normalen Menschen umzubringen«, fuhr die Frau fort. Sie saß in einem Sessel im Vordergrund; sie trug ein tief ausgeschnittenes schwarzes Kleid und eine graue John-Major-Maske. »Wieso?« fragte sie, während der Mann hinter ihr immer weiter sang. »Es ist Notwehr. Wenn wir ihn nicht töten, sperrt man uns ein Leben lang weg. Deshalb ist es Notwehr.«

Fitz konzentrierte seine Aufmerksamkeit auf den singenden Mann, auf seine drahtige Gestalt und die linkischen Bewegungen.

»*He can give you the world, but he'll never love you the way I love you . . .*«

»Lebenslänglich ist schlimmer für uns als für andere Menschen«, sagte die Frau. »Wir lieben uns. Wir lieben uns mehr, als sich je zwei Menschen geliebt haben. Wenn man uns trennt, sterben wir. Also ist es Notwehr.«

»Sean Kerrigan«, sagte Fitz.

Bilborough drehte sich zu ihm um und sah ihn verblüfft an. Beck hob die Hände an den Kopf und sah aus, als würde ihm gleich schlecht.

Die maskierte Frau auf dem Bildschirm spreizte in einer gleichmütigen Geste die Hände. »Es ist Notwehr.«

Fitz ließ die Uniformierten mit ihren kläffenden Hunden vorauslaufen, während er in gemäßigterem Tempo die fünf Stockwerke hinaufstieg. Als er vor der Wohnung ankam, war die Tür bereits aufgebrochen, und Bilborough verteilte Befehle. »Die Spurensicherung ist auf dem Weg; ich möchte niemanden in diesem Raum haben, der nicht unbedingt nötig ist.«

Fitz seufzte. Sean und Tina waren offensichtlich nicht zu Hause. Er ging in den Flur, begutachtete die Tür. Sie war schon vorher einmal aufgebrochen worden; jemand hatte sie mit Brettern und Nägeln notdürftig repariert.

Bilborough marschierte in dem Zimmer auf und ab. Er deutete auf das Yin-Yang-Poster an der Wand; sie erkannten es beide von dem Videoband.

»Das ist die Wohnung«, stellte Bilborough fest und zeigte auf ein anderes Poster: Hendrix. »Ich dachte, du sagtest, James Dean.«

Fitz zeigte ihm noch ein Poster, eines von dem Film *Badlands* mit Sissy Spacek und Martin Sheen. »Ich war nicht weit weg.«

Bilborough rieb sich erwartungsfroh die Hände. »Also, wir setzen uns einfach und warten, bis sie nach Hause kommen.«

Fitz sah sich genauer um – das Zimmer war kahl bis auf die Poster und ein paar billige Möbel. Ein Kleiderständer vor einer Wand. Abgesehen von ein paar Drahtbügeln hing dort nichts. »Ich glaube nicht, daß sie nach Hause kommen.«

»Das ist deine gewinnendste Eigenschaft, Fitz – dein Optimismus.«

Bilborough ging in die Küche – nichts im Kühlschrank – und ins Bad: keine Zahnbürsten, kein Rasierzeug, keine Kosmetika, der Deckel des Spülkastens lag auf dem Boden. Schließlich gab er zu, daß es wenig Sinn hatte, weiter hier herumzuhängen.

Aber noch sei nicht alles verloren, erklärte er Fitz auf

dem Weg die Treppe hinunter; sie hatten Kerrigans Ausweis und ein Foto. »Aber nichts von dem Mädchen«, gestand er ein.

»Wir hatten Kerrigan«, sagte Fitz. »Beck hat ihn laufen lassen.«

Bilborough sah ihn ungläubig an. »Was?«

»Beck hatte Kerrigan in Gewahrsam. Ich hab' empfohlen, ihn zu einer psychiatrischen Untersuchung dazubehalten, aber Beck ließ ihn laufen. Frag Penthesilea, sie war dabei.«

Der fette Mann war auf dem Parkplatz direkt auf der anderen Straßenseite und schaute in ihre Richtung. Sean faßte nach den Drähten, die vom Armaturenbrett herunterhingen; Tina legte eine Hand auf seinen Arm, um ihn zurückzuhalten.

»Noch nicht«, sagte sie.

»Aber sie werden sehen . . .«

»Sie sehen dich, wenn du den verdammten Motor anläßt«, versetzte sie scharf. »Bleib ganz ruhig, okay? Sieh mal, sie steigen in ihre Autos; sie fahren weg.« Sie lachte. »Schau sie dir an, sie rennen herum wie ein Haufen kopfloser Hühner. Es sind nur Polizisten, Sean. Sie können nichts dafür, daß sie so dumm sind.«

24

Wütend stürmte Bilborough herein. »Beck, Penhaligon – in mein Büro, sofort!«

Jane Penhaligon hob den Kopf und sah Fitz an, wie üblich in eine Rauchwolke gehüllt, gleich hinter Bilborough. Er bedachte sie alle mit seinem selbstgefälligen Ich-weiß-alles-Blick.

»Ich sagte: sofort!« donnerte Bilborough.

»Ja, Sir.« Jane Penhaligon stand auf, wechselte einen ratlosen Blick mit Beck und folgte ihm in Bilboroughs Büro.

Bilborough saß an seinem Schreibtisch; sie und Beck standen vor ihm. Fitz hatte hinter ihnen Posten bezogen und lehnte an einem Aktenschrank.

»Sean Kerrigan«, sagte Bilborough und hielt ihnen ein Foto von einem jungen Mann mit Topfhaarschnitt hin. »Das ist der verdammte Hurensohn, der Giggsy ermordet hat. Du hattest ihn in Gewahrsam und hast ihn wieder laufen lassen!«

»Er hat mit einem gestohlenen Bus eine Spritztour gemacht, Sir. Das war alles«, protestierte Beck.

»Fitz hat vorgeschlagen, ihn in die Psychiatrie zu bringen.«

»Daran erinnere ich mich nicht, Sir«, behauptete Beck dreist und fügte verschlagen hinzu: »Hat er das schriftlich getan?«

Fitz schnaubte verächtlich, drückte seine Zigarette an dem Metallaktenschrank aus und schmiß die Kippe in den Papierkorb.

»Sie waren dabei«, sagte Bilborough zu Penhaligon.

Sie holte tief Luft und legte die Hände auf den Rücken.

»Ich erinnere mich nicht, Sir.«

Bilborough nahm ein Papier zur Hand und las sich die Notizen durch. »Fitz sprach von Prävention. Detective Sergeant Beck sagte: Scheiß auf Prävention. Er wolle lieber Überstunden machen.«

Komm schon, Penthesilea. Penhaligon stellte sich vor, wie Fitz sie mit Willenskraft bedrängte: *Sag ihm, daß ich die Wahrheit erzählt habe. Sag ihm, daß Giggsy heute noch am Leben wäre, wenn Beck auf mich gehört hätte. Setz deine Karriere aufs Spiel. Verpfeif einen deiner Kollegen.*

229

Tu es für mich, damit ich ihnen alles erzählen kann, was ich dir erzählt habe.

»Ich erinnere mich nicht, Sir«, wiederholte sie.

»Die Hölle kennt keinen Zorn«, sagte Fitz und tastete in seiner Tasche nach einer frischen Zigarette.

Du läßt es zu, daß ich dich in einem vollen Restaurant demütige, du läßt mich Hundescheiße auf deinem Teppich verteilen, du nimmst mitten in der Nacht Anrufe von mir entgegen, bei denen ich dir sage, wie sehr ich meine Frau immer noch liebe. Warum läßt du mich jetzt nicht sagen: ›Ich hab' euch gewarnt‹?

»Falls eine solche Unterhaltung stattgefunden hat«, erklärte Penhaligon und registrierte entsetzt, daß ihre Stimme bebte, »hätte Doktor Fitzgerald jedes Recht zu sagen: ›Ich hab' euch gewarnt.‹ Offenbar lechzt er danach, es zu sagen. Also sollten wir annehmen, das Gespräch hat stattgefunden . . .«

»Das reicht«, unterbrach Bilborough.

»Wir wollen hören, wie er es sagt!« kreischte Jane Penhaligon. »Wir sind diejenigen, die einen Freund verloren haben, aber zum Teufel damit, denn Doktor Fitzgerald möchte sagen: ›Ich hab' euch gewarnt.‹«

»Fertig?«

»Ich kann mich nicht an ein solches Gespräch erinnern, Sir.«

Fitz verließ das Büro und schlug donnernd die Tür hinter sich zu.

»Ist das alles, Sir?« fragte Penhaligon ihren Boß.

»Nein.« Bilborough sah Beck an. »Verschwinde.«

Beck nickte und ging.

Bilborough musterte Penhaligons Gesicht. »Wenn Fitz die Wahrheit sagt, müssen Sie sich verdammt scheußlich fühlen.«

Penhaligon starrte schweigend geradeaus.

»Es gibt eine Beratungsstelle für solche Fälle«, sagte Bilborough.

»Wollen Sie Beck empfehlen, sich beraten zu lassen?«

»Beck braucht das nicht.«

»Aber ich?«

»Nein, weil . . .« Bilborough brach ab; Penhaligon wußte, daß er sagen wollte: *weil Sie eine Frau sind.* Er stand auf, umrundete seinen Schreibtisch und stellte sich neben sie. »Sie haben einen engen Mitarbeiter verloren«, erinnerte er sie. »Eine Beratung könnte Ihnen helfen. So was ist heutzutage gang und gäbe.«

Sie schüttelte den Kopf. »Das käme in meine Akte.«

»Nein«, versicherte Bilborough.

»Sie werden sagen, der Job überfordert sie. Das stimmt aber nicht. Es ist nicht der Job. Ich kann meinen Job genauso gut machen wie jeder andere hier. Genauso gut wie Beck.«

»Das weiß ich.«

»Es ist nicht der Job«, beharrte sie, während sie sich ärgerlich eine Träne von der Wange wischte. »Ich habe einen Freund verloren. Ich habe geweint, als mein Vater starb. Auf der Beerdigung waren Polizisten; ich hab' vor ihnen allen geweint. Dachten sie damals: Der Job überfordert sie? Natürlich nicht. Sie sagten: Sie weint, weil sie ihren Vater verloren hat. Jetzt ist es dasselbe. Ich habe Giggsy verloren. Ich hab' einen Freund verloren.« Jetzt strömten die Tränen über ihr Gesicht; sie vergrub das Gesicht in ihren Händen. »Ich weine, weil ich einen Freund verloren habe. Das hat nichts mit dem Job zu tun. Ich bin gut in meinem Job. Ich bin so gut wie jeder andere in diesem Revier. Scheiße.« Sie putzte sich schluchzend die Nase. »Es ist nicht der Job, wirklich nicht.«

Bilborough sah sie hilflos an, die Arme vor der Brust

231

verschränkt. Er trat einen Schritt vor, streckte zaghaft die Hand aus, als wollte er ihre Schulter berühren, dann zog er sich wieder zurück und verschränkte erneut die Arme. »Meine Frau ist schwanger«, sagte er.

Penhaligon wußte nicht, ob sie lachen oder heulen sollte. Das ganze Revier wußte, daß seine Frau schwanger war; sie wußten es seit Wochen. Offensichtlich war Bilborough ins Schwimmen gekommen – er hatte keine Ahnung, was er sagen oder tun sollte. Deshalb sprach er über seine Frau. Sie sah schniefend von ihrem Taschentuch auf. Wenigstens bemühte er sich; wenigstens unternahm er, wenn auch sehr schwach, Versuche, sie zu beruhigen. Vor einer Woche, vor Stunden noch wäre Trost das letzte gewesen, was sie von Bilborough erwartet hätte.

Sie schaute ihm ins Gesicht und betrachtete ihn, als hätte sie ihn nie zuvor gesehen. Plötzlich kam ihr in den Sinn, daß er sich möglicherweise ebenso verletzlich fühlen könnte wie sie. Vielleicht hatte er genausoviel zu beweisen und hatte ebenso große Angst davor, alles zu vermasseln. »Tatsächlich, ist sie das?«

Bilborough nickte. »Fast im dritten Monat.«

»Was wünschen Sie sich?« schniefte sie.

»Irgend etwas. Aber wenn's ein Mädchen wird, dann möchte ich, daß sie so wird wie . . .«

Penhaligon straffte die Schultern. Wenn er jetzt das sagte, was sie dachte, dann wäre es aus – sie wäre in Tränen aufgelöst.

». . . wie das totale Gegenteil von Ihnen.«

Penhaligon drückte das Taschentuch wieder ins Gesicht und lachte und heulte gleichzeitig.

Tina umrahmte ihre Lippen mit einem dunkelroten Stift, um sie danach mit einem Gloss, einem Red Alert, zu schminken. Sie spitzte den Mund und bewunderte den Effekt im Rückspiegel.

All die Polizisten, die auf der anderen Straßenseite in dem Polizeigebäude aus und ein gingen, und keiner von ihnen schaute in ihre Richtung! Falls jemand nach dir sucht, sagte sich Tina, dann ist es am besten, du versteckst dich direkt vor seiner Nase.

Sean stieß sie mit dem Ellbogen an; sie warf einen Blick auf den Eingang des Gebäudes und sah den fetten Psychologen die Außentreppe herunterkommen. Er rieb sich die Stirn, als hätte er Kopfschmerzen. Auch er schaute nicht in ihre Richtung, er schlenderte einfach davon und rieb sich die Stirn. Er sah alt und elend aus.

Es würde ganz leicht werden, leichter als alles vorher. Sean startete den Wagen.

25

Sie folgten ihm zu einem Pub, zirka zehn Minuten zu Fuß vom Polizeigebäude entfernt. Davor befand sich, etwas zurückgesetzt von der Straße, ein riesiger Parkplatz umrahmt von hellen Neonreklamen, die Varietédarbietungen und Karaoke versprachen.

Tina saß im Auto auf dem Parkplatz und betrachtete sich im Rückspiegel. Sie kramte in ihrer Tasche und tastete nach der Wimperntusche, konnte sie aber nicht finden. Sie konnte überhaupt nichts mehr finden. All ihre Habseligkeiten waren wahllos in ein paar Taschen und Beuteln verteilt; sie hatten keine Zeit gehabt, ordentlich zu packen. Sie stöhnte bei dem Gedanken an ihre Kleider, die sie einfach in eine Reisetasche gestopft hatte – und das nur wegen dem fetten

Scheißkerl von Psychologen. Und außerdem hatte sie keine Ahnung, wo sie heute nacht schlafen sollten. Irgendwo auf der Straße, nahm sie an. Das gefiel ihr: auf der Straße. Sie sagte es laut: »Auf der Straße.«

Sean sah sie perplex an, und sie küßte ihn auf die Stirn. »Gott, ich liebe dich«, sagte sie.

Sie kletterte über die Lehne auf den Rücksitz, machte eine andere Tasche auf und suchte dort nach der Wimperntusche. Sean hatte sie gepackt, und das meiste Zeug stammte aus der Küche: Kekse, Teebeutel, Instantkaffee, ein paar in ein Handtuch eingewickelte Messer. Unter den Messern lag das Fotoalbum. »Ich hab' dir gesagt, daß du das verbrennen sollst«, sagte sie.

»K-k-k . . .«

»Keine Zeit«, vollendete sie.

Sean nickte.

»Wir verbrennen es später«, sagte sie. »Wir vernichten alle Spuren von ihr, als hätte sie nie existiert, ja? Sobald wir mit dem Kerl fertig sind, schnappen wir sie, okay?«

Sean nickte wieder; er war damit beschäftigt, das Rohr in seiner Hand mit schwarzem Klebeband zu umwickeln. Diesmal war er viel ruhiger. Es wurde immer leichter für ihn, das merkte sie deutlich. Sie hatte ihm ja gleich gesagt, daß es immer einfacher wird. Sie hatte ihm eingeschärft, er dürfe an nichts anderes denken als daran, daß die anderen Menschen nicht zählten, sie hatten keine Gefühle – nicht solche wie sie. Andere Leute taten immer nur so als ob, wie die Schauspieler in den Filmen.

Sie faßte in eine andere Tasche und stieß einen großen Seufzer der Erleichterung aus; sie hatte die Wimperntusche gefunden. Sie schüttelte sie und schraubte die Kappe ab. »Ich dachte, wir könnten vielleicht nach London gehen. In London sind eine Menge Menschen. Wir könnten dort untertauchen; niemand würde uns finden. Würde dir das gefallen, Sean? Wir beide zusammen, wir beide verschwinden für immer.«

Der Pub war ein einziger riesiger Raum – rote Tapete und eine Reihe von Lichtern, die an viktorianische Straßenlaternen erinnern sollten. Die Tische standen an den Wänden in mit schmiedeeisernen Geländern abgeteilten Nischen. Auf einer Bühne am anderen Ende des Saals sang ein grauhaariger Mann mit großer Brille *When The Saints Go Marching In*. Einige Leute standen vor der Bühne und klatschten im Rhythmus. Keiner sah aus, als wäre er unter fünfzig.

Fitz ging zur Bar, bestellte einen Scotch. Zwanzig Jahre lang hatte es für ihn nur eine einzige Frau gegeben. Natürlich hatte er ab und zu kleine Flirts gehabt – und eine Menge Gelegenheiten.

Frauen, die verletzlich und bedürftig waren: *Hilf mir, halt mich, hilf mir.*

Frauen, die die Herausforderung genossen: *Du glaubst, du wüßtest, was mich auf Touren bringt? Gut, dann laß mal sehen, was du wirklich weißt.*

Einige von ihnen waren schön gewesen, aber keine hatte ihn interessiert. Bis jetzt.

Detective Sergeant Jane Penhaligon war ein Problem, das dringend gelöst werden mußte. In vielerlei Hinsicht war sie Judith sehr ähnlich. Attraktiv, klug und abweisend gegenüber jeglichem Schwachsinn.

Zumindest Judith hatte Schwachsinn nie ertragen – bis sie Graham kennengelernt hatte. Der Mann war so durchsichtig wie Pisse; warum, zur Hölle, konnte ihn Judith nicht durchschauen?

Penhaligon hatte natürlich auch ihre Schwachpunkte.

Einer davon war eine bisweilen deplazierte Loyalität den Kollegen gegenüber, ob sie es verdienten oder nicht. Kollegen wie Beck, zum Beispiel.

Ein anderer war, daß sie – wie Judith – Lügen von ihm erwartete. Judith wollte, daß er sie wegen seiner Spielleidenschaft belog; Penhaligon hoffte, er würde die Tatsache, daß er seine Frau noch immer verzweifelt wollte, verleugnen.

Er hatte nicht die leiseste Absicht, eine von ihnen zu belügen.

Er bestellte einen zweiten Whisky, ging zu einem Automaten mit vielen blinkenden Lichtern und fütterte ihn mit dem Kleingeld, das er in seiner Tasche fand. Nach ein paar Runden gewann er. »Sammle es ein«, drängte ihn eine Stimme. »Spiel nicht damit; nimm es. Um Gottes willen, nimm das verdammte Geld!«

Fitz drückte trotzig auf den Knopf mit der Aufschrift SPIEL.

»Nein«, sagte die Stimme hinter ihm. »Nein, das hättest du nicht tun dürfen.«

Lichter blinkten auf und verloschen wieder. Fitz drückte weitere Knöpfe und verlor alles.

»Zwei zu eins, daß du alles immer wieder verlierst«, beharrte die Stimme. »Ich kenne diesen Automaten, du hättest das Geld nehmen sollen, als du die Chance hattest.«

Fitz drehte sich um und stand einem kleinen, glatzköpfigen Mann gegenüber.

»Richtig«, sagte Fitz und trat beiseite. »Dann spiel du damit.«

Der Mann ging kopfschüttelnd weg. »Ich rühr' die Dinger nicht an.«

Eine Frau kam in den Pub, blieb mitten im Raum stehen und starrte Fitz an. Sie hatte langes, schwarzes, hochgestecktes Haar, üppiges schwarzes Augen-Make-up, dunkelrote Lippen, lange rote Fingernägel und trug ein hautenges, langes, schwarzes Kleid mit schwarzem Halsband und klimpernde silberne Ohrclips. Sie sah aus wie eine Kreuzung aus einem schlimmen, einem B-Movie entsprungenen Mädchen und einem Vampir. Fitz ging wieder zur Bar und beobachtete sie aus den Augenwinkeln.

Tina entging nicht, daß sie die Aufmerksamkeit des fetten Kerls auf sich gezogen hatte; er tat so, als hätte er sie nicht bemerkt, aber er schielte die ganze Zeit zu ihr herüber.

Sie ging zu ihm, streckte den Kopf vor und sah ihn aus großen, erstaunten Augen an. »Sie waren im Fernsehen, stimmt's?« fragte sie und zeigte sich äußerst beeindruckt. Sogar vollkommen perplex.

Er zuckte peinlich berührt mit den Schultern. »Ja.«

»Ich bin Michelle«, flötete sie. »Darf ich Ihnen einen Drink spendieren?«

Der Fette musterte sie von oben bis unten; offenbar konnte er die Augen nicht von ihr wenden. »Klar.«

»Eine Flasche trockenen Cidre«, orderte sie beim Barmann, dann wandte sie sich an Fitz und fragte ihn, was er trinken wollte.

»Einen doppelten Scotch ohne alles, bitte.«

Sie nickte dem Barmann lächelnd zu und bezahlte die Drinks mit einer Zwanzigpfundnote.

»Womit verdienen Sie sich Ihren Lebensunterhalt, Michelle?« wollte Fitz wissen.

»Ich bin Studentin«, erwiderte sie strahlend. Sie holte ein Päckchen Zigaretten aus ihrer Tasche und bot ihm eine an.

»Eine Studentin«, wiederholte Fitz und bediente sich. »Was studieren Sie?«

»Kriminalpsychologie.«

»Wirklich?« sagte er nickend. »Kurz vor dem Abschluß, nehme ich an.«

»Ja.« Sie suchte nach einem Feuerzeug. »Ich bin im dritten Jahr.«

»Warum Kriminalpsychologie?«

Sie zündete sich ihre Zigarette an und streckte die Hand aus, um auch Fitz Feuer zu geben. »Gewalt interessiert mich«, sagte sie und blies einen perfekten Rauchring in die Luft.

Fitz zog beide Augenbrauen hoch. »Oh, tatsächlich?«

»Ja«, erwiderte sie mit einem Lächeln.

»Sind Sie von hier?« fragte er.

Sie trank einen Schluck. Gott, war der Bastard neugierig!

»Ja.«

»Grüne Vorstadt?«

»Ja. Hale«, antwortete sie automatisch, ohne nachzudenken.

Sie wünschte, sie hätte etwas anderes gesagt, aber im Grunde spielte es keine Rolle mehr; nichts, was sie ihm erzählte, spielte noch eine Rolle.

»Hale?« Fitz pfiff anerkennend durch die Zähne. »In Hale bohren sie mit einem Taschentuch in der Nase.«

Sie lachte. »Ganz genau.«

»Warum sind Sie dann hier auf der Universität? Wieso sind Sie nicht woanders hingegangen?«

Sie hob die Schultern. »Ich wollte nicht weg.«

»Sie können Ihre Eltern nicht ausstehen.« Er stellte das fest, als wäre es die offensichtlichste Sache der Welt.

Sie kicherte nervös. »Das hab' ich nicht gesagt.«

»Das brauchten Sie auch gar nicht.«

»Nein.« Liebe Güte, was für ein Klugscheißer; er war schlimmer als ihr Vater. Sie zwang sich weiter zu lächeln und zuckte mit den Achseln. »Mein Freund wohnt hier.«

»Was macht er?«

»Er ist arbeitslos.« *Dumm.* Dafür hätte sie sich in den Hintern treten können; sie hätte ihm sagen sollen, daß er auch studierte.

»Mummy und Daddy gefällt das bestimmt nicht, oder?«

»Wie entwerfen Sie ein Profil?« erkundigte sie sich, um das Thema zu wechseln.

»Wie lange kennen Sie ihn schon, Ihren Freund?« Fitz blieb bei seinem Thema.

»Achtzehn Monate«, sagte sie – es war das erste, was ihr eingefallen war. Sie wünschte, er würde endlich aufhören, ihr all diese Fragen zu stellen und sie mit jeder zu überrumpeln. Die meisten anderen Männer stellten keine Fragen, sie wollten nichts über sie erfahren. Wenn sie überhaupt reden wollten, dann nur über sich selbst. Es wäre viel besser, wenn dieser fette Kerl das Reden übernehmen würde, dann könnte sie allem, was er sagte, einfach nur zustimmen. Das wäre wesentlich unkomplizierter. »Was macht Sie so sicher, daß Sie recht haben?« fragte sie ihn, weil sie das Gespräch wieder auf die Täterprofile bringen wollte.

»Na ja, ich bin nicht sicher, nicht immer«, sagte er und beugte sich vor, um sich auf der Theke abzustützen; er war wirklich ein massiver Mann; sogar noch massiver, als er im Fernsehen gewirkt hatte. Nicht nur dick, sondern auch groß. »Wer hat JFK umgebracht?« fragte er unvermittelt.

»Lee Harvey Oswald«, antwortete sie wie aus der Pistole geschossen. Sie war froh, daß er endlich etwas Leichtes fragte.

»John Lennon?«

»Mark Chapman.«

»Erkennen Sie, was ich versuche?«

Sie schüttelte den Kopf und kicherte leise. »Nein.«

»Es dauert Jahre, ein Kind großzuziehen. Dieses Kind

hat ein bißchen Talent, geht nach Hamburg, arbeitet jede Stunde, die Gott ihm schenkt, um sein Talent zu entwickeln; es kommt nach Hause, schreibt wundervolle Songs und wird weltberühmt. Dann läuft ihm eines Tages ein Irrer über den Weg und pustet ihn weg. Und was geschieht dann? Der Irre wird berühmt, und Menschen wie Sie, die noch immer ein wenig feucht hinter den Ohren sind, stehen Schlange, um sich ein Buch über ihn zu kaufen.«

Sie strengte sich an, immer weiter zu lächeln.

»Zwei Irre töten aus Spaß. Und je früher sie geschnappt und eingespcrrt werden, um so besser.«

Sie spürte, wie sich ihr Mund zu einem schmalen Strich verzerrte. Sie bemühte sich, ihre Lippen in die ursprüngliche Position zu zwingen, aber sie gehorchten ihrem Willen nicht mehr.

»Das ist meine These, mein Profil. Und in diesem Punkt bin ich mir ganz sicher. Der Rest . . .« Er zog die Schultern hoch. »Alles andere sind nur Vermutungen.«

Sie rückte ein Stückchen näher, nah genug, daß ihm ihr starkes Parfum in die Nase stieg. »Mein Freund ist im Moment in London«, sagte sie. »Er hat die Chance auf einen Job.«

Er wirkte nachdenklich, als würde er alles, was sie sagte, genauestens abwägen. »Dann sind Sie also ganz allein?« meinte er schließlich.

Sie nickte und zog einen Schmollmund wie seinerzeit die Bardot. »Es macht mir nichts aus. Ich hab' 'ne Menge zu tun.«

»Ihre Diplomarbeit?«

»Ja.« Sie zog an ihrer Zigarette, dann neigte sie sich zu Fitz, als hätte sie einen blendenden Einfall. »Ich hoffe, es macht Ihnen nichts aus, wenn ich Sie darum bitte – aber würden Sie sie lesen?«

»Ja«, stimmte er sofort zu, ohne auch nur im geringsten zu zögern.

Sie kam ihm noch einen Schritt näher, ihre Augen halb geschlossen, und hauchte mit lockender Stimme: »Ich meine, heute abend?«

»Ah«, machte er. »Das könnte ein bißchen schwierig werden.«

»Es sind nur sechstausend Worte. Mein Auto steht vor der Tür. Ich könnte uns hinfahren.«

Er sah sie lange an. »Die Sache reizt mich.«

Jetzt hatte sie ihn! Sie lehnte sich an ihn. »Ich wäre Ihnen sehr dankbar.« Ihre Stimme war nur noch ein heiseres, verführerisches Flüstern, und ihr Blick ließ keinen Zweifel daran, womit sie ihn belohnen würde.

»Ich muß erst telefonieren«, sagte er.

»Gut.«

»Warten Sie hier. Ich bin in einer Minute zurück«, beteuerte er.

Fitz hängte den Hörer nach dem kurzen Gespräch ein und ging wieder zu der schwarzhaarigen Frau an der Bar.

»Okay«, sagte sie. »Gehen wir.«

»Nur noch einen Moment«, erwiderte er. »Erst möchte ich Ihnen einen Drink spendieren, okay?«

»Ja, klar«, sagte sie lächelnd.

Er bestellte noch einmal dasselbe und brachte die Gläser zu einer Nische. Er setzte sich so, daß er die Tür im Auge behalten konnte; sie ließ sich ihm gegenüber nieder und wickelte geistesabwesend eine Haarsträhne um ihren Finger.

»Cheers«, sagte er und stieß sein Glas an ihres.

»Cheers.«

Der kleine glatzköpfige Mann ging jemand anderem, der

die Stirn hatte, auf den SPIEL-Knopf zu drücken, auf die Nerven. Auf der Bühne sang eine ältere Frau *We'll Meet Again*. Die Leute, die ihr zuhörten, beteten sie an; sie jubelten und klatschten und stampften mit den Füßen.

»Mögen Sie Peter Falk?« fragte Fitz die schwarzhaarige Frau.

»Sie meinen Columbo?« entgegnete sie. »Ja.«

»Er hat am besten bei John Cassavetes gespielt. Haben Sie *Ehemänner* gesehen?«

Sie schüttelte den Kopf. »Nein.«

»*Badlands*?«

»Er hat nicht in *Badlands* gespielt.«

Fitz war verwirrt. »Nicht?«

»Nein.«

»Sind Sie sicher?« hakte er nach.

»Ganz sicher.«

Mit einemmal wurde Fitz zu Columbo und bekam den Gesichtsausdruck von Peter Falk. »Na ja, verstehen Sie, das bringt mich ein bißchen durcheinander, Sie sagen, Sie studieren im dritten Jahr, hab' ich recht? Sie schreiben Ihre Diplomarbeit, das ist doch korrekt?«

»Das ist gut«, sagte sie lachend.

»Und Sie kennen Sean seit achtzehn Monaten. Das haben Sie mir doch erzählt?«

Ihr Lachen brach ab. »Wer ist Sean?«

»Ihr Freund«, stellte Columbo klar.

»Ich habe nicht gesagt, daß er Sean heißt.«

Fitz schüttelte nach Columbo-Art den Kopf. »Ach, das haben Sie nicht?«

»Nein.«

»Aber Sie sagten, Sie wollten nicht auf ein anderes College gehen, weil Sie Ihren Freund nicht verlassen wollten.« Er schlug sich mit der flachen Hand gegen die Stirn.

»Das verwirrt mich wirklich, verstehen Sie, weil Sie ihn vor drei Jahren noch gar nicht kannten.«

Er schaute zur offenen Tür. Dort stand Jane Penhaligon mit einigen uniformierten Polizisten. Er beobachtete, wie ihr Blick durch den Raum schweifte, und sah, daß sie ihn entdeckt hatte. Sie sagte etwas zu den Cops an ihrer Seite. Sie verteilten sich und näherten sich der Nische, unbemerkt von dem erbärmlichen Vamp. Fitz wurde wieder er selbst: »Da ist noch etwas, Tina.«

»Michelle.«

»Sie haben mir, ohne mit der Wimper zu zucken, einen riesigen Scotch ausgegeben. Von der Studentenbeihilfe? Sie sehen nicht aus wie eine Studentin; sie strahlen Versagen und Unmut aus jeder einzelnen Pore aus. Und Sie sind auch nicht angezogen wie eine Studentin.« Er deutete auf die rothaarige Frau hinter ihr. »Das ist Detective Sergeant Jane Penhaligon.«

Tina faßte gelassen nach ihrem Glas und nahm einen Schluck.

»Tina Brien«, begann Penhaligon, »ich verhafte Sie wegen des Mordes an Kevin Cormack und . . .«, sie machte eine Pause und kämpfte um Beherrschung, ». . . Detective Sergeant George Giggs. Sie können die Aussage verweigern, aber alles, was Sie sagen, kann als Beweis gegen Sie verwendet werden. Haben Sie das verstanden?«

Tina zog an ihrer Zigarette, starrte stur geradeaus und schwieg.

Fitz nahm Tinas Geldbörse und holte ein paar Scheine heraus. »Sie haben das Geld aus Giggsys Brieftasche gestohlen. Neunzig Pfund davon gehören mir, okay?«

Sie kniff die Augen zusammen und bedachte ihn mit einem haßerfüllten Blick, sagte aber immer noch kein Wort.

»Würden Sie bitte mitkommen, Tina?« forderte Penhaligon sie auf.

Sie trank noch einen letzten Schluck und stand auf. Einer der Uniformierten legte ihr Handschellen an und schubste sie zur Tür.

Fitz erhob sich ebenfalls und folgte den anderen ins Freie. Auf dem Parkplatz wimmelte es von Polizei; überall standen Streifenwagen. Ein parkendes Auto fuhr plötzlich los, schlitterte um die Kurven und rammte die beiden Streifenwagen, die die Zufahrt zum Parkplatz blockierten. Aber es kam auf die Straße, um mit aufheulendem Motor davonzurasen.

»Sieht aus, als hätte er sich entschlossen, nicht mehr länger zu warten«, sagte Fitz zu dem Officer, der neben ihm stand.

Zwei Polizisten drängten Tina in einen der bereitstehenden Streifenwagen. »Warte, bis wir dich allein und ohne Zeugen erwischen«, drohte einer von ihnen. »Wir werden das mit dir machen, was du Giggsy angetan hast, mordgierige Schlampe.«

Jane Penhaligon ging zu dem Wagen und sagte: »Sie fährt mit mir.«

»Aber . . .«, protestierte einer der Männer.

»Bringt sie zu meinem Wagen. Ich sage, sie fährt mit mir.«

Penhaligon fuhr zur Rückseite des Polizeigebäudes in der Anson Road, eine Polizistin saß neben Tina auf dem Rücksitz.

Bilborough erwartete sie bereits. Er lief zum Wagen und riß die Tür auf. »Das ist sie also«, sagte er. »Das ist das Miststück, das Giggsy umgebracht hat.« Er nahm ihren Arm und führte sie ins Haus.

Drinnen warteten noch mehr Polizisten auf den Korridoren, die zu den Zellen führten. »Da ist sie, die Schlampe . . .

Warte, bis ich dich zwischen die Finger kriege . . . Gebt dem Miststück was von dem, was sie Giggsy gegeben hat, dieser blutrünstigen Nutte.«

Bilborough ging schweigend neben ihr, begleitet von Jane Penhaligon und der Polizistin, die mit im Auto gesessen hatte.

Eine dicke Metalltür stand offen. Dahinter sah man eine kleine, kahle Zelle mit weiß gekachelten Wänden, einer harten, schmalen Pritsche und einer dünnen, mit Plastik bezogenen Matratze. Eine Toilette ohne Deckel befand sich in einer Ecke. Auf einer Tafel, die an der Wand vor der Zelle hing, stand mit Kreide geschrieben: »Brien – Mord.«

Bilborough nahm Tina die Handschellen ab und stieß sie in die Zelle. Ein uniformierter Polizist warf ihr eine zerschlissene, stinkende Decke zu.

Bilborough blieb auf der Schwelle stehen – sein Gesicht drückte nichts als Haß und Abscheu aus. »Vorfreude macht neun Zehntel des Vergnügens aus«, sagte er. »Ich werde gut auf Sie aufpassen. Niemand wird Ihnen ein Haar krümmen. Ich gehe streng nach Vorschrift vor. Ich freue mich auf den letzten Tag Ihres Prozesses. Ich werde dort sein, neben Giggsys Frau sitzen und zuhören, wenn der Richter Sie zu dreißig Jahren Gefängnis verurteilt. Darauf freue ich mich und werde es in vollen Zügen genießen, mörderische Schlampe.«

26

Etwas qualmte. Sean atmete beißenden Rauch ein, der ihm in den Nasenflügeln und der Lunge brannte und einen bitteren Geschmack in seiner Kehle hinterließ. »Scheiße!«

schimpfte er. »Scheiße!« Rauch drang aus den Ritzen der Motorhaube. »Scheiße!«

Er riß das Steuer herum, um von der Straße zu kommen, sprang aus dem Wagen und schnappte sich die Taschen vom Rücksitz. Er schaffte es, zwei in Sicherheit zu bringen, ehe er das erste orangefarbene Flackern sah. »Scheiße!« sagte er wieder und rannte los. »Scheiße!«

Er war in einer Nebenstraße hinter einem Industriegelände gelandet und hatte keine Ahnung, wohin er gehen sollte. Er rannte einfach weiter und hatte dabei Visionen von Tina im Kopf.

Tina am ersten Abend im Pub. Er hatte sie schon von der Bühne aus gesehen – eine große, schlanke Gestalt in Schwarz. Fast wie eine ägyptische Königin, hatte er damals gedacht. Fremdartig und ein wenig beängstigend. Und schön. Ganz sicher nicht jemand, der sich mit einem wie ihm abgeben wollte.

Und dann war sie zu ihm an die Bar gekommen, und zum erstenmal in seinem Leben war er jemandem begegnet, der ihn wie einen normalen Menschen behandelt hatte. Jemandem, der ihn nicht auslachte oder ungeduldig wurde oder einen Rückzieher machte, als würde mit ihm irgend etwas nicht stimmen.

Und sie hatte ihn auch nicht übertrieben bemuttert, ihn nicht mit Samthandschuhen angefaßt oder sich mit falscher Freundlichkeit um ihn gekümmert wie die verdammten Sozialarbeiter.

Sie hatte ihn einfach akzeptiert. Das hatte vor ihr noch nie jemand getan.

Er konnte es kaum fassen, als sie ihn fragte, ob er mit ihr in ihrer Wohnung einen Kaffee trinken wollte. Eine Frau wie sie! Und erst, als sie ihn küßte, streichelte und an sich zog und ihm half, in sie einzudringen!

»Ich könnte so bis in alle Ewigkeit mit dir liegen«, hatte Tina in dieser Nacht gesagt. »Ich möchte dich für immer in mir spüren.«

Er hätte ihr so gern gesagt, daß sie auch in ihm war. In seinem Kopf, seinem Herzen, seiner Seele. Aber er konnte die Worte nicht aussprechen, er konnte nicht sagen, was er sagen wollte. Er konnte ihr nur seinen kleinen silbrigen Pokal schenken.

Und den hatte Cormack ihr weggenommen.

Cormack. Er sah ihn immer noch im gelben Schein der Straßenlaterne in der Gasse, wie er Tina vollgeiferte und abschleckte. Wie er sie beschmutzte.

Er fühlte noch, wie der Stein den Schädel zerschmetterte, spürte, wie ihm das Blut ins Gesicht spritzte, er schmeckte es auf den Lippen. Jetzt noch empfand er den Drang von damals, Tina wieder zu der seinen zu machen. Sie gehörte ihm ganz allein. Er hörte ihr Keuchen, als er sie gegen die Wand drückte. »O Gott, Sean, o Gott, Sean. O Gott. O Gott. Ich liebe dich, ich liebe dich, ich liebe dich.«

Sein Herz hämmerte wild, sein Atem brannte in der Lunge. Ihm kam es vor, als wäre er meilenweit gerannt.

Er erinnerte sich an Tina an der Bowlingbahn – an dem Abend, an dem sie den Psychologen im Fernsehen gesehen hatten. Er hörte ihre Stimme und das, was sie damals zu ihm gesagt hatte: *Willst du ins Gefängnis? Wenn du ins Gefängnis kommst, sehen wir uns nie wieder, willst du das? Wir müssen ganz ruhig bleiben, Sean.*

Ruhig, sagte er sich, als er langsamer wurde, um zu Atem zu kommen. Ruhig.

Wenn du ins Gefängnis kommst, werden wir getrennt und sehen uns nie wieder.

Aber wie konnte er ruhig bleiben, wenn sich die Kegel in sterbende Männer verwandelten und er jedesmal, sobald er die Augen zumachte, ein mit schwarzem Plastik verkleidetes Zimmer vor sich sah, wenn er den Geschmack von Salz und Blut im Mund hatte, wenn Tina für immer von ihm getrennt war?

Wir sehen uns nie wieder.

Er konnte nicht ohne sie leben – er wollte es nicht.

Wenn wir voneinander getrennt sind, sterben wir.

Ein Auto kam aus dem Nichts auf ihn zu und hätte ihn beinahe angefahren. Es konnte gerade noch rechtzeitig abbremsen und blieb Zentimeter vor ihm stehen. Er schlug mit der Faust auf die Motorhaube und trat einen Scheinwerfer ein.

Der Fahrer sprang auf die Straße, schrie und drohte ihm mit der Faust.

Sean hätte ihn umbringen können; er hätte nur einmal fest zuschlagen müssen. Er hätte dem Kerl den Schädel mit einem einzigen Hieb einschlagen können.

Wir müssen ganz ruhig bleiben, Sean, beschwor ihn Tinas Stimme. *Ruhig.*

Er trat den anderen Scheinwerfer aus, rannte los und ließ den erschrockenen Mann stehen.

Sie hatte gesagt, sie wären ein Ganzes, und sie hatte recht.

Sie war sein Mund und seine Stimme. Er war ihre Stärke, ihre Fäuste, die bereit waren zuzuschlagen.

Er war ihre Rache.

27

»Sie wollten mich sprechen?« fragte Fitz, als er den Kopf durch die Tür steckte.

Ein Mann Anfang Dreißig, in Anzug und Krawatte, sah von seinem Schreibtisch auf. »Oh, Fitz«, sagte er unsicher. »Ja. Ich meine, bitte nehmen Sie Platz.« Er deutete auf den Stuhl vor dem Schreibtisch.

Fitz setzte sich. »Warum wollen Sie mich sprechen? Ist es wegen des jährlichen Picknicks? Ich hab' die Burger und Brötchen schon bestellt, und ich war dabei . . .«

»Nein, Fitz«, unterbrach ihn der Mann. »Es geht nicht um das Picknick.«

»Um die Blutspende? Ich hab' bereits einen Liter hergegeben.«

»Nein, es hat auch nichts mit der Blutspende zu tun. Es ist . . .« Er fingerte an einem Papierstapel in seinem Postausgangskorb herum und bog die Ecke jeder Seite nach oben. Plötzlich wurde er sich bewußt, was er tat, und faltete die Hände auf dem Schreibtisch. »Tut mir leid, Fitz. Ich werde Sie entlassen müssen.«

»*Das Haus am Eaton Place.*« Fitz seufzte.

»Wie bitte?«

»Oh, es ist dumm«, sagte Fitz. »Es ist nur, wann immer sie einen der Bediensteten in *Das Haus am Eaton Place* an die Luft setzen, sagen sie: ›Tut mir sehr leid, aber wir werden Sie entlassen müssen.‹ Sie wissen – so als ob der Bedienstete an der Leine zerren und die arme Hannah Gordon sich daran festklammern würde, aber sie schafft es nicht und muß ihn entlassen.«

»Ja, ja.« Der Mann nickte. »Meine Mutter mochte das auch.«

»Sie setzen mich an die Luft. Warum sagen Sie es dann nicht einfach?«

»Ich setze Sie an die Luft«, sagte der Mann. »Tut mir leid.«

»Wie leid?« fragte Fitz nach. »So leid?« Er zeigte mit Daumen und Zeigefinger zwei Zentimeter. »So leid?« Er deutete mit den Händen etwa dreißig Zentimeter an, dann breitete er die Arme so weit aus, wie er konnte. »Oder so leid, daß Sie eine Nacht keinen Schlaf finden? So, daß Sie nach Hause gehen und sich aufhängen? Daß Sie Ihr Gehalt teilen und mir die Hälfte überlassen?«

»Es ist keine Frage des Geldes«, erklärte der Mann nervös. »Die Stelle ist nicht mehr . . .« Er machte eine Pause und suchte nach Worten.

»Nein, nein, Sie können mich meinetwegen auch fürs Nichtstun bezahlen«, versicherte ihm Fitz. »Ich habe keinen Stolz.«

Der Mann schüttelte den Kopf. »Das ist unmöglich, fürchte ich.«

Fitz änderte seine Taktik. »Warum ich?«

»Es ist nichts Persönliches, Fitz . . .«

»Sind Sie verheiratet?« fiel ihm Fitz ins Wort.

»Ja.«

»Kinder?«

»Eins«, erwiderte der Mann argwöhnisch – offenbar war ihm nicht ganz klar, worauf diese Wendung des Gesprächs hinauslaufen sollte.

»Das ist hübsch«, sagte Fitz. »Ich hab' zwei. Hypotheken bis zum Giebel. Verschuldet bis über beide Ohren. Ich hab' mehr Schulden als die verdammte Dritte Welt. Meine Banker und Gläubiger sind krank vor Sorge. Wenn ich Pleite mache, dann sind sie auch pleite. Und Sie denken, ich schleiche jetzt nach Hause und sage, daß man mich gefeuert hat? O nein, Sir, das werde ich nicht machen.« Er zog einen Revolver aus der Tasche und hielt ihn an seine Schläfe. »Nein, nein, ich verspritze meine Gehirnmasse über Ihre schöne, saubere Bürowand.«

Der Mann grabschte nach dem Revolver, aber Fitz war zu schnell für ihn. Er zog die Waffe weg und richtete sie auf das entsetzte Gesicht des Mannes. »Ich möchte Sie mitnehmen«, sagte Fitz. »Erst Sie, dann ich. Aber dann verpassen Sie es. Sie würden es nicht sehen, stimmt's? Sie würden nicht mitbekommen, was Sie einem vierundvierzig Jahre alten Mann antun, wenn Sie ihn zum alten Eisen werfen – bei drei Millionen Arbeitslosen in diesem Land! Aber ich werde es Ihnen zeigen.« Er zielte wieder auf seinen Kopf. »Das hier geschieht mit ihm.«

Fitz schloß die Augen, verzog das Gesicht und drückte auf den Abzug. Eine kleine Flagge sprang aus dem Lauf. BANG stand auf dem Stück Stoff.

Fitz rieb sich die Hände und wandte sich an die anderen Seminarteilnehmer. »Irgendwelche Kommentare?«

In den Reihen saßen Geschäftsmänner in Anzügen und starrten ihn mit offenem Mund an.

Fitz deutete auf den Mann am Schreibtisch. »Er hat die Situation nicht gerade gut gemeistert, oder?«

Tina lümmelte auf einem Stuhl, den sie zur Seite gedreht hatte. Mit einem Ellbogen auf den Tisch gestützt, starrte sie ausdruckslos die kahle Wand an und klopfte unentwegt mit dem Fuß auf den Boden.

Bilborough und Penhaligon kamen in den Verhörraum und setzten sich auf die andere Seite des Tisches. Tina sah sie nicht an und nahm ihre Anwesenheit in keinster Weise zur Kenntnis.

Penhaligon schaltete den Kassettenrecorder ein, und Bilborough begann sein Verhör. »Vernehmungsbeginn neun Uhr. Anwesend sind Detective Chief Inspector Bilborough, DS Penhaligon, WPC Hartley, PC Johnson und die Verdächtige Tina Brien, die über ihre Rechte aufgeklärt wurde.« Er sah Tina lächelnd an. »Wir haben Sean.«

Endlich drehte sie den Kopf ein wenig. »Connery?«

Penhaligon kicherte.

»Kerrigan«, sagte Bilborough.

Tina zuckte mit den Achseln, als hätte der Name keinerlei Bedeutung für sie. »Den Kerl vom Parkplatz?«

»Ja.«

»Er ist euch entwischt.«

»Wir haben ihn vor zwei Stunden geschnappt.«

Sie grinste breit. »Gut gemacht«, beglückwünschte sie ihn.

»Sie tun sich so keinen großen Gefallen, Tina«, schaltete sich Penhaligon ein. »Wir nehmen dieses Verhör auf Video auf.«

Tinas Miene versteinerte, als sie Penhaligon ihr Gesicht zuwandte. Sie war immer noch vom Vorabend geschminkt, aber die Nacht in der Zelle hatte ihrer sorgfältig gestylten Schönheit nicht gerade gutgetan. Puder hatte sich in den Fältchen zwischen Nase und Mund gesammelt, der rote Lippenstift war bis zum Kinn verschmiert und die schwarze Augenumrandung zu schmutziggrauen Flecken verblaßt. »Mir ist scheißegal, was Sie meinen.«

»Es könnte den Geschworenen vorgeführt werden«, sagte Penhaligon.

»Es ist mir scheißegal, was Sie meinen, kapiert?«

»Ich glaube nicht, daß sie von Ihrem Benehmen allzu beeindruckt sein werden«, setzte Penhaligon noch eins drauf.

Tina schaute weg und begann, leise vor sich hin zu summen.

»Er sagt, Sie hätten das alles gemacht«, erzählte Bilborough.

Sie seufzte und bedachte Bilborough mit dem geduldigen Blick einer Heiligen. »Wer?«

»Sean.«

Sie lachte – eigentlich war es mehr ein Schnauben als ein Lachen. »Wer ist Sean?«

»Wir wissen, daß Sie mit Detective Sergeant Giggs gesprochen haben«, fuhr Bilborough fort. »Wir können beweisen, daß er in Ihrer Wohnung ermordet wurde. Wir können auch beweisen, daß Sie Cormack Geld schuldeten.«

Tina summte wieder.

»Sie werden Sie kreuzigen, Tina«, sagte Penhaligon. »Sean werden sie verstehen. Ein Mann – da erscheint Gewalt natürlich. Aber bei einer Frau?«

Tina warf den Kopf zurück und lachte, als hätte Penhaligon einen Witz erzählt.

Penhaligon blieb beharrlich und sagte ernst: »Sie werden Sie kreuzigen, weil Sie eine Frau sind, und ich halte das nicht für fair. Ich möchte nicht, daß so etwas geschieht.«

»Ich weiß Ihre Besorgnis zu schätzen.«

»Kommen Sie, Tina«, drängte Penhaligon. »Nichts, was Sie jetzt und hier sagen oder tun, macht es für Sean schlimmer; er wird sowieso wegen Mordes verurteilt. Aber Sie könnten es für sich selbst vielleicht ein wenig leichter machen.« Sie lehnte sich zurück und beobachtete Tinas Reaktion. Tina dachte nach, das sah man ihr an. »Sean hat alles ausgeführt, stimmt's?«

Tina beugte sich über den Tisch, verzog die Lippen und riß die Augen in übertriebener Verständnislosigkeit auf. »Welcher Sean?«

Sean spähte durch die Büsche, hinter denen er die Nacht verbracht hatte; kein Mensch weit und breit. Er stand auf, streckte sich und suchte in einer Tasche nach den Keksen. Dabei stieß er auf etwas Rechteckiges: Tinas Fotoalbum.

Sie hatte gesagt, er solle es verbrennen, und jetzt stellte sich heraus, daß es eins der wenigen Dinge war, die er aus dem brennenden Auto gerettet hatte. Er setzte sich ins Gras und blätterte das Album durch.

Tina als kleines Mädchen, Tina als Teenager. Nie allein auf einem Bild, immer war jemand bei ihr. Jemand ohne Gesicht, jemand, den sie immer wieder und wieder ausgelöscht hatte.

Er hörte Tinas drängende Stimme: *Tu es, Sean. Tu es für mich. So, als hätte sie niemals existiert.*

Er riß eine Seite nach der anderen aus dem Album und warf sie in den Kanal.

Ein uniformierter Polizist kam in den Verhörraum und bückte sich zu Bilborough, um ihm etwas zuzuflüstern.

»Okay«, sagte Bilborough und stand auf.

Fitz saß im Raum nebenan und beobachtete Tina über einen Videomonitor.

»Wo, zum Teufel, haben Sie sich den ganzen Morgen herumgetrieben, Fitz?«

»Ich hab' einigen idiotischen Managern beigebracht, wie man Angestellte feuert. Ich fand das sehr befriedigend; sie bezahlen mir zweihundert Pfund die Stunde.« Fitz zeigte auf Tinas Gesicht auf dem Bildschirm: Sie saß zurückgelehnt mit verschränkten Armen auf ihrem Stuhl und starrte an die Decke. »Korrigieren Sie mich, wenn ich mich irre, aber ein kurzer Blick auf die Körpersprache dieser jungen Frau verrät mir, daß Sie nicht gerade ihr Vertrauen und ihre Bewunderung gewonnen haben, oder?«

Bilborough hielt sich in der Nähe der Tür im Hintergrund. Penhaligon saß mit übereinandergeschlagenen Beinen neben dem Tisch und balancierte einen Notizblock auf dem Knie. Tina war auf ihrem Stuhl zusammengesunken und tat so, als würde sie tief und fest schlafen.

Fitz kritzelte Männchen auf die Rückseite eines Wettscheins. Nach einer Weile legte er ein Päckchen Zigaretten vor sich auf den Tisch. »Wie alt bist du, Tina?« fragte er.

»Zwanzig«, sagte sie, machte sich aber nicht die Mühe, die Augen zu öffnen.

»Erscheine ich dir alt?«

Sie lachte. »Ja.«

»Als ich in deinem Alter war, erschien mir jeder mit Vierzig uralt. Alle über Fünfzig waren klapprig und hinfällig. Die über Sechzig hätten meiner Meinung nach auf menschliche Art vergast werden sollen.«

Sie machte die Augen auf und rieb sich den Nacken. »Ja?« fragte sie unbeteiligt.

»Wenn du ein braves Mädchen bist, deine Klappe hältst und die Lesben in Holloway mit dir machen läßt, was sie wollen, ohne dich jemals zu beschweren . . .« Er zählte umständlich an den Fingern ab. »Wirst du sechs . . . sieben . . . acht Jahre älter als ich jetzt sein, wenn du wieder rauskommst.«

Sie grinste spöttisch. »Und Sie sind tot.«

Fitz wandte sich an Penhaligon: »Sie hat Angst.«

»Schmeißen Sie sie raus.«

»Wen, Penthesilea?«

»Schmeißen Sie sie raus.«

»Warum magst du sie nicht?«

Tina zeigte auf das Zigarettenpäckchen. »Kann ich eine haben?«

»Ja.« Er gab ihr Feuer. »Ist sie ein wenig wie John Lennon

für deinen Mark Chapman – ist es das? Ein bißchen Talent und Leistungen, die du am liebsten auslöschen würdest?«

»Ha!« Tina schnaubte höhnisch.

»Sie ist ein Detective Sergeant. Nächstes Jahr wird sie Inspector. Das ist eine Leistung. Glaub mir, für eine Frau bei der Polizei ist das eine Leistung. Es erfordert harte Arbeit, Hingabe, Ausdauer und zehn Jahre, in denen man mit den richtigen Leuten schlafen muß. Sie bleibt.«

Es entstand ein langes Schweigen. Fitz ergriff schließlich wieder das Wort. »Wo ist Sean?«

»Verhaftet.«

»Du weißt, daß das nicht stimmt. Komm schon.« Er schrieb etwas auf den Wettschein. »Glaubst du, er wird wieder töten? Hypothetisch gesprochen, natürlich.«

Tina betrachtete Fitz aufmerksam. »Hypothetisch gesprochen?«

»Ja.«

Sie kicherte. »Ich kenne diesen Typ nicht einmal – spreche ich jetzt hypothetisch?«

Fitz nickte.

Sie runzelte die Stirn und biß sich auf die Lippe – sie wollte nachdenklich erscheinen und machte eine Riesenshow daraus. »Hmm . . . ja. Ja, ich glaube, er könnte wieder töten.«

»Aber diesmal bist du nicht dabei«, machte Fitz ihr klar. »Wieso sollen unschuldige Menschen sterben, wenn du nicht dabei bist, um deinen Spaß daran zu haben? Sag mir, wo Sean ist.«

Sie blickte stur geradeaus und rauchte.

»Was ist deine Lieblingsszene in *Bonnie und Clyde*?«

»Nie gesehen.«

»Klar hast du den Film gesehen«, wies er sie tadelnd zurecht.

»Die Szene, in der sie sich ansehen«, sagte sie schließlich.

»Kurz bevor sie sterben?« fragte Fitz aufgeregt.

»Ja«, gab sie vorsichtig zu – sie wußte nicht, was sie von Fitz' neuer Taktik halten sollte.

Er beugte sich vor, seine Augen glänzten vor Begeisterung. »Ja, das war wirklich brillant.«

Endlich kam Leben in Tinas Gesichtszüge; sie zeigte ein ehrliches, spontanes Lächeln.

»Nach allem, was sie durchgemacht haben«, fuhr Fitz dramatisch fort, »sehen sie sich einfach nur an – und durchleben sie da nicht noch einmal jeden einzelnen Moment? Und dann sterben sie in einem Kugelhagel. Gott, hab' ich geweint. Wirklich. Ich hab' geweint. Hast du auch geweint?«

»Ja.« Sie nickte und entspannte sich ein wenig in Gegenwart einer verwandten Seele.

»Ja?« hakte er erregt nach. »Du hast geweint?«

»Ich hab' geweint.«

Fitz hielt ihr den Wettschein hin, um ihr zu zeigen, was er auf die Rückseite geschrieben hatte. *Die Szene, in der sie sich ansehen, kurz bevor sie sterben*, stand dort.

Ihr fiel der Unterkiefer herunter – wie konnte er das wissen? »Und die Vögel fliegen davon«, sagte sie wehmütig.

»Stimmt. Sie wissen, daß es passiert, und dann sterben sie. Gott, ich hab' Rotz und Wasser geheult. Rotz und Wasser.«

Tina nickte. »Ich weiß.«

Fitz' Gesichtsausdruck wurde hart, seine Stimme klang harsch und anklagend. »Ich dachte, daß dies einer der schlimmsten Momente in der ganzen Geschichte Hollywoods war.«

Tina erstarrte – sie hatte keine Ahnung, was überhaupt los war.

»Ich hab' Rotz und Wasser geheult, das stimmt«, fuhr Fitz

aufgebracht fort. »Ich weinte um all die Opfer und die Familien der Opfer. Ich war dort, bei ihnen zu Hause, Tina. Ich habe es *gesehen*. Ich hab' gesehen, was ein gewaltsamer Tod in einer Familie anrichtet. Ich habe den Kummer, die Erstarrung und die Bitterkeit erlebt. Ich habe beobachtet, wie sie sich vorzustellen versuchten, was die Opfer in ihren letzten Momenten Entsetzliches durchmachen mußten. Ich habe diese Art Trauer gesehen, du dumme kleine Schlampe! Und sie wurde immer von hohlköpfigen, egoistischen, gefühlsduseligen Miststücken wie dir verursacht.«

Tinas Lippen bebten verräterisch; Tränen stiegen ihr in die Augen.

Fitz schlug ihr mit der Hand ins Gesicht. »Wage es bloß nicht, verdammt.«

»Sie wissen gar nichts über mich!« kreischte sie.

»Dann erzähl mir von dir«, sagte Fitz. »Erzähl mir alles, was es zu wissen gibt. Erzähl mir, was in dir vorgeht. Ich bin sicher, es dauert nicht länger als fünfzehn Sekunden.«

Tina schniefte und wischte sich über die Augen, aber dann faßte sie sich wieder. »Glaube ich, daß er wieder tötet? Ich *weiß*, daß er wieder tötet. Ich weiß es.«

Sie sah den fetten Mann an, der ihr am Tisch gegenübersaß und dessen Gesicht rot und schweißglänzend war, und fing an zu lachen.

28

»Ich war's«, probte Sean im Geist die Worte, die er denen sagen wollte. »Tina hat nichts damit zu tun, haben Sie gehört? Sie hat nichts damit zu tun – es war alles meine Idee.«

Vor ihm stand eine Telefonzelle mitten in einem Einkaufszentrum. Er lief darauf zu und übte die Worte: *Ich war's, es war alles meine Idee.*

Er holte einen zerknitterten Wettschein aus der Tasche – der Psychologe hatte in der Nacht in der Zelle seine Telefonnummer auf diesen Zettel geschrieben und ihm gesagt, er könne ihn anrufen, wenn er Hilfe brauchte. Er hatte natürlich gemeint, daß er ihm wegen des Stotterns helfen wollte und daß er ihn mit einem guten Therapeuten zusammenbringen würde, nicht mit einem solchen Schafskopf, der ihn als Kind behandelt hatte. Aber Sean war es egal, welche Art Hilfe er gemeint hatte, jetzt brauchte er Hilfe, Tina aus der Klemme zu befreien. Was aus ihm selbst wurde, war ihm gleichgültig; er hatte nie Angst um sich gehabt. Nur um Tina.

Er hörte das Telefon am anderen Ende der Leitung klingeln, dann die Stimme des fetten Mannes. »Fitz.«

Ich war's, es war alles meine Idee.

Sean hatte die Worte im Kopf, er sah sie vor sich wie die Untertitel in einem Film. Doch er konnte sie nicht laut sagen. Er machte den Mund auf und zu, aber kein Ton kam heraus. Es war das Telefon – er konnte nie an einem Telefon reden.

»Hallo, hallo! Wer ist da?«

Vielleicht konnte er singen. Sean holte tief Luft und riß den Mund auf – *Ich war's, es war alles meine Idee* –, aber es passierte nichts. Der einzige Laut, den er herausbrachte, war ein langes Zischen. Es war das Telefon; er konnte nicht einmal in einen Hörer *singen*.

Fitz legte auf.

Die Badezimmertür ging auf, und Mark stolperte auf den Flur und preßte die Hand in die Seite. Sein Gesicht war schmerzverzerrt. »Dad!«

Fitz ließ den Hörer fallen und lief zu ihm. Er konnte Mark gerade noch auffangen, als er zusammenbrach. »O mein Gott!«

Sean wählte wieder. *Ich war's, kommt und holt mich, ich war's. Tina hat nichts damit zu tun.* Die Leitung war besetzt. »Scheiße!«

Eine Minute später versuchte er es noch einmal. Niemand hob ab.

Fitz setzte einen Fuß direkt vor den anderen und zählte die Schritte, während er von einem Ende des Krankenhausflurs zum anderen tapste. Vorher hatte er die Plastikstühle gezählt, die in der Ecke neben der Wäschekammer aufeinandergestapelt waren – es waren siebenundzwanzig. Vier Stapel mit sechs Stühlen und drei, die an der Wand entlang aufgestellt waren.

Er hörte, wie Absätze auf dem glatten Steinboden klickten, hörte, wie die Schritte schneller wurden. Die meisten Ärzte waren zu müde, um so schnell zu laufen. Und die Schwestern bewegten sich lautlos; sie schlichen in ihren bequemen, weichen Schuhen unaufhörlich in der Station hin und her.

Er hob den Kopf und sah Judith in bedruckten Leggins und einem passenden Schal auf sich zulaufen. Ihr Sohn wird notoperiert, und sie schafft es trotzdem, so auszusehen, als würde sie für ein Magazin posieren, dachte er und überlegte, wo sie wohl gewesen sein mochte, als er versucht hatte, sie telefonisch zu erreichen. Zu Hause jedenfalls nicht, und sein Schwiegervater hatte nur gesagt, sie wäre ausgegangen. Aber jetzt war sie da, und das war das einzige, was zählte.

Sie war nur Zentimeter von ihm entfernt, er roch ihr Parfum. Er erinnerte sich, daß er jeden Morgen beim Aufwachen diesen Geruch nach Geißblatt, der noch in den Laken hing, gerochen hatte.

Sie sah ihn fragend an, ihr schönes Gesicht drückte Angst und Sorge aus: »Was ist?«

»Blinddarm«, erklärte Fitz. »Es geht ihm gut.«

Sie seufzte und sank in seine Arme. Als ihr bewußt wurde, was sie tat, versuchte sie, sich zurückzuziehen.

»Nicht«, sagte Fitz und hielt sie fest.

Sie ließ ihn einen Moment gewähren, dann schob sie seine Arme weg und löste sich von ihm. »Können wir zu ihm?« fragte sie.

»Nein, er ist noch im OP. Wo ist Katie?«

»Sie schläft bei Dad. Das letzte Mal, als ich Mark gesehen habe, hielt er sich die Seite. Ich wußte, daß etwas nicht mit ihm stimmt.«

Fitz deutete mit dem Kopf zur Treppe. »Unten ist eine Cafeteria.«

Sie schüttelte den Kopf. »Nein, ich möchte nichts.«

»Ich könnte eine Zigarette gebrauchen.«

»Ich warte hier.«

»Ich hab' ihnen gesagt, daß wir dort sind. Sie geben uns Bescheid, wenn es etwas Neues gibt.«

»Wenn du eine Zigarette willst, dann geh und rauch eine.«

Sie ging zu den siebenundzwanzig Stühlen und setzte sich auf einen der drei einzelnen. »Ich warte hier.«

Fitz blieb niedergeschlagen stehen. »Dieser Korridor ist siebzehn mal achtzehn Schuhlängen groß«, eröffnete er ihr. »Das heißt, man bräuchte sechshundertundzwölf Paar Schuhe, um den ganzen Boden zu bedecken. Wenn man sie vom Boden bis zur Decke stapeln möchte – und warum nicht? –, würde man zweitausendvierhundertundachtundzwanzig Paar brauchen.« Er blieb stehen. »Komm nach Hause.«

Judith kniff die Augen zusammen. »Wag es nicht«, warnte sie ihn.

»Was?«

»Wage es nicht, irgendwelche Vorteile aus dieser Situation zu ziehen.«

»Das tue ich nicht«, protestierte er.

»Ich möchte ein Zugeständnis, ein winziges Zugeständnis!« Sie merkte, daß sie schrie, und senkte die Stimme. »Du hörst auf zu spielen.«

»Ich werd's versuchen.«

»Nein. Streich *versuchen*. Du hörst auf zu spielen.«

»Willst du, daß ich lüge, ist es das? Also schön, ich lüge.« Er legte die Hand aufs Herz. »Ich verspreche, ich werde nie wieder spielen, Liebes. Möchtest du, daß ich auf die Knie sinke?«

Sie schüttelte angewidert den Kopf. »Ich möchte, daß du es ernst meinst.«

Er kniete sich vor sie auf den Boden. »Hier bin ich, ich liege auf den Knien. Möchtest du die Klischees hören? Okay. Das Leben hat ohne dich keine Bedeutung. Ich liebe dich mehr als das Leben.«

Eine Schwester schlich leise vorbei; Judith wandte verlegen den Kopf ab. Fitz stand auf.

Er ging zur Mitte des Korridors und nahm wieder mit seinen Schritten Maß. »Wir können sie auf dem Paß abfangen«, sagte er und wurde zu John Wayne. »Nur ein toter Indianer ist ein guter Indianer.«

Er wartete, daß Judith etwas sagte, irgend etwas.

»Es ist still«, fuhr er schließlich fort, »zu still.« Er drehte sich um, tat so, als hätte sich ein Pfeil in seinen Rücken gebohrt – eine blendende Vorstellung mit Geräuschen. Dann schielte er zu Judith. Sie sah ihm nicht einmal zu.

Er seufzte und zählte die Lampen an der Decke.

Sean benutzte dasselbe Rohr, mit dem er den Polizisten umgebracht hatte, um das Wagenfenster auf der Fahrerseite einzuschlagen. Dann räumte er die Scherben weg, stieg ein und startete den Motor.

Drei Minuten später bog er zu einer hellerleuchteten Tankstelle mit Vierundzwanzigstunden-Minimarkt ein. Er stieg aus, ging zum Kassierer und sang: »*Ich will zwanzig* Benson and Hedges.«

Ein Mann in Anzug stand vor ihm und bezahlte Benzin mit einer Kreditkarte.

»*Ich will zwanzig* Benson and Hedges«, sang Sean wieder, noch ein bißchen lauter.

Der Kassierer war etwa im selben Alter wie Sean – er hatte ein weißes Hemd und eine Krawatte an. »Nur eine Minute, Kumpel«, sagte er. »Ich bin beschäftigt.«

Sean knallte Geld auf die Theke. »*Ich will zwanzig* Benson and Hedges, *und ich will sie sofort.*«

»Ich geb' sie Ihnen in einer Minute, Pavarotti. In einer Minute, einverstanden?«

»*Ich will zwanzig* Benson and Hedges, *und ich will sie sofort.*«

Der andere Kunde unterzeichnete hastig seine Kreditkartenquittung, machte sich eilends davon und überließ es dem armen Kassierer, allein mit dem Irren fertig zu werden.

»Hören Sie, immer mit der Ruhe, ja? Und schön bitte sagen.«

In der Theke befand sich eine Klappe. Sean hob sie hoch, um auf die andere Seite zu kommen.

Der Kassierer schlug mit der Hand auf die Klappe. »Lassen Sie das«, warnte er Sean ernst, »oder ich rufe die Polizei.«

Sean zerrte wieder an der Klappe, ging hinter die Theke und streckte die Hand nach den Zigaretten aus.

»He, Moment mal«, rief der Kassierer, als er Sean den Weg blockierte. »Bitten Sie einfach darum, okay? Jetzt hören Sie auf damit, oder ich rufe die Polizei.«

Sean stürmte mit dem Kopf voran auf ihn zu und stieß ihn um. Der Kassierer ächzte.

Scheißkerl! Sean trat ihm mit aller Wucht in die Rippen. Scheißkerl! Er trat gegen den Kopf, in den Magen und in die Eier. Scheißkerl! Dann bückte er sich und bearbeitete ihn mit seinen Fäusten. Scheißkerl! Er kippte ein Regal um.

Der Kassierer lag bewußtlos – mehr tot als lebendig – auf dem Boden.

Sean nahm sich seine zwanzig Zigaretten und eine Schachtel Streichhölzer. Dann versetzte er dem Scheißkerl noch einen letzten Tritt.

Er ging zurück zu seinem Wagen – jetzt war er schon viel ruhiger. Er legte den Rückwärtsgang ein und drückte das Gaspedal durch. Und raste durch das große Schaufenster.

Er stieg aus, kickte lässig ein paar große Glasscherben beiseite, schnappte sich vier große Kanister mit Benzin und verstaute sie im Kofferraum. Danach schlenderte er zu einem Regal und nahm sich Schreibpapier, eine Rolle Schnur und einen Stift.

Mark lag auf einem Tisch in der Wachstation, noch immer benommen von der Narkose. Er sah blaß und zerbrechlich aus, eine Haarsträhne klebte an seiner Stirn, der Mund stand leicht offen, und Schläuche ragten aus seinen Armen.

Judith setzte sich neben ihn und strich ihm das Haar aus dem Gesicht. »Wie geht's dir?«

»Besser als vor einer Stunde«, erwiderte er matt.

»Dein Blinddarm?« fragte sie.

»Sie haben ihn herausgenommen.«

»Und was haben sie gefunden? Einen Darm mit Brille?«
fragte Fitz und setzte sich auf die andere Seite.

Mark zog eine Grimasse. »Bring mich nicht zum Lachen,
Dad.«

»Das letzte Mal, als wir zusammen waren, hattest du
schon Schmerzen in der Seite«, sagte Judith.

»Sie kamen und vergingen wieder, ich dachte mir nicht
viel dabei«, erwiderte Mark. »Mum, glaubst du, sie geben
ihn mir mit?«

Judith zuckte mit den Schultern. »Ich nehme an, du
könntest sie darum bitten.«

»Toby haben sie den Meniskus herausgenommen, sie
haben ihn ihm in einem Glas mitgegeben.«

Judith sah Fitz an; er merkte es nicht. Er hatte den Kopf
gesenkt, und seine Schultern bebten. Er vergrub das Gesicht
in den Händen und weinte leise.

»Der Arzt hat gefragt, ob ich Würmer habe«, erzählte
Mark.

»Iiih«, machte Judith, ohne ihm richtig zuzuhören.

Fitz saß in der Cafeteria im Krankenhaus, trank bitteren
Kaffee und rauchte eine Zigarette nach der anderen. Judith
und Mark so zusammen zu sehen, hatte Erinnerungen
wachgerufen, wie es am Anfang gewesen war. In jenen
guten Tagen, als sie noch eine Familie waren.

Er dachte daran, wie er und Judith ihn abends ins Bett
gesteckt und ihm einen Kuß gegeben hatten. Mark hatte
immer um eine Gutenachtgeschichte gebettelt, ehe er ein-
schlief. Geschichten erzählen war Fitz' Job. Er saß am Bett
und erzählte von Feen und Drachen und wunderschönen
Prinzessinnen und beobachtete dabei, wie Marks Lider
flatterten und langsam zufielen. Mark hatte immer schon
gern und viel geschlafen, auch schon als Baby. Er hatte sie

niemals in der Nacht geweckt und immer bis zum Morgen durchgeschlafen.

Er hatte ihn damals so geliebt. So sehr, daß es weh getan hatte.

Und heute konnte er nicht einmal mehr mit ihm reden. Judith hatte recht; er konnte nicht mit seinem eigenen Sohn reden – er wußte nicht mehr, wie er es anstellen sollte. Und am schlimmsten war, daß er nicht bemerkt hatte, wann alles aus dem Ruder gelaufen war.

Mark, Judith, Katie. Er spürte, wie sie von ihm wegdrifteten. Er war kurz davor, sie zu verlieren, alles zu verlieren.

Gipfel und Abgründe, dachte er, Berge und Täler. Ich kenne die Tiefpunkte, hatte er den wandelnden Toten bei den Anonymen Spielern erzählt. Ich liebe die Tiefpunkte. Sie machen die Erfolge noch schöner.

Aber was, wenn es nur noch den Abgrund und keinen Gipfel mehr gibt? fragte er sich. Berge und Täler. Scheiße. Was, wenn es nur noch steil bergab ging? Was dann?

Er drückte seine Zigarette aus und stand auf.

Er nahm den Lift in das vierte Stockwerk und ging durch den Flur zu Sarahs Station. Sie lag nicht in ihrem Bett. Er machte sich auf den Weg ins Schwesternzimmer und fragte, ob man Sarah Heller verlegt hatte.

»Sarah Heller?« wiederholte die Schwester. »Einen Moment, ich sehe nach.« Sie blätterte in Karteikarten. »Hier ist keine Patientin mit diesem Namen.«

»Aber sie war gestern noch hier«, beharrte Fitz. »Ich habe sie besucht.«

Eine andere Schwester kam dazu und suchte in einem anderen Karteikasten. »Sind Sie ein Verwandter?« erkundigte sie sich.

»Nein, nur ein Freund.«

»Es tut mir schrecklich leid«, begann die zweite Schwe-

ster behutsam, »aber sie ist heute am frühen Morgen gestorben.«

Er fuhr mit dem Lift nach unten und lief auf die Straße,
um ein Taxi anzuhalten. Sieht aus, als wäre der Abgrund
lang und tief, dachte er, als er seinem leeren Zuhause
zustrebte.

29

Fitz schloß die Haustür auf und lief sofort zu dem klingelnden Telefon. »Fitz«, meldete er sich außer Atem.

»Ich rufe schon seit zwei Stunden alle fünf Minuten bei
dir an«, sagte Jane Penhaligon.

»Ich wußte doch, daß es nur eine Frage der Zeit ist, bis
wir uns küssen und wieder vertragen.«

»Fitz«, erwiderte Penhaligon gereizt. »Sean Kerrigan hat
vor gut zwei Stunden eine Tankstelle samt Minimarkt ver-
wüstet und den Kassierer übel zusammengeschlagen.«

»Habt ihr ihn?«

»Nein«, sagte sie, »aber es gibt einen Zeugen; er hat Sean
nach dem Foto identifiziert. Bilborough ist am Tatort und
möchte, daß du hinkommst. Ich bin in einer Minute bei dir
und hol’ dich ab.«

Er wartete bereits vor dem Haus, als sie kam. Sie öffnete
ihm die Beifahrertür. »Alles in Ordnung, Fitz?«

»Ja, klar«, sagte er, als er einstieg.

»Deine Augen sind knallrot«, stellte sie fest. »Und deine
Nase auch. Wenn ich es nicht besser wüßte, würde ich
denken, du hättest . . .«

»Ein Anfall von Heuschnupfen«, unterbrach er sie. »Erzähl mir von dem Kassierer.«

Penhaligon seufzte. »Milzriß, Schädelbruch, alle Rippen gebrochen. Er hat Glück, daß er noch lebt.«

»Ein kleiner Held, oder? Hat seine Nachteinnahmen geschützt, wie?«

Sie schüttelte den Kopf. »Ich weiß nicht, Fitz. Der Laden ist ein Trümmerhaufen – das wirst du gleich selbst sehen, wenn wir ankommen –, aber soweit man das bis jetzt sagen kann, fehlt nichts. Die Kasse ist voll mit Bargeld – sie wurde nicht angerührt.«

Fitz blies die Wangen auf und dachte nach.

»Giggsy hat das immer gemacht«, sagte Penhaligon.

»Was?«

»Er hat auch immer die Wangen aufgeblasen, wenn er nachdachte. Er sah aus wie ein Streifenhörnchen.«

»Du mußt Tina Brien hassen«, sagte Fitz. »Du denkst daran, was sie Giggsy angetan hat . . .«

»Ich habe einen Job, und an den denke ich, Fitz«, fiel ihm Penhaligon ins Wort. »Wenn ich im Dienst bin, denke ich an meinen Job.«

»Ja, das beschäftigt die Gedanken«, meinte Fitz. »Es ist etwas, worauf man sich konzentrieren kann.«

»Stimmt«, bestätigte Penhaligon und bog auf den Platz vor der Tankstelle ein. »Ach ja, das wollte ich dir noch sagen«, setzte sie hinzu, als sie ausstiegen. »Tina ist der Polizei in Sheffield bekannt. Sie faxen uns die Unterlagen. Der Boß will, daß du sie dir noch mal vorknöpfst, wenn die Sachen da sind.«

Bilborough stand in dem hellerleuchteten Laden und sah auf zu dem mächtigen, großen Chief Superintendent – stahlgraues Haar, makellose Uniform, gestählter Körper eines Athleten.

Fitz und Penhaligon traten durch das riesige Loch im

Schaufenster und vermieden sorgfältig, auf die herumliegenden Scherben zu treten.

Der Chief Superintendent drehte sich nicht einmal nach ihnen um. »Ziel?« fragte er Bilborough und verschränkte die Arme.

»Ihn finden«, erwiderte Bilborough – seiner Meinung nach war das naheliegend.

»Nein«, widersprach der Chief Superintendent. »Ihn finden, bevor er wieder tötet. Methode?«

»Ich habe Namen, Beschreibung und die Tatsache, daß er stottert, bekanntgegeben«, sagte Bilborough. »Jedesmal, wenn er irgendwo gesehen wird, verfolge ich seine Spur. Falls es noch etwas anderes gibt, was ich tun kann, würde ich es gern erfahren, Sir.«

»Dieses Mädchen«, begann der Chief Superintendent. »Diese Tina.«

»Fitz wird sich noch einmal mit ihr befassen.«

Der Chief Superintendent ließ die Arme sinken und ging zu Fitz. »Was planen Sie, aus ihr herauszubekommen?«

Sogar Fitz mußte zu dem Chief Superintendent aufschauen – es kam nicht oft vor, daß er auf jemanden traf, der noch größer als er war. Er sah in das strenge, nüchterne Gesicht, das automatisch Respekt gebot. Fitz straffte die Schultern und setzte dieselbe strenge, nüchterne Miene auf. »Wie weit ist Ihre Frau bei der ersten Verabredung gegangen?«

»Ich rate Ihnen, Ihre Sache gut zu machen«, sagte der Chief Superintendent.

Penhaligon trat dazwischen. »Es besteht eine spezielle Bindung zwischen den beiden, Sir. Fitz versucht, diese Bindung zu knacken. Wenn ihm das gelingt, verrät sie uns vielleicht, wo sich Sean aufhält.«

»Ich werde mit den Medien sprechen«, sagte der Chief Superintendent und ging.

»Das könnte ich übernehmen, Sir«, bot sich Bilborough an, während er ihm nachlief.

Tina lehnte an der weißen Wand im Verhörraum und starrte auf ihre Füße. Ohne Make-up wirkte ihr Gesicht blaß und müde. Sie trug immer noch dasselbe schwarze Kleid wie bei ihrer Verhaftung, aber nach zwei Nächten sah es heruntergekommen und verlottert aus. Ihr Haar war auf der Seite gescheitelt und fiel ihr über den Rücken. An den Wurzeln zeigte sich ein brauner Ansatz.

Im Nebenzimmer saßen Bilborough und der Chief Superintendent und beobachteten sie über den Monitor.

Fitz und Penhaligon betraten den Verhörraum. Sie hatte ihren Notizblock dabei, er vier Bücher und etliche Seiten zusammengerolltes Papier. Sie setzten sich an den Tisch. Fitz legte die Papiere ab und plazierte je ein Buch auf den vier Ecken, um es flach zu halten. »Ist es nicht furchtbar, ein Fax zu bekommen?« fragte er Tina. »Es biegt sich an den Ecken immer so auf.«

Sie warf ihm einen verächtlichen Blick zu, ehe sie den Kopf wieder senkte.

»Und wie war dein Morgen, Tina?« erkundigte sich Fitz mit freundlicher Jovialität. »Gut geschlafen?«

Tina antwortete nicht.

Fitz nahm die Fax-Seiten vom Tisch und ging zu ihr. »Christine Brien. Manchester. Mehr Jugendstrafen als der Artful Dodger. Sheffield. Drei Verurteilungen wegen Prostitution«, sagte er und betrachtete das oberste Blatt. »Penthesilea verabscheut Prostitution.«

Penhaligon achtete darauf, ihren Gesichtsausdruck neutral zu halten. Sie haßte es, wenn Fitz sie auf diese Weise mit einbezog. Aber er rechtfertigte es später immer und sagte etwas Ähnliches wie: »Aber ich mußte das tun, Penthesilea, das weißt du.«

»Das überrascht mich nicht«, sagte Tina und schaute endlich auf. »Wer würde für so was schon bezahlen?«

Penhaligon bedachte Tina mit ihrem breitesten, strahlendsten Lächeln: Sie stellte sich vor, daß sich Tina darüber ärgerte.

»Zwanzig Pfund für ein Mal, was?« fuhr Fitz spöttisch fort. »Was sind zwanzig Pfund, Tina, wenn du einen Mann für den Rest des Lebens unter dem Pantoffel hast? Sie verachtet dich, weil sie glaubt, daß du dich billig verkaufst.« Er sah zu Penhaligon. »Stimmt's?«

»Stimmt«, bestätigte Penhaligon.

»Weiß Sean davon?« wollte Fitz von Tina wissen.

Tina funkelte ihn böse an. Also hatte Sean keine Ahnung, was sie trieb.

»Bei der ersten Gelegenheit, die ich kriege, werde ich es ihm erzählen«, sagte Penhaligon.

»Warum?« fragte Fitz.

»Nur so, aus Spaß«, sagte Penhaligon.

»Soll das hier eine Art Rollenspiel sein?« wollte Tina wissen.

»Möglich.« Fitz deutete auf die Bücher, die er mitgebracht hatte. »Die habe ich geschrieben.«

»Oh, was für ein gescheiter Bursche.«

Fitz ging zurück zum Tisch und setzte sich neben Penhaligon. »Ich lag falsch, als ich sagte, man sollte dich einsperren und vergessen«, erklärte er Tina. »Ich würde gern ein Buch über dich schreiben.«

Tinas Gesichtsausdruck änderte sich ein wenig. Sie versuchte, es nicht zu zeigen, aber Fitz hatte ihre Aufmerksamkeit erregt.

»Unsterblichkeit«, sagte er, »das wollen wir alle. Das ist nichts Schlimmes.«

»Was für ein Buch?« fragte Tina zaghaft.

»Ein Buch über dich. Wie du aufgewachsen bist. Wie du Sean kennengelernt hast. Wie es sich anfühlt, wenn du jemanden tötest.«

Penhaligon konnte förmlich sehen, wie sich die Rädchen in Tinas Kopf in Bewegung setzten; ihr gefiel die Idee. Im Geiste sah sie schon Julia Roberts vor sich, die Tina Brien in einem Hollywoodfilm spielte.

»Erzähl mir was von Mummy und Daddy«, forderte Fitz sie auf.

Tina schüttelte den Kopf. »Nein.«

»Brook Road, Hale. Hübsches Mittelklassehaus. Was haben sie falsch gemacht?«

»Ich habe sie nicht gebeten, geboren zu werden.«

»Haben sie dich nicht beachtet?« fragte Fitz mit gespieltem Mitgefühl.

Sie lachte. »Nein. Sie haben geredet. Sie haben nie aufgehört, mich vollzulabern.«

Das überraschte Fitz; eine solche Antwort hatte er nicht erwartet. »Und das hat dir nicht gefallen?«

»Nein.«

»Wo ist Sean?« fragte er unvermittelt, um sie zu überrumpeln.

»Keine Ahnung.«

»Magst du dich selbst, Tina?«

Sie musterte ihn unsicher, als würde sie diese Frage verwirren.

»Wie oft hast du versucht, dich umzubringen?«

Penhaligon beugte sich vor und stützte das Kinn auf die Hände. Sie beobachtete mit hämischer Zufriedenheit, wie sich Tina unter ihrem steten, ausdruckslosen Blick wand.

»Zwanzig Pfund für ein Mal«, sagte Fitz scharf. »Mehr ist dein Körper nicht wert. Du verachtest deinen Körper – deinen Körper und deine Seele. Du verachtest die Gedanken, die dir im Kopf herumschwirren, all die bösen, verdrehten Gedanken.«

Tina sank mit dem Rücken gegen die Wand und ließ sich langsam zu Boden gleiten.

»Und Sean verachtest du auch, hab' ich recht?« quälte Fitz sie weiter. »Was für ein Mann muß das sein, der ein so böses, verdrehtes, wertloses Geschöpf wie dich lieben kann?«

Ihre Schultern zuckten, als würde sie schluchzen, aber kein Laut war zu hören.

»Warum hast du den Camcorder gekauft?«

Sie verbarg ihr Gesicht in den Händen. »Was für einen Camcorder?« Ihre krächzende Stimme war kaum hörbar.

»Hast du gefilmt, wie ihr Liebe macht?«

»Ich habe keine Ahnung, wovon Sie reden.«

»Sex und Tod, davon rede ich. Du bringst Giggs um, das macht dich so heiß und scharf, daß du es gleich dort machst. Nicht gerade romantisch, oder? Mehr ein durchschnittlicher Sexualmord, würde ich sagen. Hast du das aus deinem Gedächtnis ausgeblendet? Hast du mit Sean darüber gesprochen?«

Tränen liefen ihr übers Gesicht und tropften auf das verknitterte Kleid.

»Hat es dich gestört?« bohrte Fitz weiter.

Tinas Gesicht war qualverzerrt. »Macht Sie diese Scheiße an?« schluchzte sie. Der B-Movie-Glamour war weg, die lässige, coole Oberfläche verblaßt. Übriggeblieben war ein Häuflein Elend, das auf dem kahlen, kalten Boden kauerte.

»Es hat dich gestört. Noch etwas, was du an dir verach-

273

test.« Er änderte den Tonfall, wurde wieder freundlich und gütig. »Ich kann dich beruhigen«, sagte er. »Es ist natürlich.«

Er stand auf und näherte sich ihr. »Wann immer wir den Tod aus nächster Nähe erleben, sendet die Natur lauter kleine Botschaften durch unseren Körper. Sie sagen: Der Tod ist überall, der Tod ist wild und zügellos. Macht mehr Babys, macht mehr Babys.« Er ging vor Tina in die Hocke. »Fühlst du dich jetzt besser?«

Sie hob das tränennasse Gesicht und formte mit den Lippen das Wort »ja.«

»Ich verstehe das«, beschwichtigte er sie. »Ich weiß, wie du dich fühlst. Ich kann dir helfen. Niemand wird so geboren. Dir sind Dinge passiert, die dich so gemacht haben. Ich werde nicht zulassen, daß deswegen jemand schlecht über dich urteilt. Dazu haben sie kein Recht; sie haben nicht solche Sachen durchgemacht wie du. Ich kann dir helfen. Ich kann dir helfen, daß du dich wieder magst.«

Ihre Augen sahen ihn flehend an.

»Wäre es nicht schön«, sagte er, »sich selbst wieder zu mögen?«

»Ja«, flüsterte sie.

»Aber du mußt mir vertrauen. Du mußt mir beweisen, daß du mir vertraust. Sag mir, wo Sean ist.«

Sie begann am ganzen Körper zu zittern, ihr Mund bewegte sich – sie wollte etwas sagen, fand aber nicht die richtigen Worte. Genau wie Sean.

»Wo ist er, Tina?«

Sie schüttelte ungehalten den Kopf, eine neue Tränenflut strömte über ihre Wangen. »Ich wurde geboren, um ein Hund zu sein«, sagte sie schluchzend.

30

Sean parkte auf der anderen Straßenseite und betrachtete das große, frei stehende Haus, zu dem man ihm den Zugang verweigert hatte. Jetzt würde er sich Zugang verschaffen. Er zog sich die Kapuze so weit über den Kopf, daß sein Gesicht fast verdeckt war, und sprang aus dem Auto. Adrenalin strömte durch seine Adern, als er die Straße überquerte und durch das offene Tor in den Vorgarten rannte. Das Haus sah bei Tageslicht anders aus, zumindest nicht so groß. Nicht so abschreckend.

Er ging zur Tür und klingelte. Er wartete mit gesenktem Kopf, damit sie sein Gesicht nicht sehen konnten. Die Tür öffnete sich, und er stieß sie ganz auf und drückte Tinas Vater an die Wand.

Aber das war nicht Tinas Vater, es war ein dürrer alter Mann mit glänzender Glatze und dicker Brille.

»Was soll das?« rief der kahlköpfige alte Mann.

Sean ließ von dem Mann ab und stürmte ins Wohnzimmer – überall standen Kisten –, in die Küche – noch mehr Kisten.

Er kam wieder in den Flur, gerade als der alte Mann den Hörer vom Telefon abnahm. Sean riß das Kabel aus der Wand, drängte den Mann zurück und holte tief Luft. »W-w-wie l-l-lang?« stieß er hervor.

Der Mann sah ihn an, als hätte er einen Verrückten vor sich. »Was?«

Seans Kopf zuckte ein paarmal vor und zurück, und er dehnte die Worte, wie es ihm der bescheuerte Sprachtherapeut beigebracht hatte. »Wiiie laaang wooohnen Siiie hiiier?«

»Würden Sie bitte augenblicklich mein Haus verlassen?« sagte der Mann.

Eine Frau tauchte am Ende des Flurs auf. »Was ist hier los? Was wollen Sie?«

»Ruf die Polizei! Nimm das Telefon im Wohnzimmer«, rief ihr der kahlköpfige Mann zu.

Sean ließ ihn los und rannte zu der Frau.

»Wie lange wohnen Sie hier?« brachte er einigermaßen flüssig heraus.

»Wir sind gerade erst eingezogen«, sagte die Frau.

»Sch-scheiße!« Er trat gegen die Wand. »Scheiße!«

Er stürzte auf die Straße und fuhr weg.

Die uniformierten Polizisten brachten Tina hinunter in ihre Zelle; Fitz und Penhaligon gingen in den Nebenraum, wo Bilborough und der Chief Superintendent mit verschränkten Armen nebeneinandersaßen und auf den Monitor starrten, auf dem jetzt nur noch der kahle, leere Raum zu sehen war.

»Warum haben Sie aufgehört?« erkundigte sich der Chief Superintendent.

»Weil ich nichts aus ihr herausbekomme«, erklärte Fitz. »Jedenfalls nicht im Moment. Sie ist zu aufgewühlt, sie braucht Zeit, um sich zu beruhigen.«

»Sie ist aufgewühlt«, wiederholte der Chief Superintendent. »Sie wollen, daß wir die Ermittlungen in einem Mord an einem Polizisten verzögern, weil die Verdächtige aufgewühlt ist?«

Wieder schritt Penhaligon ein. »Fitz denkt, daß er mit Tinas Eltern sprechen sollte, bevor er mit ihr weitermacht. Vielleicht können sie uns erklären, wovon sie spricht. Mit neuen Erkenntnissen könnte es leichter sein, Tina zum Reden zu bringen und dazu, uns zu sagen, wo sich Sean aufhält.«

»Also gut«, sagte der Chief Superintendent. »Gehen Sie.«

Tina hatte ihnen gesagt, daß sie die neue Adresse ihrer Eltern nicht kannte; das letzte Mal, als sie sie gesehen hatte, waren sie offenbar kurz vor dem Umzug gestanden, und sie hatten ihr nicht gesagt, wo sie in Zukunft wohnen würden.

Fitz wartete, während Penhaligon die Immobilienmakler anrief.

»Sie sind vor zwei Tagen in das andere Haus eingezogen«, sagte Penhaligon, als sie auflegte. »Willow Way zweiundzwanzig.«

»Weißt du, wo das ist?«

»Ich denke, ich kann's irgendwie finden«, erwiderte sie nüchtern.

Er stieß die Bürotür auf und sah Judith auf sich zukommen.

»Ist was mit Mark?« rief er erschrocken und lief ihr entgegen.

»Es geht ihm gut«, erwiderte Judith. »Ich muß mit dir reden.«

Fitz deutete auf Penhaligon. »Wir müssen gleich nach Hale fahren.«

Judith sah Penhaligon an und erkannte sie. Penhaligon blieb neben Fitz stehen, wandte den Blick ab und preßte die Lippen zusammen.

»Ich muß wirklich dringend mit dir reden, Fitz«, beharrte Judith.

Fitz wandte sich an Penhaligon. »Laß uns eine Minute Zeit, ja?«

»Da hinten ist ein freier Raum«, sagte Penhaligon und zeigte ihnen den Weg. Sie öffnete eine Glastür mit einem Schild KEIN ZUTRITT und ließ sie allein.

Judith wanderte durch das Zimmer und sah sich alles an. Ein paar volle Schreibtische, ein Schwarzes Brett, an dem handschriftliche Notizen und Karteikarten hingen. Ein von zusammengeknüllten Zetteln, gebrauchten Teebeuteln und Zigarettenkippen überquellender Papierkorb.

Sie rümpfte die Nase, als sie den Gestank nach abgestandenem Rauch wahrnahm. Das war einer der Vorteile im Haus ihres Vaters – kein schaler Rauchgestank. Sie hatte es nicht bemerkt, als sie mit Fitz zusammengewesen war, sie hatte sich daran gewöhnt, aber nach ein paar Tagen im sterilen Haus ihres Vaters war ihr aufgefallen, daß all ihre Kleider nach Rauch rochen.

Sie drehte sich zu Fitz um, der sie neugierig beobachtete. Wie immer zündete er sich eine Zigarette an. Hinter ihm, von außen an die Glastür gelehnt, stand die rothaarige Polizistin. Mit der war er in dem Restaurant gewesen – sie ist nur eine Arbeitskollegin, beruhigte sie sich, aber sie spürte die Spannung und war sich bewußt, daß die Polizistin ungeduldig war. Vielleicht verband die beiden doch mehr als nur die Arbeit.

Judith fühlte, wie Eifersucht in ihr aufflackerte, aber sie verdrängte die Empfindung. Sie hatte kein Recht, eifersüchtig zu sein. Kein Recht, wütend zu werden. Sie war diejenige, die gegangen war und Fitz gesagt hatte, es sei alles vorbei, und sie war diejenige, die zuerst . . .

Nein, keine Schuldgefühle! Was geschehen ist, ist geschehen. Es hatte nur Minuten gedauert. Es bedeutete gar nichts. Es hatte sie nur daran erinnert, wie es früher gewesen war mit dem Mann, den sie manchmal gern gehaßt hätte, aber im Grunde immer geliebt hatte.

Und dann hatte sie ihn im Krankenhaus gesehen. Gestern hatte sie begriffen, wie sehr Fitz – trotz all der Streitereien und dem ständigen Machtkampf zwischen Vater und Sohn – Mark liebte und wie tief verletzt er war. Sie hätte sich gewünscht, ihn in den Arm nehmen und ihm sagen zu können, daß alles wieder gut werden würde.

278

Aber sie hatte keine Szene heraufbeschwören wollen. Nicht vor Mark und den Krankenschwestern. Und dann war sie in das sterile Haus ihres Vaters zurückgekehrt und hatte sich mehr als irgend etwas sonst gewünscht, sie hätte eine Szene heraufbeschworen, den schluchzenden Fitz an sich gedrückt und ihm gesagt, daß sie, egal wie sehr sie sich auch anstrengte, nie aufhören konnte, ihn zu lieben.

»Ich möchte nach Hause kommen, Fitz«, sagte sie.

Sein Gesicht entspannte sich sichtbar – er wirkte so erleichtert.

»Aber da ist etwas, was du wissen solltest.«

Sein Ausdruck wurde skeptisch. »Über Graham?«

»Ja.«

»Ich will es nicht wissen.«

»Ich komme nicht unter falschen Voraussetzungen nach Hause«, sagte sie. »Ich möchte Aufrichtigkeit. Offen über alles sprechen.«

»Hör auf mit dem Quatsch. Du hast etwas gemacht, um mich zu verletzen. Schön, ich weiß nichts davon. Es kann mich nicht verletzen. Aber es frißt dein Gewissen auf; du mußt es dir von der Seele reden. Du! Reine verdammte Selbstsucht. Ich höre mir das nicht an.«

Sie schüttelte frustriert den Kopf. Jedesmal machte er das mit ihr, immer. »Du tust es schon wieder. Du verdrehst alles, was ich sage. Jedes einzelne Wort.«

»Du willst Aufrichtigkeit? Die kannst du haben: Ich will es nicht wissen, okay?«

Das alles machte für sie keinen Sinn – nichts, was er sagte, machte Sinn. Mindestens hundertmal hatte er ihr klargemacht, daß er nichts mehr verabscheute als Heuchelei, und jetzt wurde er selbst zum Heuchler. Er hatte gesagt, daß er ihretwegen nicht zum Lügner werden würde, und nun verlangte er von ihr, daß sie für ihn log.

279

»Graham und ich . . .«, begann sie.

Fitz trommelte mit den Fingern an die Wand eines Aktenschranks und sang laut: *»Beautiful dreamer, wake unto me . . .«*

»Wir hatten Sex.«

Er preßte die Hände auf die Ohren und sang weiter.

»Graham und ich hatten Sex, Fitz.«

Fitz ließ die Hände sinken; er hatte es gehört. Natürlich hatte er schon die ganze Zeit gewußt, was sie ihm zu sagen hatte, aber solange die Worte nicht ausgesprochen waren, konnte er wenigstens so tun, als wäre nichts gewesen, als hätte sie nur den Drang verspürt, ihm eine kleine, unbedeutende Indiskretion zu beichten. Aber jetzt hatte es keinen Zweck mehr, sich etwas vorzumachen; sie hatte es gesagt. *Warum hast du es gesagt, Judith? Es bestand gar keine Notwendigkeit dazu.* Aber sie mußte ihr Gewissen erleichtern.

Er sah sie von oben bis unten an und suchte nach einem sichtbaren Zeichen für ihren Betrug. Natürlich war ihm klar, daß er nichts finden würde, aber gefühlsmäßig erfaßte er, daß sie sich unwiderruflich verändert hatte. Das Gesicht, die Augen – alles war anders. Sie war eine Fremde geworden. Er ging ein paar Schritte und achtete darauf, daß ein Schreibtisch zwischen ihr und ihm war.

»Nach dem Besuch im Restaurant?« fragte er die Fremde.

»Ja.«

»In seiner Wohnung?«

Die Fremde schaute ihn an und verweigerte die Antwort.

»Emotionaler Masochismus. Je mehr du weißt, um so weher tut es, aber du kannst nicht aufhören; es ist, als würde man an einer verschorften Wunde pulen«, erklärte Fitz – mehr sich selbst als Judith. »In seiner Wohnung?« wiederholte er.

»Ja.« Sie ballte die Hände zu Fäusten.

»Er hat seinen Part geschickt gespielt, wie? Die ganze Zeit kein schlechtes Wort über mich. Das hat er dir überlassen. Hab’ ich recht?«

»Ja, so ungefähr.«

»Ja«, sagte Fitz. »Als nächstes: Verdrängung.«

Die Fremde – Judith, rief er sich ins Gedächtnis, dies ist Judith – sah ihn fragend an.

»Erste Phase: emotionaler Masochismus, zweite Phase: Verdrängung. Das Bedürfnis, dem anderen Mann die Schuld zu geben. Ich sage meinen Patienten in solchen Fällen: ›Er hat Ihre Frau nicht vergewaltigt, sie hat freiwillig mitgemacht, Sie können dem Mann nicht die Schuld geben.‹«

»Nein, das kannst du nicht«, stimmte sie ihm zu. Sie sah sein Gesicht, erkannte, daß sie ihn sehr verletzt hatte.

»Es tut mir leid.«

»Phase drei«, sagte Fitz. »Das ist eine mörderische. Sexuelle Unsicherheit. War er besser als ich?«

Judith war fassungslos. »Fitz!«

»Hattest du einen Orgasmus?«

»Hör auf damit, bitte.« Sie verfluchte sich selbst, weil sie hergekommen war und nicht den Mund gehalten hatte. Wieso entwickelte sich nichts so, wie sie es erwartete? Warum tat er nicht das, was sie sich ausgemalt hatte? Sie hatte ihn vor sich gesehen, mit ausgebreiteten Armen, und gehört, wie er ihr ins Ohr flüsterte, daß er sie liebte und verstehen konnte. Er war Psychologe, um Himmels willen! Es war sein Job, den Menschen Verständnis entgegenzubringen, Schuldgefühle auszulöschen. Er konnte das bei vollkommen Fremden, wieso nicht bei seiner eigenen Frau?

»Kommen Sie, Mrs. Fitzgerald«, sagte er wie ein Late-Night-Show-Moderator, »zieren Sie sich nicht so. Erzählen Sie es dem Publikum – war er besser als ich?«

»Nein.«

»Hatten Sie einen Orgasmus?«

»Nein.«

»Ich glaube dir nicht. Phase vier: die absolute Weigerung, etwas von dem zu glauben, was die Partnerin sagt oder gesagt hat. Du kramst in deinem Gedächtnis und suchst nach all den Augenblicken, in denen es schon einmal passiert sein könnte.«

Sie fühlte, wie ihre Kehle eng wurde; ihre Augen brannten. Immer trieb er es bis auf die Spitze; er hörte nicht auf, ehe sie in Tränen ausbrach. »Um Gottes willen, Fitz.«

»Du schaust dir deine Kinder an und fragst dich, ob sie wirklich von dir sind. Phase fünf: Rachedurst. Körperliche Rache an dem Mann, sexuelle Rache an der Frau.« Er sah Penhaligon hinter der Glastür an, dann schaute er auf seine Uhr. »Ich muß nach Hale fahren.«

Er ging zur Tür, blieb aber kurz davor abrupt stehen. »Phase sechs«, sagte er und drehte sich zu Judith um. Er umrundete sie langsam, während er die Worte wie Gewehrkugeln abschoß: »Das Bedürfnis, Gewalt anzuwenden. Sie mit Gewalt zurückzuholen und mit einem rohen Akt als Eigentum zu brandmarken. Etwas, was Neandertaler und Primitive tun.« Er baute sich drohend vor ihr auf, musterte forschend ihren Körper, zog sie mit Blicken aus. Ein Bild von Graham blitzte vor seinem geistigen Auge auf – Graham nackt mit Judith im Bett. »Gott«, sagte er, »ich kann deinen Anblick nicht ertragen.«

Wieder steuerte er auf die Tür zu, blieb noch einmal stehen und stellte seine letzte Frage: »Hast du bei ihm geschlafen? Hast du die Nacht bei ihm verbracht?«

»Nein.«

»Ich glaube dir nicht«, erwiderte er, während er nach der Türklinke faßte. »Ich kann dir nicht glauben.«

Fitz zögerte in der offenen Tür und sah sich noch einmal um.

»Du hast recht, Fitz«, sagte sie, »er hat seinen Part geschickt gespielt. Er war so verdammt korrekt, so verdammt glatt, daß ich mich beinahe nicht darauf eingelassen hätte. Ich habe meinen Entschluß in dem Restaurant gefaßt. Weißt du, was wir für dich waren in dem Restaurant? Dein Publikum. Aber nein, Fitz – ich hatte auch eine Rolle zu spielen.«

Fitz stürmte auf den Korridor und schlug die Tür hinter sich zu.

Penhaligon spähte über die Schulter durch die Glastür; Judith lehnte an einem Schreibtisch und putzte sich die Nase. Sie sah nicht auf, als sie gingen.

Fitz hatte schon die Hälfte der Treppen hinter sich, als Penhaligon ihn einholte. »Was ist passiert?« wollte sie wissen.

»Wir müssen nach Hale.«

31

PC Ronald Smith stieg aus dem Streifenwagen und ging die Einfahrt zu einem ziemlich hübschen, frei stehenden Vorstadthaus entlang. »Eines Tages werde ich auch so ein Haus haben«, erzählte er PC Holden, der am Steuer gesessen hatte.

»Von einem Polizistengehalt?« fragte Holden.

»Das hat nichts mit dem Gehalt zu tun«, erklärte Smith. »Das macht man allein mit dem hier.« Er deutete auf seinen Kopf.

»Was, mit einem Vakuum?«

»Nein, mit Köpfchen«, sagte Smith, während er klingelte. »Deshalb komme ich bis ganz an die Spitze.«

»An die Spitze wovon?«

Die Tür ging auf, ehe Smith antworten konnte. »Uns wurde gemeldet, daß Sie Ärger hatten, Sir«, sagte er zu dem kahlköpfigen Mann, der auf der Schwelle stand.

»Bitte kommen Sie rein«, forderte der Mann sie auf.

Die beiden Polizisten hörten zu, während der kahlköpfige Mann die Vorfälle schilderte. »Er hat meine Frau erschreckt«, sagte er.

»Ich war nicht erschrocken«, behauptete sie. »Es war doch nur ein Junge.«

»Er sah also ziemlich jung aus?« fragte Smith die Frau.

»Ganz recht«, bestätigte sie. »Noch nicht mal zwanzig, würde ich sagen.«

»Das sind diejenigen, vor denen man sich in acht nehmen muß«, behauptete der Mann.

PC Smith las ihnen vor, was er sich notiert hatte. »Hellbraunes Haar, blaue Augen, schlank, etwa einsfünfundsiebzig, dunkelblaue Jacke mit Kapuze und Jeans. War das alles?«

»Nein«, sagte die Frau. »Er hat gestottert. Er wollte wissen, wie lange wir schon hier wohnen, aber er hat die Worte nicht herausgebracht.«

»Ich hatte mal so 'ne Freundin«, sagte Smith. »Bevor sie das Wort ›nein‹ sagen konnte . . .« Holden stieß ihn mit dem Ellbogen an. »Au!« Smith rieb sich die Seite.

»Wie lange wohnen Sie denn schon hier?« erkundigte sich Holden bei der Frau.

»Wir sind erst vorgestern eingezogen.«

Fitz verhielt sich während der halben Fahrt ganz still, dann brach es aus ihm heraus: »Ich kann's nicht glauben. Ich meine, du hast ihn gesehen, Penthesilea. Wie konnte sie nur?«

»Rache, Fitz. Je abstoßender der Mann ist, um so größer ist der Schaden an deinem Ego.«

»Aber er ist nicht einmal ein Mann, Penthesilea. Er ist ein Stück triefenden Schleims. Es ist, als würde man mit einem Abgeordneten von den Torys ins Bett gehen – wie kann eine Frau so etwas tun?«

»Jetzt hast du mich drangekriegt, Fitz«, gestand sie. »Aber was Judith und Graham betrifft . . . Darf ich sagen, ich hab's dir doch vorausgesagt?«

»Nein, das darfst du nicht. Ich wollte sie erwürgen, Penthesilea. Ehrlich, ich hätte sie am liebsten umgebracht. Warum hat sie es mir erzählt? Wieso mußte sie es mir sagen?«

»Falls das ein Trost ist . . .«, begann Penhaligon.

»Ist es nicht.«

Sie blieben vor einem großen frei stehenden Haus in einer dreispurigen Straße stehen. Eine junge Frau beugte sich über ein Blumenbeet im Vorgarten. Ein junger Mann mähte den Rasen.

»Entschuldigen Sie«, rief Penhaligon über den Zaun.

Die junge Frau richtete sich auf. Sie war Anfang Zwanzig, sehr hübsch mit langem, dunklem Haar, das zu einem Pferdeschwanz zusammengebunden war. Sie trug ein knielanges, durchgeknöpftes Kleid, konservativ in Schnitt und Stil. Ein Schlüssel hing an ihrem Gürtel. »Ja?«

»Sind Mr. und Mrs. Brien da?«

»Ja«, sagte sie und streckte die Hand aus.

Der junge Mann schaltete den Rasenmäher aus, ergriff ihre Hand, und sie gingen zusammen zur Haustür.

»Sind Sie Tinas Schwester?« fragte Fitz, als er Penhaligon durch das Gartentor folgte.

Die junge Frau blieb stehen und drehte sich um. »Wer sind Sie?«

»Ich bin Police Officer«, sagte Penhaligon und hielt ihr ihren Dienstausweis hin.

Der junge Mann beugte sich vor und sah ihn sich an; die Frau rührte sich nicht von der Stelle.

»Doktor Fitzgerald ist Psychologe«, setzte Penhaligon hinzu.

»Ich bin Tinas Schwester, ja.« Die junge Frau seufzte, sah aber immer nur starr geradeaus. »Was hat sie jetzt wieder angestellt?«

»Ich denke, das besprechen wir lieber im Haus«, sagte Penhaligon.

Der junge Mann führte Tinas Schwester zur Tür. Sie griff mit einer Hand nach dem Schlüssel an ihrem Gürtel und tastete mit der anderen nach dem Schlüsselloch.

Fitz und Penhaligon tauschten einen erstaunten Blick. Tina hatte mit keinem Wort erwähnt, daß ihre Schwester blind war.

»Kommen Sie herein«, sagte sie, als sie die Tür aufmachte.

Sie folgten ihr durch einen kleinen Vorraum in einen langen, mit Teppich ausgelegten Flur. Bilder hingen schon an den Wänden. Am Fuß der Treppe stand ein gepolsterter Stuhl neben einem kleinen Tisch mit Telefon und Lampe.

Eine Tür zur Linken führte ins Wohnzimmer. Die Möbel standen alle an ihrem Platz, die Bücher waren in die Regale geräumt, und nirgendwo waren Kartons oder Umzugskisten zu sehen. Tinas Schwester winkte sie ins Wohnzimmer und bot ihnen Platz an. »Ich sage meinen Eltern, daß Sie hier sind.«

Sie ging hinaus, der junge Mann – ihr Freund, nahm Fitz an – blieb unsicher auf der Schwelle stehen, hielt ein Auge auf das ungleiche Paar, das es sich auf dem Sofa seiner zukünftigen Schwiegereltern bequem gemacht hatte, und fragte sie höflich, ob sie eine Tasse Tee trinken wollten.

Er war ihnen nicht als Verlobter des blinden Mädchens vorgestellt worden, aber das war auch nicht nötig. Fitz erkannte es an seinem eifrigen Verhalten und an der Art, wie er es auf sich nahm, ihnen eine Erfrischung anzubieten, als würde er sich bereits als Teil der Familie betrachten. Mummy und Daddy hatten den ansehnlichen jungen Mann ohne Zweifel akzeptiert und in ihrem Heim willkommen geheißen.

Ohne Frage war dieser Junge ein Mann zum Heiraten. Der perfekte zukünftige Schwiegersohn. Höflich, gut angezogen, sauber und anständig. Kurzer, adretter Haarschnitt. Möglicherweise ein Buchhalter; Mummy und Daddy hatten sicher nichts gegen einen Buchhalter, aber Sean Kerrigan war ihnen ganz und gar nicht recht – so einer kam ihnen nicht ins Haus.

Und dann standen Mummy und Daddy vor Fitz. Mehr solide Mittelklasse, als Fitz es für möglich gehalten hatte. Er und Penhaligon standen auf.

Der Vater war fast so groß wie Fitz – ordentlich gestutzter Bart, Tweedjacke mit Lederflicken an den Ellbogen. Er sah aus wie ein Pfeife rauchender Universitätsprofessor, obwohl sich Fitz nicht vorstellen konnte, daß er das wirklich war; wahrscheinlicher erschien ihm, daß er als Angestellter auf mittlerer Managementebene tätig war.

Der Gedanke an die Pfeife erinnerte Fitz daran, daß er rauchen wollte. Er griff in die Tasche, um seine Zigaretten herauszuholen, aber dann merkte er, daß kein Aschenbecher auf dem Tisch stand. Er sah sich um – nirgendwo war ein Aschenbecher.

Mummy und Daddy gefiel es vermutlich nicht, daß Tina rauchte; sicher nannten sie es eine scheußliche Angewohnheit. Wenn er in ihrem Haus rauchte, wäre es ihnen bestimmt auch nicht recht.

Er zündete sich trotzdem eine an und weidete sich an dem entsetzten Gesichtsausdruck der Frau. Der Buchhalter-Verlobte huschte hinaus, kam mit einem Kristallaschenbecher zurück und stellte ihn ohne ein Wort vor Fitz auf den Tisch. Dann verließ er erneut das Zimmer und machte sich auf die Suche nach seiner Verlobten; Tinas Schwester war nicht mit ihren Eltern zurückgekommen.

Mrs. Brien war eine hübsche Frau, möglicherweise war sie in ihrer Jugend eine Schönheit gewesen. Sie hatte langes, dunkles Haar wie ihre Töchter, aber ihres war zu einem strengen Knoten im Nacken zusammengefaßt. Ihr Gesicht wirkte angespannt, als Penhaligon Fitz und sich selbst vorstellte. Und sie wurde aschfahl, während Penhaligon den Grund für ihren Besuch nannte. Ihr Mann half ihr, sich zu setzen.

»Wir müssen zu ihr«, murmelte sie.

»Ich fahre Sie gern hin«, bot Penhaligon an, »aber Doktor Fitzgerald möchte Ihnen zuerst ein paar Fragen stellen, wenn Sie nichts dagegen haben.«

»Was für Fragen?« wollte Mrs. Brien wissen.

»Ich bin hier, weil ich Ihrer Tochter helfen möchte«, machte Fitz ihr klar. »Ich weiß, dies ist sehr schwer für Sie, aber wenn Sie mir ein paar Fragen beantworten, kann ich ihr vielleicht ein wenig besser helfen.«

Mr. Brien stand neben dem Sessel seiner Frau und legte eine Hand auf ihre bebende Schulter. »Was wollen Sie wissen?«

»Wie sie als Kind war, ob sie gut in der Schule war, ob sie Freunde hatte . . . solche Dinge. Ideal wäre gewesen, wenn ich mir ihr altes Zimmer hätte ansehen können, aber soviel ich weiß, sind Sie gerade umgezogen.«

»Vor zwei Tagen«, bestätigte Mrs. Brien.

»Vor zwei Tagen? Bei unserem letzten Umzug mußte mir meine Frau drei Monate lang zusetzen, bis ich mit dem Auspacken angefangen habe.«

»Wir mußten die Sachen so schnell wie möglich in Ordnung bringen«, sagte Mrs. Brien. »Wegen Sammy.«

»Das ist Ihre andere Tochter – die uns ins Haus geführt hat?«

»Ihr Name ist Samantha, genaugenommen«, schaltete sich Mr. Brien ein.

»Aber wir haben sie immer nur Sammy genannt«, setzte seine Frau hinzu.

»Sie ist älter als Tina, nicht wahr?«

»Zweieinhalb Jahre«, sagte Mrs. Brien.

»Von Geburt an blind?«

Mrs. Brien nickte.

Schuldgefühle, dachte Fitz. Das Kind wurde ohne Sehvermögen geboren, daran mußten die Eltern schuld sein. Etwas in den Genen. »Es muß eine große Erleichterung für Sie gewesen sein, daß Ihre zweite Tochter nicht mit einer solchen Behinderung auf die Welt kam.«

Mrs. Brien nickte wieder. »O ja.«

Das zweite Kind wurde als Instrument benutzt, damit die Eltern ihre Schuld lindern konnten. Das jüngere Kind kann dem älteren das eine ersetzen, was ihm die Eltern ihrer Meinung nach vorenthalten haben: sehende Augen. Die zweite Tochter wächst mit der Schuld der Eltern auf, trägt sie auf ihren Schultern. Entwickelt ein eigenes Schuldgefühl: Warum bin ich diejenige, die sehen kann? Die ältere Schwester wird zum Brennpunkt aller Aufmerksamkeit, die jüngere fühlt sich allein und verlassen. »Wo ist Sammy?« fragte Fitz. »Ich würde mich gern mit ihr unterhalten, wenn es Ihnen nichts ausmacht.«

289

»In ihrem Zimmer«, sagte Mrs. Brien. »Aber ich halte es für besser, wenn Sie nicht mit ihr reden. Es würde sie aufregen, über Tina zu sprechen.«

»Und warum?«

»Sie standen sich früher sehr nahe. Sie waren immer zusammen und hingen sehr aneinander. Tina liebte Sammy, sie hätte alles für sie getan. Jeder, der das beobachtete, machte eine Bemerkung darüber; sie sagten, wie rührend es sei, die beiden zusammen zu sehen. Tina war ein fröhliches, kluges kleines Mädchen; sie hat ihrer Schwester alles, was sie sah, beschrieben, so daß Sammy immer wußte, was vor sich ging, und ihre Umgebung richtig einschätzen konnte. Uns war sehr daran gelegen, die Mädchen an schöne Orte zu bringen, damit Tina ihrer Schwester etwas Interessantes zu erzählen hatte.

Als Tina zwölf oder dreizehn war, änderte sich plötzlich alles. Sie hörte auf, ihre Zeit mit ihrer Schwester zu verbringen. Wollte nicht einmal mehr mit ihr sprechen. Sammy brach das Herz, das kann ich Ihnen sagen. Sie verstand nicht, was ihre kleine Schwester so sehr gegen sie aufgebracht hatte. Sie wußte nicht, warum Tina sie plötzlich wie einen Feind behandelte.« Mrs. Brien tupfte sich die Augen mit einem Papiertuch ab. »Und ich konnte es ihr nicht erklären, weil ich es selbst nicht wußte.«

Fitz sah ein Bild vor sich: Die kleine Tina trottete an Sammys Seite einher, schilderte pflichtbewußt alles, was sie sah. Loyal, zuverlässig und ergeben. Sie sorgte dafür, daß die große Schwester sicher die Straße überqueren konnte, führte sie um Hindernisse und Löcher im Asphalt herum. Sie trug die Schuld der Eltern ab. Ersetzte ihrer Schwester die Augen. Bis zu einem schicksalhaften Tag, an dem sie beschloß, dem allen ein Ende zu setzen. »Haben Sie einen Hund, Mrs. Brien?«

»Wir haben einen Labrador.«

»Ein Führer für Sammy«, sagte Fitz. »Wann haben Sie sich zum erstenmal einen Hund angeschafft?«

»Als Sammy ein Teenager war; wir mußten damals einen haben.«

Und ab diesem Zeitpunkt machte Tina nicht mehr mit, dachte Fitz. Der Hund übernahm die Pflichten, die sie bis dahin erfüllt hatte.

»Im Moment ist er im Zwinger«, fuhr Mrs. Brien fort. »Wir dachten, es sei besser, ihn während des Umzugs aus dem Weg zu haben. Wir wollen ihn heute nachmittag abholen; ich kann mir vorstellen, daß uns der Hund schon sehnsüchtig erwartet.«

»Ja, das kann ich mir auch vorstellen«, sagte Fitz.

32

Penhaligon ließ Fitz den Vortritt in den Verhörraum. Tina saß auf dem Stuhl, ihr Kopf lag auf dem Tisch. Fitz und Penhaligon nahmen wie üblich ihr gegenüber Platz. Fitz breitete eine ganze Reihe von Schulzeugnissen vor sich aus. »Deine Eltern sind draußen«, sagte er.

Tina zuckte zusammen, sah aber nicht auf. »Ist *sie* auch hier?«

»Sammy?«

»Ja.«

»Du hast mir nie erzählt, daß sie blind ist.«

»Ist sie da?« fragte Tina wieder; immer noch weigerte sie sich, den Kopf zu heben.

»Nein«, sagte Fitz. »Sie haßt dich.«

Endlich schaute Tina auf. »Das ist gegenseitig.«

»Was ist schiefgelaufen?« Diesmal war das Mitgefühl in seiner Stimme echt.

»Ich habe nicht darum gebeten, geboren zu werden. Ich kam auf die Welt, weil meine Schwester blind ist. Sie brauchten einen Blindenhund.«

»Sie sagen, sie hätten dir genau dieselbe Liebe und Zuneigung entgegengebracht wie Sammy . . .«

»Quatsch.«

»Kann ich sie reinholen?«

Tina deutete mit dem Kinn auf die Zeugnisse. »Das Zeugnis von der dritten Klasse. Der Lehrer schrieb, ich hätte keine Persönlichkeit. Er hatte recht. Sie hat all meine Persönlichkeit abbekommen. Sie war blind; um sie drehte sich alles. Sie mußte nur mit dem Finger schnippen, und ich war da. Ich bekam einen anerkennenden Klaps. Ich hab' gehört, wie sie ihren Freunden erzählten, daß ich so anhänglich und Sammy treu ergeben bin, daß ich ein braves kleines Hündchen bin.«

»Du warst ihr Augenlicht«, sagte Fitz.

»Ja«, sagte sie und legte den Kopf wieder auf den Tisch.

»Und du mußtest ihr alles beschreiben?«

»Ja«, bestätigte sie träge.

»Deine Eltern haben das von dir erwartet?«

»Ja.«

»Sie dachten, es würde auch dir nützen . . .«

»Ich weiß.«

»Dein Vokabular erweitern und die Fähigkeit, dich auszudrücken, vergrößern . . .«

Sie hob den Kopf und sah ihn wütend an. »Ich hab' all diese Ausreden schon mal gehört.«

»Bis du dreizehn wurdest, warst du die Klassenbeste in Englisch. Vielleicht hatten sie recht.«

»Sie hatten nicht recht.«

»Nach deinem dreizehnten Geburtstag sind deine Leistungen plötzlich in den Keller gerutscht. Was ist passiert?«

Sie zuckte mit den Achseln. »Mir wurde das alles langweilig.«

Fitz schüttelte den Kopf. »Es hat dich krank gemacht. Du hattest es bis oben hin satt. Es schneit, du mußt Sammy beschreiben, wie der Schnee aussieht. Der Wind weht, du mußt es beschreiben. Ihr seid am Strand, in einem Wald, auf einem Berg, an allen interessanten und schönen Plätzen, du mußt alles beschreiben. Du hast angefangen, das Schöne zu hassen.«

»Interessant?« schnaubte sie. »Schön? Ich erinnere mich an ein Picknick, als ich acht oder neun war. Wir fuhren mit dem Auto. Ich mußte die Ledersitze, das Lenkrad, die verdammten Scheibenwischer beschreiben! Sagen Sie mir, ist das was Schönes? Schließlich hielten wir an. Mein Dad sagt: Ist das nicht ein hübsches Fleckchen? Ich weiß, das ist mein Stichwort, ich muß Sammy erzählen, *wie* hübsch es ist. Da sind große Bäume, sage ich. Wie groß? fragt mein Dad. Größer als unser Haus, sage ich. Um wieviel größer? Mindestens dreimal so groß, sage ich, mit einer dicken, rauhen Rinde und langen Ästen, die immer dünner werden, je höher sie sind. Sehr gut, sagt meine Mum, was siehst du sonst noch? Ich erzähle ihnen, daß ich einen strahlendblauen Himmel mit kleinen weißen Wölkchen sehe, die mich an mit Federn gefüllte Kissen erinnern. Aber das genügt ihnen nicht. Mein Dad holt den Picknickkorb und sagt: Sieh mal, was für eine Arbeit sich eure Mum gemacht hat, und ich muß das Essen beschreiben.«

»Also betest du im stillen um Langeweile«, sagte Fitz. »Um Tage, an denen sich nichts tut.«

»Aber das hat mir nichts genützt«, sagte sie. »Ein regnerischer, grauer Tag im Haus – das ist Langeweile, stimmt's?

293

Da tut sich nichts. Aber was muß ich an solchen Tagen tun? Sammy von Zimmer zu Zimmer führen und alle Gegenstände beschreiben. Die Vorhänge, die Tapeten. Die Lampen an der Decke. Manchmal schneidet Dad Bilder aus Zeitschriften oder Katalogen aus, damit ich sie beschreiben kann.«

Mein Gott, dachte Penhaligon, während sie Tina zuhörte, das klang, als hätte sie ihr Leben im Studio einer Quizshow zugebracht – vierundzwanzig Stunden täglich. Die Mutter zeigt auf eine Fotografie an der Wand: *Beschreib das in allen Einzelheiten deiner Schwester,* der Vater deutet auf eine Figur auf dem Kaminsims: *Erzähl Sammy, wie das aussieht.* Sie rufen dich ans Fenster, damit du dir den Sonnenuntergang ansiehst: *Erkläre jemandem, der keinerlei visuelles Vorstellungsvermögen besitzt, ganz genau, was du siehst.* Aber Sammy konnte man keinen Vorwurf machen, dachte Penhaligon. Sammy hatte damit nichts zu tun, sie war nur ein Kind. Wieso gab sie Sammy die Schuld?

Fitz neigte sich über den Tisch und beantwortete in ernstem Ton Penhaligons stumme Frage. »Tina, du hast dich schuldig gefühlt, weil du sehen konntest und Sammy nicht. Und später hast du dich schuldig gefühlt, weil du sie im Stich gelassen hast; du wußtest, daß sie für ihre Blindheit nichts kann. Das schlechte Gewissen hat dich innerlich aufgefressen und zerrissen. Du hast Sammy für das Gefühl, das dir zu schaffen machte, verantwortlich gemacht – wenn Sammy nie existiert hätte, gäbe es keinen Grund für dich, dich schuldig zu fühlen, du hättest nie die Empfindungen haben müssen, die dich quälten. Das Schuldgefühl verwandelte sich in Haß; mit Haß kann man viel leichter umgehen. Aber das schlechte Gewissen war immer noch da, hab' ich recht, Tina? Das schlechte Gewissen, daß du jemanden, der dich brauchte, im Stich gelassen hast, jemanden, der ohne dich nicht komplett war. Wie bist du mit diesem schlechten Gewissen fertiggeworden? Du hast dir einen Mann ausgesucht, der genauso bedürftig ist wie deine Schwester, der du den Rücken gekehrt hattest, einen Mann, mit dem du die frühere Beziehung wieder herstellen konntest. Deine Schwester kann nicht sehen; du ersetzt ihr die Augen. Sean hat ein Problem mit dem Sprechen, und du ersetzt ihm den Mund. Du gehst dieselbe Beziehung ein, Tina. Das siehst du sicher selbst.«

Sean fuhr in den Straßen von Hale auf und ab und suchte nach Häusern mit Schildern von Immobilienmaklern. Sie waren sicher in Hale geblieben; sie hatten immer schon hier gelebt, schon bevor Tina auf die Welt gekommen war.

Er fuhr die Hauptstraße entlang, und plötzlich sah er sie – sie ging Hand in Hand mit ihrem bescheuerten Freund über den Bürgersteig. Er hatte sie nie aus der Nähe gesehen – keinen aus der Familie –, aber sie mußte es sein. Sie trug eine dunkle Brille, und die Hand des Freundes führte sie durch die Menge, und sie sah nie jemanden an, wenn sie vorbeiging.

Er folgte den beiden in diskretem Abstand und beobachtete, daß sie in eine Seitenstraße einbogen und schließlich in ein großes Backsteinhaus gingen.

Er parkte auf der anderen Straßenseite und wartete.

Tina stand auf und lehnte sich an die Wand, wiegte sich hin und her und sang lauthals: »*I just called to say I love you . . .*«

»Setzen Sie sich bitte«, forderte die rothaarige Polizistin sie auf.

Tina ignorierte sie; diese dumme Kuh wußte nichts von

der Liebe – kein Mann würde ihr auch nur einen zweiten Blick gönnen. »*I just called to say how much I care.*«

Die Polizistin stand auf, ergriff ihren Arm. Tina riß sich los und sang direkt in das entgeisterte Gesicht der Rothaarigen: »*I just called to say I love you . . .*«

Sie ging auf den fetten Psychologen zu, ohne darauf zu achten, daß die Frau neben ihr scharf die Luft einsog. »Das hat früher die Tanzflächen gefüllt«, sagte sie. »Meine Eltern im Urlaub, toll hergerichtet für den Discoabend, tanzen steif wie Holzpuppen, während ich an der Wand sitze und mich verkriechen will – all die vertrockneten alten Pärchen, die so tun . . . Selbst ein fetter Scheißkerl wie Sie würde sich aufraffen, und Sie würden das Lied Ihrer Frau ins Ohr singen: *To say how much I care . . .* Hab' ich recht?«

»Ja.«

Sie machte noch einen Schritt vorwärts. »Weil Sie es nicht stocknüchtern sagen können«, erklärte sie, während sie sich über den Tisch beugte und ihr Gesicht ganz nah an seines brachte. »Weil es eine Lüge ist. Also lügt ihr euch halb besoffen auf der Tanzfläche an. Sie singen in ihr Ohr und sehen ihr nicht in die Augen. Über vierzig Jahre alt, nach zwanzig Jahren Ehe, zu Tode gelangweilt, nicht ein Hauch von Leidenschaft mehr. Also belügt ihr euch, wenn ihr halb besoffen auf der Tanzfläche seid. Aber ich habe einen Mann, der für mich getötet hat.«

Sie richtete sich auf und ging geradewegs zur Tür. Die Polizistin lief ihr nach und hielt sie an beiden Armen fest.

»Ich würde jetzt gern meine Eltern sehen.«

Die Frau lockerte ihren Griff ein wenig, ließ sie aber nicht ganz los. Sie bat einen der Polizisten, die draußen standen, die Tür aufzumachen.

Die Rothaarige und der fette Psychologe führten sie den Flur entlang zu dem Raum, in dem ihre Eltern warteten. Sie blieb auf der Schwelle stehen und sah ihre Eltern am Tisch, ihre erwartungsvollen Blicke. Sie waren passend für die Gelegenheit gekleidet – ihr Vater mit Tweedjacke und Krawatte, ihre Mutter mit grauem Kleid und Perlenkette. Sie waren hier, um sie zu besuchen, oder nicht? Sie wollten sie im Käfig sehen, bevor sie ganz weggesperrt wurde.

Tina fletschte die Zähne und knurrte.

Ihre Mutter sank entsetzt zurück. Ihr Vater starrte verlegen auf seinen Schoß.

Sie knurrte wieder, diesmal tiefer und bedrohlicher.

Das Gesicht ihrer Mutter war plötzlich verzerrt, Tränen liefen über ihre Wangen, als Tina wie der Hund bellte, den ihre Eltern immer haben wollten.

PC Smith war dran, das Steuer zu übernehmen. Er hielt den Streifenwagen vor einer indischen Imbißbude an.

»Du bist doch nicht schon wieder hungrig?« fragte PC Holden.

»Das soll wohl heißen, daß du nichts willst?«

»Du schaffst es also bis ganz an die Spitze«, sagte Holden. »Bis zur obersten Sprosse der Leiter.«

»Willst du jetzt was oder nicht?«

Holden zuckte mit den Achseln. »Vielleicht esse ich doch eine Kleinigkeit.«

»Was zum Beispiel?«

»Ein kleines Hühner-Curry vielleicht? Nein, lieber ein Vindaloo – gebratener Reis, eine Frühlingsrolle – oder eher zwei, Gurkensalat und einen Löffel Linsen.«

Smith verdrehte die Augen und ging in die Bude, um die Bestellung aufzugeben. Hinter der Theke in einem Regal stand ein Fernseher; der Chief Superintendent war in den Nachrichten. ». . . die Beschreibung des Mannes: jung – etwa zwanzig Jahre alt –, mit hellbraunem Haar und blauen

Augen. Aber das vielleicht auffälligste Merkmal ist, daß er sehr stark stottert.«

»Du liebe Scheiße!« brüllte Smith und rannte aus dem Laden. Er riß die Autotür auf und schnappte sich den Hörer vom Funkgerät.

Holden sah ihn an. »He, was ist mit meinem Essen?«

»Halt die Klappe«, sagte Smith. »Oscar Romeo zwei an Zentrale . . .«

Fitz rieb sich die Stirn, eine ganze Ansammlung von Pappbechern mit lauwarmen Kaffeeresten stand vor ihm auf dem Tisch. Tina saß ihm gegenüber. Ihr Haar war mit einem Gummiband zusammengebunden – die *femme fatale* war vollkommen verschwunden, Tina war nur noch ein kleines, verlorenes Mädchen. »Ich weiß, wie es ist, jemanden in den Armen zu halten, den man längst verloren glaubte«, sagte Fitz. »Es ist wie nichts sonst auf der Welt. Ich kann das für dich arrangieren. Eine Stunde. Irgendwo, wo ihr allein sein könnt. Sag mir nur, wo er sich im Augenblick aufhält.«

Tina wandte sich an Penhaligon. »Kann er das?«

»Ja.«

Bilborough beugte sich gespannt zum Monitor. Sie würde es ihm sagen, das spürte er. Hinter ihm klingelte ein Telefon. Verdammt, dachte er, ausgerechnet jetzt. Er nahm den Hörer ab, ohne den Blick vom Bildschirm abzuwenden. »Bilborough.« Er hörte einen Moment zu. »Sag das noch mal«, rief er und drehte sich um. Er sprang auf, knallte den Hörer auf die Gabel. »Jimmy!«

»Ist irgend etwas wichtiger als das?« fragte Fitz. »Ihn noch einmal in den Armen zu halten – bevor ihr für immer getrennt werdet?«

Tina schüttelte den Kopf. »Nein.«

»Dann sag mir, wo er ist.«

»Sie versprechen uns eine Stunde. Sie versprechen es?«

»Ja, ich verspreche es«, sagte er. »*Bonnie und Clyde* kurz vor dem Kugelhagel.«

»Meine Schwester«, sagte sie schließlich. »Er will meine Schwester töten.«

Bilborough stürmte in den Raum, in dem Tinas Eltern noch immer warteten. Tinas Mutter schniefte in ein Taschentuch. »Mrs. Brien, haben Sie je in der Brook Road gewohnt?«

Sie putzte sich die Nase. »Wir sind von dort gerade erst weggezogen.«

»Wie ist Ihre jetzige Adresse?«

»Willow Way zweiundzwanzig, Hale.«

Bilborough wandte sich hastig an Beck: »Hol einen Wagen, aber schnell!«

Beck rannte los, und Bilborough wollte ihm nach.

»Warten Sie!« rief Mrs. Brien. »Moment!«

Bilborough drehte sich zu ihr um.

»Meine Tochter ist auch noch dort«, sagte sie.

»Allein?«

Sie nickte. »Sie ist allein.«

»Scheiße!« Er trat auf den Flur und sah, daß Penhaligon auf ihn zulief.

»Wir glauben, er ist in der Willow . . .«, begann sie außer Atem.

»Ich weiß, wo er ist«, fiel ihr Bilborough ins Wort. Er sah Fitz im Flur hinter Penhaligon. »Ich bin vor Ihnen draufgekommen, Fitz«, rief er im Laufen über die Schulter. »Polizeiarbeit!«

»Ich werde in Zukunft keinen Finger mehr krumm machen!« brüllte Fitz ihm nach.

Beck hastete an ihm vorbei, um Bilborough einzuholen. Fitz hielt ihn am Arm zurück. »Seht zu, wie ihr allein fertig werdet«, brummte er.

»Laß mich«, schimpfte Beck und riß sich los.

»Du verdammter Hohlkopf!« schrie Fitz und fing an zu rennen. »Du kannst nur noch mit einer Gehirntransplantation überleben – du könntest nicht einmal ein Kreuzworträtsel lösen!«

Als Fitz das Ende des Flurs erreichte, war von Beck und Bilborough schon nichts mehr zu sehen. »Undankbare Mistkerle!« sagte er und schlug sich mit der Faust in die Handfläche. Dann ging er zurück zu Jane Penhaligon, die vor der Tür zum Verhörraum stand. »Undankbare Mistkerle!« Sie riß hilflos die Hände hoch.

33

Die Haustür ging auf und wieder zu; Sammys vertrottelter Freund ging pfeifend die Straße hinunter. Sean wartete, bis er außer Sicht war, und stieg aus.

Er zog ein zusammengefaltetes Blatt Papier aus der Jeanstasche, legte seine Jacke sorgfältig zusammen und verstaute sie im Kofferraum. Dann nahm er einen der Kanister und schüttete sich das Benzin über den Kopf; seine Haare und das schwarze T-Shirt waren tropfnaß. Er schlug den Kofferraum zu und ging mit den drei anderen Kanistern und der Schnurrolle zum Haus.

Das Telefon klingelte. Sammy kam aus der Küche und ging auf die Geräuschquelle zu – zu dem niedrigen Tisch vor dem Sofa. Alles stand fast genauso wie im alten Haus, und zwischen den Möbeln war viel Platz. Sie war in den letzten zwei Tagen jeden Zentimeter abgegangen, hatte die Schritte von einem Zimmer ins andere gemessen, jeden Schalter, jede Steckdose, jedes Fenster und jede Tür abgetastet und sich eingeprägt, an welcher Stelle sie sich nach links oder rechts drehen mußte.

Von der Küche zum Wohnzimmer: rechts, drei Schritte, links, zwanzig Schritte, dann wieder rechts. Jetzt stand das klingelnde Telefon direkt vor ihr. Sie machte noch ein paar vorsichtige Schritte, spürte die Tischkante an ihrem Bein und tastete nach dem Apparat.

Die Türglocke schlug an und hörte nicht mehr auf zu klingeln. Es klang, als würde sich jemand mit dem ganzen Gewicht gegen den Klingelknopf stemmen. Sie nahm den Telefonhörer ab. »Einen Augenblick bitte«, sagte sie und legte ihn auf den Tisch.

»Sammy!« kreischte ihre Mutter. »Sammy, warte! Bist du da? Ist alles in Ordnung? Sammy, um Himmels willen, nimm den Hörer in die Hand!«

An der Wohnzimmertür rechts, zehn Schritte. Die Glocke schrillte und schrillte. Sie öffnete die Haustür. »Hi«, grüßte sie.

Eine Hand stieß sie so grob in den Flur zurück, daß sie fiel. Sie schrie, und die Hand zog sie an den Haaren hoch. Ein entsetzlicher Benzingestank stieg ihr in die Nase.

»Was wollen Sie?« fragte sie ängstlich. »Bitte, was wollen Sie?«

Sie schrie wieder, als die Hand sie an den Haaren ins Wohnzimmer zerrte und aufs Sofa schleuderte.

Sie hörte, wie ihre Mutter am Telefon ihren Namen rief. Ein Grunzen ertönte, dann ein plätscherndes Geräusch; etwas Kaltes floß über sie, durchtränkte ihre Kleider. Der Gestank war fürchterlich: Benzin! »Nein, nein! Bitte, o

Gott, nein!« Es spritzte ihr in die Augen. Sie rollte vom Sofa auf den Boden und schrie vor Angst. Sie versuchte, über den Boden zu kriechen, wegzukommen. Aber der Eindringling schüttete ihr noch mehr Benzin aus einem anderen Kanister über den Rücken.

Sie stieß mit dem Kopf gegen die Wand. Sie war benommen von dem Benzingeruch und spürte, wie die Übelkeit in ihr aufstieg. Sie preßte sich an die Wand und weinte. »Bitte, tun Sie mir nichts, bitte!«

Bilborough saß Sammys Eltern gegenüber – er war frustriert und vollkommen machtlos. Er hörte die Angstschreie des Mädchens. Er hatte keine Ahnung, was mit ihr geschah, und war nicht imstande, dem ein Ende zu machen. Mrs. Brien war der Hysterie nahe, und er konnte es ihr nicht verdenken. Er riß ihr den Telefonhörer aus der Hand. »Du läßt die Finger von ihr, du widerliches Schwein. Hast du mich verstanden? Laß deine dreckigen, stinkenden Finger von ihr! Nimm den Hörer! Nimm den Hörer in die Hand!« Keine Antwort – nur ein leises Wimmern. »Hör zu, Junge, hör gut zu. Wenn du sie auch nur anfaßt, schneid' ich dir die Eier ab! Jetzt nimm den Hörer, Sean.«

Sean machte die Runde durch das Zimmer und übergoß alles mit Benzin: die antiken Möbel, die ledergebundenen Bücher, die frischen Blumen in der Vase. Ein störendes Winseln drang aus dem Telefonhörer: »Komm schon, Junge, sprich mit mir. Rühr sie nicht an, hörst du? Du rührst sie nicht an. Laß sie in Ruhe!« Er schüttete Benzin über den Apparat und knallte den Hörer auf die Gabel.

Sammy kauerte in einer Ecke, jetzt war sie ganz still. Er hockte sich neben sie und schüttelte die Streichholzschachtel neben ihrem Ohr.

»Bitte«, flehte sie. »Bitte.«

»Sh-sh-sh . . .«

»Sean?« sagte sie. »Sean«, wiederholte sie noch einmal – sie wußte, daß sie recht hatte.

»Ja.« Er grabschte wieder nach ihrem Haar und zog sie in den Flur. Sie schrie und weinte.

»Warum tust du das?« keuchte sie zwischen Schluchzern. »Warum?«

Er schubste sie hart auf den Boden, dann nahm er den nächsten Kanister und schüttete fast den ganzen Inhalt auf den Teppich im Flur, an die Wände und auf die Treppe. Den Rest spritzte er Sammy ins Gesicht. »Das ist für das, was du Tina angetan hast. Für das, was du Tina angetan hast!«

Sie schlug die Hände vor die Augen und schrie: »Ich hab' Tina nichts angetan . . .«

»Für das, was du Tina angetan hast.«

»Ich hab' ihr nichts angetan!«

»Doch, das hast du!«

»Sie lügt!«

Er packte sie an den Schultern und schüttelte sie so vehement, daß ihr Kopf an die Wand schlug. »Du lügst!«

»Sie lügt«, beharrte Sammy, »sie hat ihr ganzes Leben lang gelogen.«

»Halt die Klappe, ja? Halt deine Klappe.«

»Sie hat nichts anderes getan, als einen Haufen Lügen zu erzählen, Sean . . .«

Er zerrte sie auf die Füße und stieß sie durch den Flur. »Halt die Klappe!«

»Ich schwöre dir, Sean, ich schwöre dir, daß alles, was sie dir erzählt hat, gelogen war. Ich schwöre . . .«

Er stieß sie in die Küche. »Ich hör' dir nicht zu, also halt dein Lügenmaul!«

303

»Es ist nicht wahr!« kreischte sie. »Sie lügt, Sean.«

»Ich hab' gesagt, du sollst dein Lügenmaul halten.« Er drückte ihren Kopf über den Herd und drehte das Gas auf. Das Heulen von Sirenen war zu hören und kam näher, dann klingelte es an der Tür. Sean riß Sammy hoch, verdrehte ihr den Arm auf den Rücken. »Sag ihnen, daß sie abhauen sollen, ja? Du sagst ihnen, daß sie abhauen sollen, sonst bist du tot.«

»Du tust mir weh!«

Er drängte sie zur Tür. »Sag ihnen, daß sie abhauen sollen«, befahl er barsch und verstärkte den Druck an ihrem Arm.

»Gehen Sie weg«, schrie Sammy. »Er bringt mich um, wenn Sie nicht weggehen!«

Bilboroughs Wagen kam mit quietschenden Bremsen zum Stehen. Mr. und Mrs. Brien sprangen auf die Straße; Beck lief ihnen nach, um sie zurückzuhalten.

»Aber meine Tochter ist da drin«, protestierte Mrs. Brien zitternd.

»Sie können gar nichts tun«, machte Beck ihr klar.

Der Bereich war abgesperrt, und etliche uniformierte Polizisten verscheuchten Fußgänger und Schaulustige von der Straße.

»Jimmy«, sagte Bilborough, »hol die Leute schnell raus. Sieh zu, daß sich niemand mehr in den umstehenden Häusern aufhält, und ruf die Ambulanz.«

Beck nickte und rannte los.

Bilborough nahm ein Handy aus seiner Jackentasche. »Können Sie mir bitte noch mal die Telefonnummer sagen, Mrs. Brien?«

»Sechs, zwei, fünf, fünf, fünf, sieben, eins.«

»Noch mal.«

»Sechs, zwei, fünf, fünf, fünf, sieben, eins. Rufen Sie sie an, bitte . . .«

Das Telefon klingelte einige Male, bevor jemand abnahm.

»Sean?« sagte Bilborough.

»Er kommt nicht ans Telefon«, antwortete eine Frauenstimme. »Er will nur mit Tina sprechen. Wir sind beide voll mit Benzin. Das Wohnzimmer auch. Er hat Streichhölzer. Bitte, helfen Sie mir . . .« Im nächsten Moment war die Leitung tot.

»Jimmy!« brüllte Bilborough und machte sich auf die Suche nach ihm.

Beck dirigierte ein paar Anwohner aus der Gefahrenzone zum Ende der Straße.

»Jimmy, ruf den Chief Superintendent an«, befahl Bilborough. »Wir brauchen Scharfschützen und eine große mobile Einheit. Besorg aus dem Bauamt einen Plan von dem Haus.«

Beck nickte. »Okay.«

Während Bilborough zurück zu seinem Wagen ging, drückte er auf die Wiederwahltaste an seinem Handy.

Sammy saß im Wohnzimmer auf dem Boden, ihre Hände waren mit der Schnur gefesselt, die Sean mitgebracht hatte. Sean lümmelte auf dem Sofa hinter ihr und wickelte sich geistesabwesend eine ihrer Haarsträhnen um die Hand. Das Telefon klingelte wieder. Er wartete und ließ es klingeln, dann hob er ab und glitt neben Sammy auf den Boden. Er zog ihren Kopf nahe an seinen und plazierte den Hörer so, daß sie beide mithören konnten.

»Sean?« sagte dieselbe Männerstimme wie vorher.

Sammy schwieg; Sean zupfte an ihrem Haar. »Sammy«, sagte sie.

»Alles wird gut, Sammy«, beruhigte sie der Mann. »Würdest du Sean ans Telefon holen?«

»Er kommt nicht ans Telefon.«

»Ist er da? Kannst du mich hören, Sean?«

Sie spürte, wie Sean ihren Kopf vor und zurück bewegte. »Er kann Sie hören.«

»Sean, willst du mit mir sprechen?«

Sean drückte den Hörer an sein Ohr. »Mein Name ist David Bilborough. Ich komme ins Haus – allein –, keine Tricks, das verspreche ich. Wir können über Tina reden . . . Wärst du damit einverstanden? Bist du noch da, Sean? Keine Tricks, das verspreche ich.«

Sean schüttelte aufgebracht den Kopf. Er wollte nicht mit einem Wichser reden, den er nicht kannte. Es gab nur einen Menschen, mit dem er sprechen konnte und der ihn vielleicht verstand. »Fitz«, sagte er.

34

Bilborough rannte dem Auto entgegen, als Penhaligon durch die Absperrung fuhr. Fitz saß auf dem Beifahrersitz. Die Presse hatte sich auch schon eingefunden, aber diesmal wurden alle Leute strikt hinter dem Polizeiband aufgehalten, das quer über die Straße gespannt war. Diesmal also keine niedliche Journalistin, die Bilboroughs Ego streichelt, dachte Fitz, als Penhaligon stehenblieb.

Überall Streifenwagen, krächzende Funkgeräte, ein Notarztwagen und ein paar Feuerwehrautos. Bewaffnete Polizisten mit kugelsicheren Westen verteilten sich auf dem Gelände und gingen hinter Autos, Bäumen und Gartenzäunen in Schußposition. Einige waren auf den Dächern der

Nachbarhäuser postiert. Und natürlich die Neugierigen –
immer, wenn etwas los war, strömten Massen von sensa-
tionslüsternen Menschen herbei. Sie verrenkten sich die
Hälse, damit sie nichts verpaßten.

Bilborough bückte sich zum Beifahrerfenster. »Ich hab'
Rückendeckung von meinem Boß«, erklärte er Fitz. »Wir
haben Scharfschützen hergeholt, die das Haus im Auge
behalten – Vorder- und Rückseite. Wenn Sie nichts erreichen, dann kommen Sie einfach raus. Sobald Sie sich ohne
das Mädchen blicken lassen, erschießen wir den Scheißkerl.«

Fitz öffnete die Tür, schob dabei Bilborough aus dem Weg
und stieg aus. »Ich gehe da nicht rein.«

»Sie müssen reingehen«, protestierte Bilborough und
strebte dem langen Bus der mobilen Einheit zu.

Fitz hielt ihn am Arm fest. »Regel Nummer eins bei
Verhandlungen mit Geiselnehmern ist, daß man sich nicht
selbst in Gefahr bringt.«

Bilborough nahm seelenruhig Fitz' Hand von seinem
Arm. »Das ist nicht die Regel Nummer eins.«

»Es ist meine Nummer eins.« Fitz bemerkte, daß Penhaligon neben ihm stand und sich keine Mühe gab, ihr Mißfallen zu verbergen. »Wo ist das Telefon?«

»Da drin.« Bilborough führte ihn in den Bus, in dem eine
Crew verschiedene Monitore überwachte. »Dort drüben,
Fitz.« Er zeigte auf einen Tisch im hinteren Teil des Busses.

Mr. und Mrs. Brien saßen auf einer gepolsterten Bank
und hatten Pappbecher mit Kaffee, der längst kalt geworden
war, vor sich auf einem Tisch stehen, auf dem sich auch zwei
weiße Telefone befanden. Sie sahen Fitz erwartungsvoll
entgegen. Mr. Brien legte beschützend den Arm um seine
Frau. Fitz ließ sich neben ihnen nieder und zündete sich
eine Zigarette an, dann griff er nach einem der Telefone.

»Hallo«, flüsterte eine kaum hörbare Frauenstimme am anderen Ende der Leitung.

»Hi, Sammy. Hier ist Fitz. Ich hole dich da raus, das verspreche ich. Ich verspreche es. Ruf Sean an den Apparat, ja?«

»Fitz«, sagte Sammy.

Sean schnappte sich den Hörer und hielt ihn an sein Ohr. »Ja«, sagte er und legte einen Arm fest um Sammys Hals.

»Was willst du, Sean?«

»Ich w-w-w . . .« Er zwang Sammys Kopf auf seinen Schoß, der Arm um ihren Hals drückte mit jedem Versuch, ein Wort zu sagen, fester zu. ». . . W-w-w . . .«

»Will«, half ihm Fitz.

»Ich will«, stieß Sean hervor. »Ich will . . .«

Wieder blieben ihm die Worte im Hals stecken und würgten ihn. »Tz-tz-tz . . .« Er schnappte nach Luft und probierte es noch mal, dabei würgte er Sammy noch mehr als zuvor. »Tz-tz-tz-tz-tz . . .«

Sammy bekam kaum noch Luft. »Du tust mir weh«, krächzte sie.

»Tina«, sagte Fitz.

»Tz-tz-tz-tz . . .«

»Atmen, Sean«, schärfte Fitz ihm ein. »Schön langsam und tief atmen.«

Sean gehorchte, aber es half nicht. »Tz-tz . . .« Er schüttelte frustriert den Kopf; sein Mund tat nicht, was er wollte.

Fitz rieb sich seufzend die Stirn; es war, als würde man einem Maschinengewehr zuhören. »Zu?« schlug er vor.

»Zu«, preßte Sean hervor, bevor er das nächste Wort in Angriff nahm. »G-g . . .«

Fitz drehte sich zu Bilborough um, der besorgt hinter ihm wartete. Er hielt den Hörer an die Brust, damit Sean ihn nicht hörte. »Das wird eine gesalzene Rechnung«, sagte er.

Sean unternahm einen letzten Versuch, dann schmiß er wütend den Hörer auf die Gabel.

»Er kann am Telefon nicht sprechen.« Fitz ächzte. »Du wirst mich da hineinlassen müssen«, sagte er mit seinem amerikanischen Schauspieler-Akzent. »Ich bin der einzige, dem er vertraut.«

»Aber das darfst du nicht, Fitz«, protestierte er selbst mit Fistelstimme. »Es ist zu gefährlich!«

»Nein, ich gehe hinein«, setzte er entschlossen im ersten Tonfall hinzu. »Scheiße«, brummte er wieder als Fitz.

»Ich gehe«, bot sich Bilborough an.

»Ich bin kein Held«, gab Fitz zu. »Ich kenne Helden. Das sind Menschen, die zuviel Angst haben, um feige zu sein. Davor hab' ich keine Angst.« Bilborough und Penhaligon sahen ihn ungerührt an. »Polizeiarbeit, versteht ihr?« fügte er sarkastisch hinzu. Plötzlich registrierte er, daß jemand weinte; er drehte sich wieder um und sah, daß Mrs. Brien über dem Tisch zusammengebrochen war und ihre Schultern krampfhaft zuckten. Ihr Mann schlang den Arm um sie und richtete einen anklagenden Blick auf Fitz. Penhaligon tätschelte Mrs. Briens Hand. Also gut, dachte Fitz. Ich gebe auf. Ihr habt gewonnen, ihr alle habt gewonnen.

Er hielt seine Zigarette hoch. »Darf ich die wenigstens noch zu Ende rauchen? Ich denke, es wäre nicht besonders gut, wenn ich da drin rauche, stimmt's?«

35

Zwei mit Gewehren bewaffnete Polizisten kauerten rechts und links vor dem Gartentor.

»Ihr macht euch gut als Gartenzwerge«, sagte Fitz. Er

ging durch das Tor zum Haus. Die Tür ging auf, noch ehe er die Hand zum Klopfen heben konnte; Sean hatte auf ihn gewartet. Fitz stand in dem kleinen Vorraum und beobachtete, wie Sean zurückwich – er hatte Sammy immer noch im Schwitzkasten. Ihre Hände waren gefesselt; Fitz sah, daß die Schnur tief in ihr Fleisch schnitt. Sean ließ sie los, als sie die Tür zum Wohnzimmer erreichten, und stieß sie grob hinein, so daß Fitz sie nicht mehr im Blickfeld hatte. Sean selbst postierte sich mitten im Flur; er hielt ein Streichholz in der einen und die Schachtel in der anderen Hand. »Schl-schl-schl . . .«

»Die Tür schließen?«

»Ja.«

Fitz machte die Tür zu und fing sofort an zu husten. Die Luft in diesem Haus war das reinste Gift. »Gott«, sagte er und holte ein Taschentuch aus der Tasche. Er drückte es sich auf die Nase und versuchte zu atmen. »Alles okay, Sammy?« rief er.

Eine schwache Stimme antwortete ihm: »Ja.«

»Benzin«, sagte Sean hustend. »Und Gas. Ich hab' alle Gashähne aufgedreht.«

Fitz sank keuchend auf den Stuhl im Flur. »Das dachte ich mir.«

»Wenn ich das Streichholz anzünde, geht alles in die Luft. Richtig? Das ganze verdammte Haus, ich, sie – alles.«

»Ich glaube, ich hab' kapiert, was du meinst, Sean.«

»Ich bin drin«, sagte Sean, während er aufgeregt hin- und herlief. »Jetzt bin ich drin. Ich war mit Tina bei ihnen, und sie haben mich nicht reingelassen. Ich mußte draußen warten, und der verdammte Hund hat mich durch die Tür angebellt. Sie sagten Tina, sie soll mich verlassen, sie haben mich wie Scheiße behandelt. Jetzt bin ich drin und jage die verdammte Bude in die Luft.«

»Was willst du, Sean?«

Er blieb stehen und zeigte mit dem Finger auf Fitz' Gesicht. »Ich will, daß ihr Tina laufen laßt. Sie hat nichts damit zu tun, okay? Die Kleine hat nichts damit zu tun, kapiert. Also laßt ihr sie laufen, okay?«

Fitz schüttelte den Kopf. »Das geht nicht, Sean.«

Sean deutete auf ein Blatt Papier, das unter dem Telefon klemmte. »Dann nehmen Sie das und machen Sie was. Das ist mein Geständnis. Kapiert? War alles meine Idee.« Er fing wieder an, auf und ab zu tigern. »Ich war's. Tina hat nichts damit zu tun. Ich hab' sie dazu gebracht mitzumachen. Tina hat nichts damit zu tun. Ich hab' sie gezwungen. Kapiert?«

Fitz nahm den Zettel, überflog ihn, dann nickte er und steckte ihn in die Tasche. »Ich weiß.«

Sean ging noch ein paar Schritte, dann blieb er stehen. »Was soll das heißen?«

»Sie hat es mir erzählt. Sie hat dir alles in die Schuhe geschoben.«

»Sie lügen«, versetzte Sean, aber Fitz sah, daß Zweifel in seinen Augen aufflackerten; er wurde unsicher.

»Was glaubst du, wieso die Polizei so schnell hier war?« wollte Fitz wissen. »Hmm? Ich sag's dir: Sie hat ihnen verraten, wo du bist.«

Fitz merkte, daß Sean in Panik geriet. Was, wenn all das umsonst war? Wenn er sich für jemanden opferte, der ihn betrogen hatte? Wenn es die Sache gar nicht wert gewesen war? *Komm schon, Sean*, drängte Fitz ihn im Geiste, *gib auf; du weißt, daß es die Sache nicht wert ist.*

»Ich gl-gl-gl . . .«, stammelte Sean verzweifelt, aber seine Kraft reichte nicht mehr – der Zweifel hatte sich bereits festgesetzt und die Wut vertrieben.

»Du glaubst mir nicht«, sagte Fitz höhnisch. »Wie rührend. Und all das nimmst du für die kleine Schlampe Tina auf dich.«

Sean schnappte nach Luft – der Gestank machte ihn benommen. »Nein!«

»Sie ist auf den Strich gegangen«, eröffnete Fitz ihm in einem Ton, der deutlich machte, daß alle außer Sean längst Bescheid wußten.

Sean schüttelte nachdenklich den Kopf – er weigerte sich, das zu glauben.

»Sie hat mit Giggs gevögelt«, sagte Fitz. »Erinnerst du dich an den Polizisten, den du umgebracht hast?«

»Ich zünde das hier an«, drohte Sean. »Ich zünde das Streichholz an, wenn . . .«

»Sie hat mit Giggs am Nachmittag gevögelt und ihm gesagt, daß er wiederkommen soll, deshalb war er so scharf drauf, noch mal zu ihr zu gehen. Sie hat's am Nachmittag mit ihm getrieben.«

Sean schüttelte den Kopf und verzog die Lippen zu einem dämonischen Grinsen.

»Sie hat's mit ihm gemacht, als du nicht da warst«, beharrte Fitz.

»Ich war da.« Seans Augen glitzerten triumphierend. Er lachte. »Sie haben nur geraten, richtig? Ich war da.«

Fitz hustete in sein Taschentuch und verfluchte sich im stillen, weil er zu weit gegangen war. Er hatte ihn gehabt und mit seiner Übertreibung alles verdorben.

Sean fuchtelte mit der Streichholzschachtel in der Luft. »Ich zünde das an, wenn Sie nicht Ihr dreckiges verlogenes Maul halten. Ich zünde es an, okay?«

Das Telefon klingelte.

Sean erschrak, das Streichholz startbereit in der Hand, und starrte auf das Telefon.

Fitz hob die Schultern. »Das könnte mein Börsenmakler

sein.« Er hob ab, ohne Sean aus den Augen zu lassen. »Fitz
. . . Benzindämpfe, Gas . . . Wirklich«, sagte er und schaute
auf seine Uhr. »Danke.« Er stand auf und ging zur Küche.
»Sean, ich drehe nur das Gas ab.«

Sean machte einen Satz, verstellte ihm den Weg und
zeigte ihm die Streichhölzer. »Nein, nein, nein.«

Fitz ging einfach weiter und zwang Sean zurückzuwei-
chen. »Komm schon, nur das Gas.«

Sean postierte sich in der Küchentür und weigerte sich,
auch nur einen Zentimeter nachzugeben.

»Die Sache ist die, Sean, wenn die Zentralheizung an-
springt, fliegt das Haus sowieso in die Luft.«

»Ja.« Sean fand das offenbar lustig und kicherte.

»Wenn sie dasselbe System hätten wie im alten Haus –
mit manueller Einstellung –, dann hättest du das Vergnügen,
dich selbst ins Jenseits befördern zu können, aber in diesem
Haus wird die Heizung offenbar elektronisch gezündet. Um
wieviel Uhr springt die Heizung an, Sammy?« schrie Fitz.

»Um sechs!« rief sie zurück. »Wie spät ist es jetzt?«

»Dann gehen Sie jetzt besser«, sagte Sean zu Fitz.

»Wie spät ist es jetzt?« fragte Sammy noch einmal.

Fitz schaute auf die Uhr. »Drei Minuten vor!« brüllte er.
Er hörte, wie sie hustete und weinte. Er richtete den Blick
auf Sean, der die Streichhölzer festhielt, als hätten sie noch
irgendeine Bedeutung. »Weißt du«, sagte er, »vor ein oder
zwei Tagen hätte ich dich noch gezwungen, Farbe zu beken-
nen. Aber ein solches Risiko will ich jetzt nicht eingehen.
Verstehst du – ich bin entschlossen, weiterzuleben. Das hat
etwas mit meiner Frau und meiner Tochter zu tun. Ich will
dich jetzt nicht mit Details langweilen.« Er hielt Seans
handgeschriebenes Geständnis hoch, damit er es sehen
konnte, dann zerriß er es in kleine Fetzen, stopfte sie sich
in den Mund und schluckte sie runter. »Da«, sagte er und

313

schluckte noch einmal. »Ich hab' deine Worte gefressen. Jetzt lasse ich Sammy frei.« Er drehte sich um und steuerte die Wohnzimmertür an.

Sean lief ihm nach und schüttelte die Streichholzschachtel. »Das tun Sie nicht.«

Fitz fand Sammy zusammengekauert auf dem Boden. Der Knoten ihrer Fessel war so groß und fest, daß keine Zeit blieb, ihn zu lösen. Er zog sie auf die Füße und führte sie zur Tür.

»Ich zünde das an!« kreischte Sean.

»Du kapierst es einfach nicht, was, Sean? Du hast die Lage nicht mehr unter Kontrolle. Nur zu, zünde dein verdammtes Streichholz an. Das Haus fliegt sowieso in die Luft. Vergiß Tina. Vergiß dein Geständnis. Es hat keinen Zweck mehr, die Schuld auf dich zu nehmen. Los, zünd das Streichholz an.«

Sean zögerte.

»Oder komm mit«, setzte Fitz bittend hinzu. »Komm mit uns.«

Sean schien vor seinen Augen zu schrumpfen, plötzlich war er klein, hilflos und verwirrt. Er hatte Macht über all die Leute gehabt – die Polizei, die Feuerwehr, die Nachbarn –, und jetzt stand er mit leeren Händen da. Nichts, was er jetzt noch tat, würde etwas bewirken. »Wenn Sie die Tür anfassen . . .«

Fitz drehte den Knauf und schob Sammy sanft weiter. »Durch die Tür, dann links – so schnell du kannst . . .«

Sie stolperte entkräftet und benommen durch den Vorgarten. Ihre Lunge brannte, und das Herz klopfte ihr bis zum Hals. Sie hörte Stimmen, die ihren Namen riefen und sie drängten: »Bleib nicht stehen, geh weiter, hierher, Sammy! Hierher. Lauf, Sammy, lauf!«

Ihre Mutter rannte ihr entgegen und zog sie die letzten

Meter weiter bis hinter die Absperrung. Die bewaffneten Polizisten am Gartentor sprangen auf und stürmten ebenfalls zur Sicherheitslinie. Alle auf der Straße jubelten und applaudierten.

Alle, bis auf Jane Penhaligon; sie stand reglos da und suchte die Straße mit Blicken ab. Von Fitz war keine Spur zu sehen. Er war noch immer im Haus.

Fitz stand an der Haustür und hielt sie auf, damit er frische Luft atmen konnte. »Es war fast alles gelogen, Sean. Du weißt, daß sie nicht auf den Strich gegangen ist und daß sie es nicht mit Giggs getrieben hat. Aber sie hat uns erzählt, wo du bist, und weißt du, warum? Weil ich ihr eine Stunde mit dir versprochen habe. Irgendwo ganz ungestört. Nur um Lebewohl zu sagen. Würde dir das gefallen, Sean? Eine Stunde mit Tina.«

Sean ließ sich hustend auf den Boden sinken. »Eine lausige Stunde«, sagte er gedehnt, wie er es vom Therapeuten gelernt hatte. »Siiie denken, ich würde jaaa sagen zu einer lausigen beschissenen Stunde? Diiies«, er hielt die Streichhölzer hoch, »saaagt meeehr. Riiichtig? Es saaagt meeehr, als ich iiin einer lausigen beschissenen Stunde saaagen kann.«

»Sei nicht so dämlich, Sean. Du willst gar nicht sterben. Komm mit mir, bitte.«

Sean sah mit tränennassen Augen zu ihm auf. »*Sad, sweet dreamer*«, sang er, »*it's just one of those things you put down to experience. Sad, sweet dreamer, it's just one of those things you put down to experience.*«

Fitz sah auf seine Uhr – es war keine Zeit mehr. Er drehte sich um und verließ das Haus.

»*I was so happy, when I found you*«, Sean schloß die Augen, »*but how was I to know that you would leave me walking down that road, all alone?*«

315

Fitz ging die Straße entlang auf die Absperrung zu – so langsam, daß Sean ihn einholen konnte. *Komm schon, Sean, komm, wir rennen zusammen.*

»Fitz!« schrie Penhaligon. »Lauf, du blöder Mistkerl! Lauf! Fitz, lauf!«

Noch ist Zeit, Sean. Wenn du aufspringst und rennst, reicht's noch.

»Fitz!« kreischte Penhaligon. »Lauf, du Fettkloß!«

Sean saß immer noch auf dem Boden im Flur, Tränen liefen ihm übers Gesicht. Er sah Tina mit ausgebreiteten Armen vor sich. *Dann sehen wir uns nie wieder, Sean, willst du das?*

Eine Stunde. Eine letzte Stunde.

Er stand auf und ging auf die Tür zu.

Die Zentralheizung sprang an.

Der Bürgersteig war übersät mit Scherben und Schutt; Flammen züngelten auf, erfaßten Bäume und die Dächer der Nachbarhäuser. Die vornehme Vorstadtstraße sah aus wie ein Kriegsschauplatz, schwarzer Qualm stieg in den grauen Manchester-Himmel, Brandherde tauchten die Gegend in orangefarbenes Licht, Sirenen heulten in der Ferne. Menschen schrien. Fitz lag regungslos mit ausgestreckten Armen und dem Gesicht nach unten auf dem Gehsteig. Bedeckt mit Staub und Ziegelsteinstücken.

Penhaligon rannte an den brennenden Häusern vorbei, der Rauch brannte ihr in Augen und Kehle; Glasscherben knirschten unter ihren Füßen. Immer wieder rief sie Fitz' Namen. Sie fiel neben ihm auf die Knie und achtete nicht auf den Schmerz, als sich Glas in ihre Beine bohrte. »Fitz!« brüllte sie und schüttelte ihn. »Fitz!« Sie drückte ihr Ohr auf seinen Rücken, um zu horchen, ob sein Herz noch schlug. Sie hörte nichts. Er ist tot, dachte sie, der Mistkerl ist in dieses Haus gegangen und ist umgekommen. Sie warf sich über ihn und schluchzte hysterisch. »Du blöder Scheißkerl! Du blöder, bescheuerter . . .«

Er hob leicht den Kopf. »Ich glaube, du findest ein Stückchen weiter unten ein Lebenszeichen.«

Sie schlug auf ihn ein und trommelte mit den Fäusten auf seinen mächtigen Rücken.

»Tut mir leid«, sagte er und stemmte sich auf die Knie.

»Du blöder«, schluchzte sie und versetzte ihm harmlose Schläge. »Blöder, blöder, blöder . . .« Sie sank weinend an seine Brust. »Ich dachte, ich hätte dich verloren, du abscheulicher, lauter und anmaßender . . . fetter Mistkerl! Mach das nie wieder mit mir, hörst du? Mach das nie . . .«

»Es tut mir leid.« Er strich ihr zärtlich übers Haar und wiegte sie, während sie beide auf der Straße knieten. Die schreienden Menschen und die tobenden Flammen schienen sie gar nicht wahrzunehmen.

»Blöder Mistkerl«, schluchzte sie. »Du siehst nicht, was direkt vor deiner Nase vor sich geht, stimmt's? Direkt vor deiner verdammten Nase, und du kapierst nichts. Du hast nicht die geringste Ahnung!«

»Tut mir leid«, sagte er und hielt sie ganz fest. »Penthesilea, es tut mir leid.«

»Mistkerl!« fauchte sie und schlug wieder auf ihn ein. »Ich wünschte, du würdest mich nur einmal in deinem verfluchten Leben Jane nennen.«

JOY FIELDING

»An einem Nachmittag im Frühsommer ging
Jane Whittacker zum Einkaufen und vergaß,
wer sie war...«
Blutbefleckt, die Taschen voller Geld und ohne
Erinnerungsvermögen findet sie sich auf den
Straßen Bostons wieder. Ein Alptraum wird wahr,
der teuflischer nicht sein könnte...

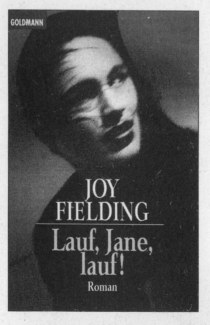

GOLDMANN

JOY
FIELDING
Lauf, Jane,
lauf!

Roman

41333

GOLDMANN

*Das Gesamtverzeichnis aller lieferbaren Titel erhalten Sie
im Buchhandel oder direkt beim Verlag.*

Taschenbuch-Bestseller zu Taschenbuchpreisen
– Monat für Monat interessante und fesselnde Titel –
*
Literatur deutschsprachiger und internationaler Autoren
*
Unterhaltung, Thriller, Historische Romane
und Anthologien
*
Aktuelle Sachbücher, Ratgeber, Handbücher
und Nachschlagewerke
*
Esoterik, Persönliches Wachstum und
Ganzheitliches Heilen
*
Krimis, Science-Fiction und Fantasy-Literatur
*
Klassiker mit Anmerkungen, Autoreneditionen
und Werkausgaben
*
Kalender, Kriminalhörspielkassetten und
Popbiographien

Die ganze Welt des Taschenbuchs

Goldmann Verlag · Neumarkter Str. 18 · 81673 München

Bitte senden Sie mir das neue kostenlose Gesamtverzeichnis

Name: _____

Straße: _____

PLZ / Ort: _____